林慶彰 總策畫
民國時期稀見期刊彙編
第一輯

史學科研究年報①

臺北帝國大學研究年報

第一冊

出版弁言

期刊是人們活動的紀錄，歷史的縮影。真實地呈現出各個時代中，各種領域的真實歷程。從中我們可以看到當時的思想、看法和立足點等內在理路。更可以看到當時政治、經濟、軍事、文化、科學和倫理道德等，各種外在環境對學術思路的影響。

從清朝末年開始，中外交流旺盛，許多新的思潮、學問和研究方法，紛紛湧進中國。不論文學、哲學、史學、民俗學、社會學、各種主義等，對當時的社會，造成極大的影響，甚至引發革命，產生民國政體。民國的產生，並非只是影響的結果，而是開始。直到一九四九年新中國成立，還不斷在發酵。因此，透過民國時期期刊的研究，能夠用各種角度，去分析民國時期的學術。而民國時期出版的期刊，大約有兩萬餘種，其中又有不少短刊斷刊，分別典藏在各地。學者取用資料十分不便，更甚者許多資料逐漸湮沒不為人知，而導致損毀。因此，針對這些資料陸續將它整理出版，實有其必要。

目前有關民國時期期刊的出版，已有許多出版社在進行。例如：全國圖書館文獻縮微複製中心出版的《民國珍稀期刊》系列叢書，就是最明顯例子。此外，北京國家圖書館出版社出版的《民國文獻資料叢編》系列叢書，也收錄了不少民國時期的期刊。

為了提供民國時期研究學者一個便捷取得研究資料的管道，同時站在保存文獻資料的立場。本公司乃成立編委會，自二〇一〇年起，開始蒐集、董理。二〇一一年先與北京國家圖書館出版社、香港中和出版公司共同出版《辛亥革命稀見文獻彙編》共四十五冊，收錄於《民國文獻資料叢編》中。二〇一二年起，策畫出版《民國時期稀見期刊彙編》系列叢書，收錄一九一一年至一九四九年間，對於能夠反映當時學術動態，討論有關文學、哲學、史學、民俗學、社會學、各種主義等，具有代表意義的期刊，將其重新整理，分輯出版。

日本國自一八八六年起，開始陸續在日本本土及殖民地設立帝國大學。臺北帝國大學於一九二八年成立，是日本本土外設立的兩所帝國大學之一，也是日治時期臺灣唯一的一所大學。成立時，設有文政學部與理農學部兩學部，並附設農林專門部。文政學部，最早設立了哲學科、史學科、文學科、政學科等四個學科。成立後，兩年間設立了二十四個講座，到一九四五年二次大戰結束後，已有二十五個講座，頗具規模。二戰期間，還曾整合學部各科，成立「南方人文研究所」。二戰結束後，臺北帝國大學改制成為現今國立臺灣大學以及國立中興大學的前身。因此，臺北帝國大學文政學部，可以說是臺灣人文學研究的濫觴，十分具有代表意義。

因此，《民國時期稀見期刊彙編》第一輯，出版《臺北帝國大學研究年報》，收錄一九三四～一九四三年間，臺北帝國大學文政學部四個學科的研究年報。全書依學科分四部，共三十冊。於首冊編制總目錄，各部之前，別列各部細目，以利檢索。希望本套書的出版，對於研究學者，能夠有所助益。

萬卷樓圖書公司叢書編輯委員會

二〇一二年六月

總目錄

史學科研究年報

第一輯

第二輯

第三輯

第四輯

第五輯

第六輯

臺北帝大夏期講習會
史學科研究年報既刊目次

第七輯

日南林邑に就いて／桑田六郎
高麗恭愍王朝に於ける日本との關係／青山公亮
豐臣秀吉の臺灣島招諭計畫／岩生成一
英吉利に於ける猶太人の追放と再入國／菅原憲
近世初期の琉明關係（征繩役後に於ける）／小葉田淳
彙報
昭和十五年度史學科講義題目
昭和十六年度史學科講義題目
閑院宮殿下本學御成
岩生教授の帝國學士院賞受賞
史學科卒業生氏名及論文題目
史學科研究年報既刊目次

哲學科研究年報

第一輯

第二輯

第三輯

第四輯

第五輯

郎

存在と真理（ヌツビッゼの眞理論の一攷察）／洪耀勳

彙報

哲學科講義題目　昭和十三年度

第六輯

原始母系家族（パンツァハ族の家族生活）／岡田謙

朱子の德論／後藤俊瑞

實存的道德の諸問題／世良壽男

高砂族の行動特性（その一）（パイワンとルカイ）／藤澤茽

彙報

哲學科講義題目　昭和十四年度

出講

學位授與

學會・講演會

講習會

著書

海外出張

海外通信

第七輯

教授作用と辯證法／伊藤猷典
周易の政治思想／今村完道
朱子の禮論／後藤俊瑞
心理學に於ける刺戟と反應に就て／力丸慈圓
彙報
哲學科講義題目　昭和十五年度
出講　學內
學會・講演會
講習會
論著
海外出張

第八輯

朱子の認識論／後藤俊瑞
社會哲學試論／淡野安太郎

未開民族の叱責／藤澤茀
社會的場と人格（力學的立場よりみたる）／福島重一
彙報
哲學科講義題目　昭和十六年度
學會・講演會
講習會
論著

第九輯

行為現象學序論／岡野留次郎
現代に於ける「信教の自由」の問題／淡野安太郎
人間精神に於ける感情の意義及び性質に就て（一）／世良壽男
東亞新秩序と世界觀的基礎／伊藤猷典
人格形成の科學としての教育科學の可能性とその方法／福島重一
彙報
哲學科講義題目　昭和十七年度
哲學會主催公開講演會

第十輯

政學科研究年報

第一輯

國家の理念と刑法／安平政吉
私法法源としての慣習法と判例法／宮崎孝治郎
法と言語（學說史の一斷面）／杉山茂顯
宗教改革と近世的政治思想／堀豐彥
理論經濟學體系論（經濟學認識論の一齣）／楠井隆三
「豐かな」臺灣の財政／北山富久二郎
清朝治下臺灣の土地所有形態／東嘉生

第二輯

臺灣に於ける秤量貨幣制と我が幣制政策（「銀地金を流通せしむる金本位制」）／北山富久二郎
マルサスの地代論（地代學說史の一斷章）／東嘉生
國際責任の根據に關する一考察／福井康雄
自然法思想における二の性格（絕對主義と個人主義）／秋永肇

第三輯　第一部　法律・政治篇

國家目的論の考察／堀豐彦
法現象進化の基底／宮崎孝治郎
國際不法行為論序說／福井康雄
一八六七年の選擧法改正と自由主義（イギリス近代政治史の序說的斷章）／秋永肇
祭祀公業の基本問題／坂義彥

第三輯　第二部　經濟篇

經濟學對象論（經濟學認識論の一齣）／楠井隆三
銀行の創設信用と物價／北山富久二郎
株式取引所に於ける主力株に就て（我が新東株上場禁止問題）／今西庄次郎
物產取引所格付賣買の理論／今西庄次郎
清朝治下臺灣の貿易と外國商業資本／東嘉生

第四輯　第一部　法律政治篇

ナチス全體主義國家の理念とドイツ基督教會／堀豐彥
中期ヴィクトリヤ時代の政治的型相／秋永肇
船舶「モルゲージ」について／中川正

第四輯　第二部　經濟篇

理論經濟學方法論（經濟學認識論の一齣）／楠井隆三
取引所とは何ぞや／今西庄次郎
株式會社の新設と取引所（新設會社株式の取引所上場時期）／今西庄次郎

第五輯　第一部　法律政治篇

債權法序論／菅原春雄
債權關係の構成／菅原春雄
契約と條約との關係に就ての二三の考察／宮崎孝治郎
刑法に就ける人格主義の責任理論／安平政吉
營造物權（Anstaltsgewalt）について（公法上の特別權力關係の一考察）／園部敏
政治概念の究明／堀豐彥

第五輯　第二部　經濟篇

「穀物條例」に關する一論爭／東嘉生
工業會社高率配當の抑制に就て／今西庄次郎
德川時代農村調査の一例（大村藩「鄉村記」の研究）／津下剛

第六輯　第一部　法律政治篇

有價證券の觀念に就て／島賀陽然良
株式會社共同體論（ナチス株式法の基礎理論）／中川正
韓非子を讀む（刑治主義か德化主義か）／鍾壁輝

第六輯　第二部　經濟篇

明治初年に於ける農書（附　農業史三部作）／津下剛
取引所の掛繫ぎ機關としての價値／今西庄次郎

第七輯　公法篇

政治學と國家論との聯關／堀豐彦
フランスに於ける新自然法論／中井淳

化學戦國際法の現狀／山下康雄
太平天國外交史論（一八五三年〜一八六四年）／秋永肇
六三問題／中村哲

第七輯　經濟篇

臺灣經濟再編成論／楠井隆三
清朝治下臺灣の地代關係／東嘉生
アメリカ合衆國の農業金融組織／吉武昌男

第八輯　私法篇

生態支那家族制度と其の族產制／宮崎孝治郎
保證の特殊性と繼續的保證の概念／西村信雄
轉換社債發行のためにする條件附資本增加／中川正

第九輯　公法・政治篇

行政規則について／園部敏
ゲルマンの國家觀念（君主權の發達に關聯して觀たる（一））／中村哲

刑法における道義性の要求／植松正
獨逸のポーランド統治と廣域圏理念／山下康雄

文學科研究年報

言語と文學

臺北帝國大學文政學部

史學科研究年報

第一輯

臺北帝國大學文政學部 史學科研究年報 第一輯

目次

近世に於ける出版取締法發布の沿革と出版手續法並に檢閲制度

中村喜代三

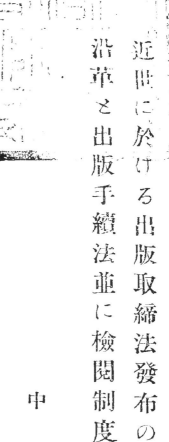

近世に於ける出版取締法發布の沿革と出版手續法並に檢閲制度

中村喜代三

近世に於ける文化の發達は、惹いて出版事業の隆盛を促し、出版物の民衆化出版事業の營利化は、近世出版界の著しい特色となつた。書籍は多數人の所有となり、社會と出版物とは密接に連結するに至つた。時代の進步と營利上の原因とは、出版物の種類と數量とを甚だ增加せしめた。書籍印刷物の社會的勢力は愈々大を加へて來た。斯ういふ時勢になれば、時の政權把持者の何人たるを問はず、其統治上乃至社會政策上、出版物問題を等閑に附し得なくなるのは自ら明かである。況んや只管人心の動搖を虞れ、武家政治の維持に汲々として、一意階級制度の破壞を忌み、質素儉約舊慣の墨守を以て能事とせる德川幕府の當局者に於てをやである。善惡は物の兩面、形影必ず相伴ふ。出版界の發達と、其複雜性と、人心に對する深き交渉とは一方に於て幾多の弊害を醸し、危險分子の發生を助長するを免れないものであるから、此處に一定の規矩準繩の設けがあつて、之を取締り、之を防止し、之を制禦して行くのでなかつたならば、遂には公序の懷敗、良俗の紊亂を將來するに至るや期すべきである。是れ蓋し江戸時代に入りて始めて出版取締法の發現ある所以である。元來出版事業の發達變遷は、文化の發達變遷を象徴するものなるが故に、出版取締法が我法制史上に於て、近世のみの有つ唯一獨自の色彩であるのは、卽ち取りも直さず近世文化の我文化史上に於ける地位を說明するものに外ならない。

二

本論文の目的とする所は、主として德川幕府の發した出版取締法の總括的外觀的研究であつて、取締法個々の內面的實質的考察、並に書肆相互間の仲間規約の檢討の如き問題は、暫く他日に讓るものである。それ故に此意味に於ける本論文の使命には、今二つの主題を含んでゐる。卽ち出版取締法發布の沿革と、出版手續法及び檢閲制度である。取締法發布の沿革を跡付ける爲には、私は便宜上之を五期に分ちたい。

第一期　德川幕府が始めて出版物に關する法令を發したのは、寛永七年耶蘇敎撲滅の一手段としての禁書令である。それは「歐羅巴人利瑪竇等之作參拾貳種之書、並耶宗門致化之書」――耶蘇敎思想傳播の危險ある漢籍――の輸入禁止であつた。（御制禁御免書籍譯書、好書故事七四、）けれども此法令は、我文化史上甚だ重大な意味を有するものであるに拘らず、法制史上より見る時は、單に特定の舶來の物貨に對して、輸入を禁じた一片の布告たるに止り、所謂出版取締法としての、法的實質を有つ事は極めて薄弱である。之が內容を備へた法令の漸く發布せらるゝに至つたのは、現在其法文の知り得らるゝ限りに於ては、寛文十三年（延寶元年）五月の法令を以て最古とする。（享保令典永鑑三九、憲敎類典七四、德川禁令考四六、）即ち

此以前茂板木屋共ニ如被仰付候御公儀之義ハ不及申、諸人迷惑仕候儀其外何ニ而も珍敷事を新板ニ開候は、兩御番所江其趣申上ヶ御差圖を受御意次第ニ可仕候、若隱候而新板開候之者於有之は、御穿鑿之上急度可被仰付候間、此旨板木屋とも幷町中之者共少も違背仕間敷候事

とある。而して此法文中に「此以前茂板木屋共ニ如被仰付候」云々の字句があるのを以てすれば、寛文十三年以前既に之と同様若しくは類似の發令があつたのを推測し得べく、其年代は明かでないが、出版界の狀勢、殊に江戸の幼稚なるそれより考へて、恐らく寛文年中、又は之を去る事遠からざるものと認めて誤がなからう。蓋し幕府の出版取締法は、當面の必要に先ちて發布したものではないからである。右の寛文十三年の法令は、全體二箇條から成り、第一箇條は家屋敷の賣買に關するもので、前揭出版物に關する法規は第二箇條に當つて居り、出版取締法のみが單獨に發令されたものではない。其規定せる事項も頗る簡單であつて、新刊書は其内容が幕府及び個人に關係し、若しくは新奇なるものに限り、奉行所に屆出でゝ許可を受くべき旨を命じたに過ぎない。

越えて天和二年五月高札の文言中に、「新作之慥ならざる書物商賣すへからさる事」の一條を加へて、法令の徹底を期し、衆庶の戒心に訴へた。（憲教類典七二、常憲院殿御實紀五、）正徳元年五月高札を改修した際にも、依然條目の第五條として、此文を揭出して居る。（享保令典永鑑二、憲教類典七二、德川禁令考後聚三、）貞享元年二月幕府は服忌令を制定發布したが、暦と同様かゝる制度儀禮に關するものゝ、無秩序無統制に流るゝを防がんが爲に、斯の種の物の出版は、特に幕府の允許を受くる事を必要としたもの丶如くである。今其法文を検出し得ないが、同年四月服忌令の無屆出版者を處罰した機會に出した法令中に、「服忌令之御觸御指圖をも不請致開板、其上加筆仕候段重々不屆」とあるに依つて、其間の消息を十分察し得られる。此の四月の法令には猶後段に、「向後右之旨彌相心得、御公儀之儀は不及申、諸人可致迷惑儀其外可相障儀開板一切無用ニ可仕候、うたがわしく存候儀ハ兩御番所江窺、御差圖を受板行可仕候」とあつて寛文十三年のそれよりは一歩を進めて、法文の意味を少しく嚴重にして居る。享保令典永鑑三五、憲教類典七四、徳川禁令考四六、同年十一月には、

町中に而むさと仕たる小歌はやり候事勿論、當座之替りたる事致板行賣候もの有之候、家主致吟味何方ニ而も左様のもの一切板行仕間敷候

とて心中、刑死、好色等所謂三面種を俗謡に脚色せる讀賣瓦版板行の禁止令を出し、此法令は此後に於ても、例へば元祿十一年二月、同十六年二月、正徳三年閏五月等を始め屢〻反復せられた。享保令典永鑑四五、憲教類典七四、徳川禁令考四六、

元祿年間に入つて稍注意すべきは、元祿七年二月服忌令出版に關して、正寶録同十年暦の出版に關して、憲教類典七四、正寶録各〻出版者の株を規定し、特定の者以外に

は、其出版を禁じた事である。即ち服忌令に就いては、從來何人を問はず、幕府に願出て許可さへ受ければ公刊する事を得たのを、此時江戸の書肆七名に限りて免許を與へ、他の者には之を許さゞる事とした。江戸に於ける曆問屋は、元祿以前は二十八人であつたが、其内十七人を減じて十一軒と定め、株組織を以て之を繼續せしめた。此制度は後世迄も其儘遵行せられたやうである。惟ふに曆服忌令の如きを、一般に印刷出版を許可する時には、自ら十分なる檢閱取締に困難を感じ、從つて或は統一を缺きて錯誤の發生なきを保し難く、法度の紊亂を招くべきを慮つたからである。

寬文以後正德に至る迄は、斯くの如く出版物に關する法令は、出版界の發達に伴ふて、發布せられないではないけれども、其内容は單純大まかであつて、服忌令及び曆に關する特別法を除いては、新刊書に對する制限と、瓦版の禁止とを、簡單なる文面を以て繰返して令せる以外、何等の法規だになく、幕府の當事者が出版物の對社會的勢力を未だ大に顧慮するに至らなかつた事――少くとも政治關係方面に專ら留意して、他に無關心であつた事は、元祿寶永に流行を極め、淫靡の風俗を助長するに與つて力のあつた好色本に對して、毫も抑壓の方針に出でず、唯日先の讀賣瓦版のみの禁令を發せしに止つてゐるのを見ても明かである。

三

第二期　幕府の出版取締法が、一個の法制として確立せらるゝに至つたのは、八代將軍吉宗の享保時代である。吉宗時務並に法律に通じ、輔佐の臣亦其人を得、御定書の編纂を始めとして、幕府の法度は此處に略集大成の域に達した。出版關係の取締法に於ては、先享保五年かの寛永の禁書令の一部解禁を行ひ、「向後者噂迄ニ而勸法に不拘書之分者、御用物者勿論、世間致流布不苦」とし、耶蘇教布教を目的としない以上、單に風評名目たるに過ぎぬものは、殆んど凡て禁を解いた。（御制禁御免書籍譯書、好書故事七四、）次いで同六年七月質素儉約の趣旨に則れる、大體同意味の二通りの法令を出し、出版物にも言及した。其一には「書物草紙是亦新規ニ仕立候儀無用、但不叶事候ハヽ、奉行所に相伺候上可申付候」とて、「有之品々有來物ニても、最初ハ其仕形之品輕く候ても、段々仕形を替花美をつくし潤色を加へ、甚費なる儀ニ成候間、最初之質朴を用候樣ニ可仕候」と云ひ、其二には「今度諸色新規ニ仕出し申間敷旨、御折紙御書付之通被仰出候間堅く相守可申候、就夫右諸色並書籍假名草紙ニ至迄世上之爲ニ茂成候儀、新規ニ仕出し度事も有之候類、又は京都大坂其外所々ゟ新規之品差越候ハヽ、少分之物たり共自今奉行所に訴出、差圖を請商賣可仕候」と命じ、猥りに新刊書を發行するを止め、兩法令共何れも讀賣の板刻を禁じて居る。（享保令典永鑑三六、憲教類典七四、有德院殿御實紀一三、正寶錄、）

翌享保七年十一月には、新刊書に關して五ヶ條より成る法令を發布した。これは前年七月の法令と共に、後世の出版物取締方針の規準となつたものである。故に其本文の全體を掲げる。（享保令典永鑑三六、憲敎類典七四、德川禁令考四六、有德院殿御實紀一五、）

一自今新板書物之儀、儒書佛書神書醫書歌書都而書物其筋一通り之事者格別、猥り成儀異說等を取交作出し候儀堅可爲無用事

一唯今迄有來候板行物之內、好色本之類ハ風俗之爲ニも不宜儀ニ候間、段々相改絶板可申付候事

一人之家筋先祖之事抔を彼是相違之儀共新作之書物ニ書顯し、世上致流布候儀有之候、右之段自今御停止候、若右之類有之其子孫より於訴出ハ、急度吟味有之筈ニ候事

一何書物ニよらず此後新板之物、作者並板元實名奥書爲致可申事

一權現様之御儀者勿論、惣而御當家之御事板行書キ本自今無用ニ可仕候、

無據子細も有之ハ奉行所に訴出差圖請可申候事

即ち普通一般の書籍は格別、新奇の異説に關する書籍の出版、並に徳川氏及び諸家の家筋先祖等に關する記事の公刊 徳川氏關係のものは寫本をも含む の禁止、好色本の絶版を宣し、新刊書には著者發行者の本名を具に明記すべき事を命じた。徳川幕府の出版取締法は、是に於て確立したと云ひ得られる。

其他享保七年十二月、享保令典永鑑三五、憲教類典七四、徳川禁令考四六、同年二月 享保令典永鑑四四、牧民金鑑二〇、正寶錄、等には、風説、心中事件等の讀賣、又は繪雙紙の板行を禁じ、同十五年二月には、博奕類似の行爲をなす者あるに依り繪雙六の上梓を停め、正寶錄 以て風俗の頽廢を救濟しやうとした。享保十九年並河誠所が、友人關祖衡の遺業を繼ぎ、五畿内志を完成もて之を幕府に獻じ、幕府は翌二十年 元文元年 民間書肆をして此書の刊行をなさしめんとするに當り、書中に家康の名の現はれて居るが爲に、從來の出版取締法改訂の必要に迫られる事となつた。そこで同年五月「只今迄諸書物ニ權現様御名書候儀相除候得共、向後急度致たる諸書物之内、押立候儀ハ御名書入不苦

候、御身上之儀且御物語等之類ハ可相除候、御代々様御名諸書物ニ出候儀も右之格ニ相心得可申候」とて、幕府關係事項の記載禁止令を稍緩和した。享保令典永鑑三五・憲教類典七四、德川禁令考四六、尤も此緩和令の適用を受けるものは、所謂「急度致たる諸書物」に限るのであつて、「輕きかな本」乃至稗史小說類に於ては、依然として將軍の事蹟談話等は勿論、其名さへも記す事を禁ぜられて居た。幕府が如何に自家の權威擁護に腐心せるかを察すべきである。之に反して皇室の事に就いては、何等の制限も束縛をも設ける處がなかつた。唯元文五年九月田安家の家臣荷田在滿が、大嘗會便蒙を出版した所、京都有職家より橫槍を入れられたものと見え、爲に在滿は罪を得た事があつて、憲教類典七四、其結果翌六年寬保元年正月新に朝儀に關する圖書の出版は、既刊書の外は以後之が發行を禁ずべき旨を令した。享保令典永鑑三五、憲教類典七四、德川禁令考四六、特に皇室に關する出版取締法規は、前後を通じて此の一文あるのみである。

要するに吉宗の出版物に對する態度は、極めて消極的保守的である。卽ち從前の慣例に從ひ、著述出版の內容に甚しき制限を設けて、幕威の保持と秩序の維持、並に人心の平穩を第一とし、儒書佛書神書醫書歌書等所謂「其筋一通り」の書籍以外、如何なる方面に亙つても、舊來の傳統を動搖又は打破すべき性質の新刊書の發行を禁止し、以て父祖より繼承せる政治組織と階級制度の崩壞、及び社會民衆の動搖防止に專念した。これは言ふ迄もなく幕府自身の立脚地と、其傳來の抑壓政策とに基くものである。而して平民の娯樂となり、精神の糧となるべき通俗文藝の出版物に對しては、全く奢侈品扱をなして、新刊行を無用視せるに至つては、如何に風俗上の取締の爲とは云へ、淺見固陋たるの非難を免るゝを得ぬのである。

四

第三期　斯く德川幕府は、其政權掌握期間の約半に位すべき享保年度に及んで、始めて出版物取締法規の細目を定め、幕府の主義方針を明確にし、其法の勵行を計り、治績亦頗る揚つた。然し乍ら享保以後に在つては、吉宗の遺風を踏襲するのみで、出版物の取締に就いては、何等の改訂補修を施す事なく、株を以て定められた曆の出版取締法の勵行等を形式的に反復せるに止り、總じて甚だ寛大に、折々幕府の忌諱に觸れた出版物の處分せられる事があつたけれども、さりとて法令を以て一般を嚴に戒飭する事なく、寧ろ放任に類して居た。

殊に其傾向は、田沼時代に於て最も甚しかりしが如く、之に乘じて、社會風教の墮落と共に、かの洒落本の如き、誨淫猥雜なる小冊子刊行の盛大を致したのも所以なきに非ずである。

天明七年松平定信老中の首班に列してからは、享保の治を範として、銳意前代の弊政改革に猛進し、大に世道の振興風儀の肅正を計つた。出版物に關しては、寛政二年五月詳細な取締法を出し、當時社會的流行を來した草雙紙一枚繪等の華美浮薄に流るゝを警しめ、好色本の絕版を命じ、一般の書籍に就いては、「猥成儀異說を取交作り出候儀堅可爲無用」とて、更に「書物類古來より有來通ニ而事濟候間、自今新規ニ作出申間敷候、若無據儀ニ候ハヽ奉行所江相伺可受差圖候」と迄極言し、世間の風評等を假名書の寫本にして貸本する事を禁じ、又著者名の明ならざる書物の賣買を停め、新刊書には著者並に板元の實名を奧書にすべき事を命じ、凡て質朴を旨として、之が爲には無用の書籍の刊行を取締り、何時とはなく空文同前となつた享保令の振肅に努めた。天保集成絲綸錄一〇三、徳川禁令考後聚三 更に同年九月には書物草雙紙類の改方に就いて令し、兼ねて草雙紙一枚繪の風俗壞亂に走る事を嚴戒した。天保集成絲綸錄一〇三、徳川禁令考後聚三、 次いで同年十一月書物草雙紙新刊の時に於ける行事改を、夫々問屋改として、其責任の負擔を重からしめた。（徳川禁令考四六、文恭院殿御實紀九、）斯くて此等の出版取締法に違犯する者は、容赦なく重科に處して、以て綱紀の伸張、風俗の匡救に努力したのである。

定信の方針は凡て享保の施設を範とするにあるが故に、彼の發布した出版取締法も、其外形に於てこそ時代の必要に應じて増補せられ、複雜さを加へたけれども、而も法の根本精神に至つては、一に吉宗のそれに依據せるものであつて、他の諸制度に於けると同樣、只管其規矩を奉ずるものに外ならない。寛政五年七月定信罷職後は、其與黨の松平信明等に依つて彼の政策は繼承せられ、同年八月社會の新事件報道を任とせる讀賣瓦版の如き無届出版を嚴禁し、（徳川禁令考四六、正寶錄、）寛政八九年の候には、一網打盡に、法規を犯せる新刊舊刊の多數の洒落本を押收、之が發行者の處罰を行ひ、（近世物之本江戸作者部類一、）同十一年十二月には板木師に對し、錦繪刷物類の原稿檢閱令を布いて、取締の徹底を計つた。（天保集成絲綸錄一〇三、）されば享保時代の出版物取締が、享保七年を中心として、法令の一時的頻發に偏し、其後半に於ては、前半に比して幕府の態度緩漫となれる傾向を示し、又後の天保の出版物取締が、天保十三年に於てのみ頗る嚴重を極めたのに反して、寛政年間は政局の變動に關せず、終始一貫法の厲行と、取締の徹底とを計つたのは、前後其例を見ない所である。

五

第四期　天明寛政に發達隆盛を極めた錦繪草雙紙は、彫刻印刷術の進步につれて、動ともすれば華美を競ひ、或は低級卑猥なる題材に依つて、俗情を挑發せんとした。加ふるに享和の頃太閤記物の繪本草雙紙錦繪類が盛んに出版せられたから、文化元年四月繪雙紙錦繪類に關する法令を出し、一枚繪草雙紙に天正以來の武士の姓名を認める事は勿論、紋所合印名前等を紛らはしく記す事、及び一枚繪に和歌地名遊女俳優力士等の人名以外詞書を記す事を禁じ、繪本草雙紙等は墨摺として、彩色を加ふべからずと命じた。（文恭院殿御實紀三六、街談文々集要、）けれどもかかる時代に逆行した法令の、よく長く遵守せらるべきものでない事は自ら明かであつて、數年を出ずして黄表紙は合卷物に代り、益〻裝釘の美麗を盡し、錦繪亦意匠に彫刻に印刷に、愈〻絢爛の技巧を凝す事となつた。然し乍ら當路の政治家は、其成り行くが儘に任せて、毫も干涉しないばかりか、文化四年九月には、繪入讀本草雙紙類の出版手續を簡略にした。（徳川禁令考四六、）これは一面から見れば、時勢の進運に連れて、出版部數の激增を來し、奉行所としては事務上の煩に堪へなかつたからでもあらう。

以後時に出版屆に就ての注意を促した事はあつたが、出版物取締に對する幕府の態度は、又復自由放任に流れた結果、天保初期に及んでは、淳風良俗を害する事甚しき人情本春畫類の跋扈跳梁を來し、一片の命令のみでは之を禁遏すべからざるに至つた。是に於て天保十二年五月水野忠邦が享保寛政の治政復活を標榜して、局面の大刷新を斷行するや、翌十三年出版物に手を染め、先六月には大體享保七年十一月の觸を基として、それに出版手續並に個人の藏版書原稿（又は寫本）檢閱に關する規則を補充せる、長文の出版取締法を發布し、始めて納本制度を定めた。但し德川氏に關する事項の記載は、享保二十年五月の法令を一層緩和し、從來歷代將軍に關する事は、「急度致たる諸書物之内押立候儀」に限り、單に名前を記す事のみを許容したのに對し、「都而明白ニ押出し世上ニ申傳へ人々存居候儀ハ、假令御身之上御物語たりとも、向後相除候ニハ不及候、但輕キかな本等之類ハ、只今迄之通可相心得候」と改正したのは、多少の進歩を示して居る。又此内藏版書の原稿檢閱は、既に天保十一年書物問屋に申渡のあつたのを、改めて繰返したものである。市中取締類集九ノ七八、德川禁令考四五、御觸書集覽、天保改革新令二、

同六月別に當時の出版界を風靡せる錦繪草雙紙に關する取締令を出し、寛政及文化の法令よりは更に嚴酷なる禁令を發し、

錦繪と唱歌舞伎役者遊女女藝者等を壹枚摺に致候儀、風俗ニ拘リ候筋ニ付以來は開板は勿論、是迄仕入置候分は決而賣買致間敷、其外近來合卷ト唱候繪草紙之類、繪柄等格別入組重モニ役者之似顏狂言之趣向等ニ書綴、其上表紙上包等ニ彩色を相用ひ無益之手數を懸ケ、高直ニ賣出し候段如何之儀ニ付、是又仕入置候分共決而賣買致間敷候

とて華美猥褻なる一切の錦繪草雙紙類の印刷頒布を禁じ、今後は忠孝貞節なる筋立を基とし、挿繪裝釘共に質實を心掛くべき事を令した。御觸書集覽、天保法制二、天保市令集三、續泰平年表五、七月には人情本取締令、天保市令集三、續泰平年表五、及び醫書原稿檢閱令、御觸書集覽、天保市令集三、九月には活字版原稿檢閱令を出し、御觸書集覽、憲法類集續編七、十月には暦類似品の出版を禁じた。御觸書集覽、天保市令集三、十一月錦繪其外合卷繪雙紙類の原稿檢閱を令し、一枚繪は以來彩色七八遍摺を限度とし、賣價一枚十六文以下たる事、一枚繪の繼合せは三枚續以下

たる事を命ずる等、甚だ微細な干渉的法規を設けて作者出版者を緊縛した。御觸書集覽、續泰平年表五、十二月には個人の藏版書原稿檢閲に就いて改正令を出し、舊刻書即ち刻板所藏の分は、板本の儘檢閲を受けて差支なき事とした。御觸書集覽、市中取締類集九ノ九〇、

忠邦は斯く應接に遑なき迄に矢繼早やに法令を發布する傍、違犯者の檢擧をも峻烈に行つたから、當時の出版界が驚天動地の恐慌を演じた狀況は推して知るべく、斯界の風尚一朝にして其面目を改め、正に本邦出版史は未曾有の大厄難に遭遇したのである。然し乍ら忠邦の出版物取締は、大に嚴酷苛察を極めたけれども、飜つて惟ふに彝倫頽廢淫風横行、天下人心の靡亂其極に達し、出版業者亦之に迎合し、或は之を助長し誘導し、深く社會を蠱毒せる時に當つて、其矯正を企てんには、尋常一樣の微温的手段を以てしては、到底目的の達成を期する事は不可能に近く、彼が勇往果斷、斷々乎たる處置を取つたのは、時弊の救濟上實に止むべからざるものがあつたのである。だが彼の政治上の理想は享寛の治の再現に存したが故に、出版物に就いても、唯前賢の質素着實を旨とせる保守的消極主義を範として、徒らに法規を煩瑣、取締を嚴重ならしめたる以外、大觀して一般出版物其物に對する理解と識見とを以て、之が取締に臨ん

だものでは決してない。出版物に依つて誘致せられた害惡の方面にのみ著目して、殆んど盲目的に之に抑壓を加へたかの觀あるは甚だ遺憾とする所である。

天保十四年九月忠邦失脚後も、彼の與へた打撃に因つて、出版界は猶兩三年萎縮して振はなかつたが、對外關係に端を發して、國歩漸く艱難となり、政務多事となるに從つて、之に伴ひ錦繪草雙紙等の風俗上の取締の如きは、次第に疎略となつたから、斯の種の出版界の狀勢は幾何もなく再び舊態に復し、忠邦苦心の政策も、少くとも其一部分に於ては、例へば花火線香の如き敢なき運命に終らざるを得なかつた。

六

第五期　天保十四年以後幕末に於ける出版取締法は如何。或論者の言へるが如く、國事の紛糾は果して幕府をして、一般出版物に對する取締を、全然或は殆んど之を放棄せしむるに至つたか否か。今此事を事實に徴しやうと思ふ。天保十五年弘化元年正月著作權及び版權に關する私法的法令を發布して、此等の權利侵害者を取締つた。開板指針幕府が自ら出版物に關する私權の保護を令したのは、之が所見の最初である。弘化二年七月には出版檢閲當局の一部所管變更を行ひ、徳川禁令考二七、天弘錄二、日本敎育史資料七、これは後に安政三年六月、日本敎育史資料一九、溫恭院殿御實紀、及び萬延元年閏三月徳川禁令考二五、日本敎育史資料七、昭德院殿御實紀、の法令に依り再度の改正を經た。弘化三年閏五月、憲法類集續編七・天弘錄三、續泰平年表八、日本敎育史資料七、及び安政五年十二月日本敎育史資料一九、には、諸家藏版書は必ず彫刻着手前原稿を提出、檢閲濟後彫刻に取掛るべき趣意の厲行を命じ、嘉永三年九月には、輸入蘭書は殘らず書名を長崎奉行に書出させ、奉行所の許可を得た後世間に流布せしむべく、又諸侯等にして蘭書飜譯を企つる者ある時は、一應其書名を老中に屆出で、飜譯出來の上は一部天文方役所へ差出すべき旨を令した。德川禁令考二七、巷街贅說六、同六年十月地本雙紙問屋行事に對し、時の雜說又は諷刺的錦繪の刊行賣買取締方に付警告を發したのは、選要類集、二五、正に慌たゞしい幕末世相の變移を語るものであり、安政六年五月江戸繪圖等に葵紋を彫付けて出版するを禁じたのは、昭德院殿御實紀、德川理財會要三六・幕威の維持に汲々たる丈、其反面幕府の運命の衰亡を暗示するものである。同年七月神奈川長崎箱館開港の爲、更に洋書の輸入に付、同所に於て外國商人より購入したる書籍は、各運上所へ差出して改印を受くべき事を命じ、昭德院殿御實紀、日本敎育史資料一九、元治元年三月には書籍の出版は開成所の檢閲を受くべしとの觸が出されて居る。昭德院殿御實紀、慶應に及んでも同元年十二月には、德川氏の事蹟に關する內容を含める出版書に就いて、同二年五月には出版に先ちて原稿の檢閱を受くべき取締法規の弛廢に就いて、幕府の要路の間に意見書の交換ありしを以てすれば、日本敎育史資料一九、幕府は內外忽忙の際に在つても、決して出版物の取締を閑却せずして、却つて時代の轉變內外情勢の逼迫の甚しき丈に、法度の伸張を顧慮する所が多かつたのである。

抑かの米艦の浦賀渡來より、尊王攘夷の聲となり、反幕府の氣焰を昂め、朝野騷然として議論沸騰するに及んでは、之が取締上出版物も亦、自ら一層當局者の注意の焦點となるべきものであつて、且通商開けて各國より洋書の舶載あり、其飜譯書の少からず出づるに至つては、出版取締法の弛緩を許すべき餘地毫も存在せぬのである。唯幕威の失墜に因つて、法令の頻發せられたるに比して、其法が如何程迄に强制力を有して居たかは多少の疑問あるを免れぬので、恐らく法の徹底に就いては、後の幕府は遂に曩日の幕府に非ざりし事を思ふものである。殊に政治經濟關係等の物は兎に角、草雙紙錦繪等主として風俗上の取締に屬すべき婦女童幼相手の片々たる刊行物に對しては、天下の形勢切迫の折柄、假に時の爲政者に其理想ありとするも、天保令の如き嚴制の半だに保持せらるべきものに非ざる事は、論ずる迄も無からう。

以上說き來つた所を通覽するに、近世に於ける出版取締法の發布は、凡そ德川幕府の政治上に於ける綱紀の振肅と正比例して居る。幕府政治の最も緊張した時、卽ち出版取締法發布は頻繁且詳密に、社會に對する取締亦嚴重に實行されて居る。享保寛政天保の三時期は、いはゞ出版物取締の三頂點をなすものであるが、此喩しい波頭を乘越へ乘超へて近世の出版文化は發展の道程を辿つたのである。今三時期を頂點として、兩端及び中間を底部として一の波線を描くならば、近世の印刷文化出版文化は、寧ろ其底部若しくは兩端の時代に於て發達の芽を養はれ、進歩の土を培はれたと云ひ得られる。猶私が本論文に於て取扱つた所の出版取締法は、幕府が直接發布したものであつて、夫等の主要なるものは京都大阪等に於ても、改めて町觸を出して之が周達の方法を計つた。私は今や幕府の出版取締法發布の經緯を概略敍し終つた。進んで此等の取締法の內容を巨細に分析し吟味し、或は取締法厲行の結果たる違犯者處罰の判例をも照合して、對時代關係對社會關係對文化關係の考究に當然入るべきではあるが、冒頭にも豫め斷つた如く、本論文に於ては之は自ら別個の問題として取扱はんと欲するものである。從つて近世の出版取締法の外貌を探り終つた私の筆は、引續いてそれと相聯關せる第二の主題――出版手續法並に檢閱制度――に觸れなければならぬ。

七

一般書籍に對する出版手續は、近世前半期に於ては未だ甚だ寛大であつて、「御公儀之義ハ不及申諸人迷惑仕候儀、其外何ニ而も珍敷事を新板ニ開」きたる場合に限り、該板本を奉行所へ屆出で、其檢閲を受くるを要するに止り、此條目に牴觸せざるものは、公邊の手續を踏まずして隨意に出版する事を得、幕府は何等の拘束を設くる事がなかつた。寛文十三年五月町觸、故に祕密出版の犯罪も、此等の内容を含める書物に就いてのみ構成せられたに過ぎなかつた。而して「御公儀之義」と云ふのは、單に德川氏の私人的方面のみに限らず、公人としての幕府をも意味し、其制定の法度例へば服忌令の如きも此字句中に包含せられたるもの丶如く、其他に於ても右の法文の示す範圍は、極めて漠然たるものであつて、法規に牴觸すべきや否やは一に當局者の自由裁量にあるが故に、疑點の存する出版物は豫め奉行所の内意を伺ひたる後上梓すべき事を命じた。（貞享元年四月町觸）檢閲を受くべき出版物は、出版者が直接奉行所に提出するのではなくて、當時の職制上名主町年寄の手を經る事になつて居た。

右の出版手續及び檢閲方針は、享保に至る迄繼續せられたが、享保六年十一月儉約の趣意に基く新奇の物品製作取締と、江戸大火後の物價騰貴抑壓との爲に、幕府は公認の問屋仲間制度の設立を命じ、書籍商に於ても仲間を定め月行事を選出して、自家の取締に任ずる事となつたから、公式の出版手續も先月行事の吟味を受け、然る後町年寄（大阪は惣年寄）を經て奉行所に屆出づべき事に改つた。（享保令典永鑑三六、徳川禁令考四五、正寶録、）而も奉行所檢閲の手續を要すべきものは、書籍の内容の徳川氏及び幕府に關するもの、並びに特に新奇なる著述の出版又は賣買——京都大阪より江戸へ移入したるもの、——に限り、其他の從來行はれ來つた一通りの出版物は、仲間内の吟味のみを以て足り、依然として自由なる儘に任し、唯享保七年十一月の法令に依り、始めて爾後の出版物には著者及び出版者の本名を奥書すべき事を規定した。（享保七年十一月町觸）

其後寛政二年九月前々より出版物取締の弛緩せるに就いて、問屋行事に對し、何書に依らず出版に際して、行事改の厲行を督した。元來當時の書肆には、書物問屋と地本問屋と、二つの仲間があつて、書物問屋は主として硬派の眞面目な書籍を取扱ひ、地本問屋は錦繪草雙紙類の如き軟派の出版物を專門とした。その地本問屋の方には、今迄行事の制度がなかつたのを、此時以來行事二人を立てる事になつたものと見える。（寛政二年九月觸）爲に寛政二年末頃以後出版の錦繪の欄外等には、改印をも共に彫刻印刷せるが如き習慣を生ずる事となつたのである。同年十一月書物問屋若しくは地本問屋の行事改を廢して、問屋改としたのは、違法の出版物の責任の歸趨を擴大して、書肆相互の自警と監視とに訴へしめたものである。（寛政二年十一月觸）更に寛政十一年十二月の觸に依れば、錦繪類彫刻の依頼を受けた板木師は、彫刻前必ず依頼者の姓名及び該原稿を奉行所に屆出でゝ、彫刻の可否の裁決を待つべき義務を負ひ、幕府は茲に原稿檢閲の端を開いた。同時に新規の草雙紙讀本等に對しても、出版に先ちて奉行所へ稿本を提出すべきを令せしものゝ如く、（物之本江戸作者部類二）而も此等の法規の施行期間は頗る短時日であつて、原稿檢閲令はまもなく中絶し、奉行所の檢閲は町年寄へ一任となり、文化四年九月には遂に肝煎名主四名に、繪入讀本草雙紙類の改掛を任命し、彼等が認めて禁忌なしとしたものは、上申に及ばずして出版賣買する事を許容した。德川禁令考四六、

斯くの如く天保以前幕府時代の殆んど全期を通じて、監督官廳に對する出版手續は甚だ省略せられ、之れに代へて本屋行事又は問屋行事時には問屋全體、に絶對の責任を負課した。改役たる月行事は、仲間内の出版物に對しては檢察官の地位に在つて、若し其粗漏に因つて違犯者を出した時には、行事も己れの責務上の處罰を免れなかつた。卽ち出版物の發行は、多くの場合書肆の自治に任され、幕府自身は出版物の一部檢閲を施行するに止り、發行そのものには干與する事少く、唯發行に就いて事前の警告、及び事後の取締に主として意を用ひた。而して此等の法令を出して手續上定むる所も、書肆の營利的出版に關するものであつて、個人の藏版書の如き非營利的なものに至つては、長く毫も法規の干渉を受くる事がなかつたのである。

幕府の出版手續並に檢閲法規が、諸方面に亙つて細則を設けられ、一個の法度としての體裁を備ふるやうになつたのは、天保時代水野忠邦の施設に俟つも

のとする。天保十二年十二月商業上の問屋仲間の組合組織が廢止せられた結果、書肆の行事なるものも自滅消滅に歸したが爲に、江戸に於ては新に名主中に繪雙紙掛並に書物掛を置き、先の行事の職務を擔當せしめたが、天保十三年六月、七月、九月、十一月等の觸に依つて、向後出版物は如何なる種類の物たるを問はず、發行者の何人たるに關せず、凡て書肆又は藏版者より名主――大阪にては居町年寄――、町年寄――江戸にては町年寄館市右衛門大阪にては本屋掛惣年寄――の手を經て、所定の官廳に届出で、其許可を仰ぐべきを命じた。同時に原稿檢閲令を復活して、啻に錦繪草雙紙類のみならず、新舊一切の著述は豫め其原稿を提出して査閲を受け、當事者の改印を得たるの後、彫刻印刷に着手すべく、板本出來の上は一部――京都は二部――當該官廳に納本すべき旨を規定した。

從來出版物の取締監督は、町奉行所の任ずる所であつたが、此時書籍の種類に依つて所轄を區別し、醫書は醫學館、活字版及び諸家の藏版書は學問所の管掌とし、其他の書籍は町奉行所の取扱に屬せしめた。唯其内錦繪草雙紙類は、繪雙紙掛名主の改を以て直ちに原稿を下付し、印刷成りたる後町年寄の再檢閲

を受け、町奉行所へ提出して發行を許可せられた。原稿檢閲の結果出版を許可すべきものには原稿の表紙に

學問所改

と記せる小（醫學館其他に於ても同斷）の印を押捺し、

出板差許候刻成之上壹部學問所ェ可相納候

附箋を施して下付する。天保十三年十二月の改正令に依れば、今迄は既刊新刊の別なく、書寫又は原稿を以て出版の許可を受くべきであつたのを、假令書肆より發行しても、個人舊刻の藏版書たる事明白なる書籍のみは、原稿（又は寫本）提出に及ばず、板本を以て檢閲を受ける事を許した。何となればそれが大部の書籍である場合には、一々書寫して檢閲を受けなくてはならぬとすると、急に提出も出來兼ね、自然隱刧に考へ、可惜世を裨益すべき書籍も、實の持腐れとなる處あるに顧みたからである。醫學館及び學問所への出版手續は、天保十三年六月、七月、九月の觸に依ると、町奉行所を仲介としないやうではあるが、同年十二月の法令及びそれ以後の事證に徴すれば、夫々町奉行所を通じて許可の申請をなしたるものゝ如くである。

御觸書集覽、市中取締類集九ノ七八、九〇、九一、憲法類集續編七、徳川禁令考四五、四六、大阪市史第四下御觸及口達、（京都）御觸書之寫、徳川幕府時代書籍考、

斯く近世の末期に於て、幕府の出版手續が法として整備せられ、出版檢閲が制度として組織立てられたのは、一面には出版界の發達と天保の時勢の然らしむる所とは云へ、他面に於ては水野忠邦其人の手腕を認めざるを得ない。彼が殆んど凡ての書籍に原稿檢閲令を採用したのは、殊に新刊書の場合に於て、之が取締上爲政者には極めて有利なる方法と云はなければならぬ。何故と言ふに板本檢閲の方法に於ては、發行禁止の命を下した時、既に若干部數の社會に散佚せるを免るゝ能はざるが故である。彼が出版物の檢閲を町奉行所のみに委任せずして、各々專門官衙をも之に參與せしめたのは、甚だ賢明なる方策と云はなければならぬ。何となれば檢閲の徹底と正鵠とを期し得る事多きが爲である。此等の施設は現代味を帶びた、甚だ興味深きものであつて、私は彼が出版物取締の保守的抑壓的なのには、毫も其文化的頭腦を認むる事を得ないが、かゝる法度の末技に於て、却て彼が政治的英才の閃きを感ずるものである。然し乍ら飜つて考へるのに、かの原稿檢閲令は藏版書の如き特殊なものを除く外は、既刊書たりとも他日再版等の場合には、原稿として之を提出すべきを命じたが故に、若し原稿の存せざる大部の書の再版等を企てんか、發行者に取りては經濟的にも、時間的にも書寫の失費實に莫大と云ふべく、從つてそれ丈出版界の發達を阻害する事尠くないのである。斯くの如きは彼も亦幕府政治家の通弊たる、形式主義の奴隷となれるものと云はなければならぬ。又檢閲に各専門家をして其任に當らしめた思想は尊重すべきであるが、檢閲者の所在を異にし、且各檢閲者が制度上各〻獨立せる結果、町奉行所との往復照會に頗る事務の繁雜を招き、時日の遷延を來して、出版者の被る打撃は多からざるを得なかつたのである。加ふるに名主、町年寄、町奉行所、學問所又は醫學館と、幾階段を設けて取締を嚴重にし、愼重の態度を取つたのは、一時的效果は大にあつたとしても、法度と取締と、次第に並行せざるに及んでは、所定の手續の煩に堪へずして、無屆出版を敢てするものゝ續出を誘致したのは、所謂藪蛇に陷つたものと云ふべきであらう。されば彼の政策に依つて代表せらるゝ幕府の出版手續法並に檢閲制度は、其精神に於て現代と脈絡相通ずるものあるも、其形式に於て過去の殘骸たるを免れない。

出版毎になさるゝ原稿若しくは板本の檢閲及び納本制度は、幕府の終局に至る迄維持せられたが、檢閲官の所管納本の部數其他局部的事項に就いては、多少の變改がないではない。暦書天文書蘭書飜譯物の類の出版又は藏版の屆出は、文政四年四月書物問屋行事板木屋行事への申渡では、町奉行所の管轄であつたが、（徳川禁令考四六、）弘化二年七月の觸では、天文書暦書世界地圖等は天文方、蘭書飜譯物蘭方醫書等は天文方山路彌左衛門を檢閲官とし、（徳川禁令考二七、天弘錄二、日本教育史資料七、）更に安政三年二月蕃書調所の設立（文久三年八月開成所と改稱）があつたので、同年六月洋書並に飜譯書類―萬延元年閏三月の觸では世界繪圖蘭書飜譯蘭方醫書――の檢閲は同所に移管せられた。（溫恭院殿御實紀、昭德院殿御實紀、德川禁令考二五、日本教育史資料七、一九、）納本に就いては嘉永三年十二月學問所醫學館天文方等の改印を受けた書籍の出版は、二部納本を命じ、一部は所轄官廳に納付し、一部は町年寄の控として保留し、而して此等諸官衙の改印ある藏版書にして、他日書肆より發行を出願したる時には、此等の諸官衙に對して再び出版手續を踏む事なく、町年寄の控本と照合して、町年寄に於て許可を與ふる事とした。（追加市中取締類集九ノ九一）そは手數の省略と、社會の公益となるべき書籍の流布を速かならしめん意圖とに基く。猶嘉永四年三月問屋仲間再興後は、天保十三年以前の如く、問屋行事は再び仲間の出版改に干與する事となつた。

規定の手續を經ない無屆出版に對する處罰は、天保十三年六月の出版取締法にも「若内證ニ而板行等いたすにおゐてハ、何書ニ不限板木燒捨、かゝり合之ものとも吟味之上、嚴重之咎可申付候」とあつて、其所謂「咎」なるものは、違犯者の判例に徵するのに、責而者草(弘化三年刊)海外新話(嘉永二年刊)等の著作兼出版者は押込、正學指要(嘉永六年刊)は武家奉行構に處せられた。開板指針 けれども此等は書籍の内容上處罰の重いものであつて、凡てにかゝる罰則を適用したものとは見るを得ざるべく、原稿檢閲濟後印刷に際して、猥りに變改を加へたるが如き違法行爲に對しても、單に錦繪等に詞書を追加し、又は彩色を增加し、或は一部分の繪柄模様を變更したるに過ぎざるが如き微罪は、繪雙紙掛名主の適宜の制裁を以て事濟となつた事があるから、徳川禁令考四六、追加 市中取締類集九ノ八九 無屆出版たりとも、其書籍の性質に依り、又檢閲濟後の違犯たりとも、其程度に從ひ、或は前後の事情をも參酌せられて、處罰に輕重のあつたのは凡そ察するに難くはない。

右に述べ來つたものは、幕府の御膝元たる江戸に於ける出版手續法及び檢閲制度である。幕府が江戸に於て發布する所の主要なる出版取締法は、同時に京都大阪にも施行せられて、常に江戸と軌を一にするものであるが、出版手續法に於ては、沿革上の一部分に大阪は稍江戸と別態あるを見る。大阪に於ては享保八年十二月書肆の新刊書出版に當つて、其原稿を本屋行事へ提出して査閲を受け、法規違犯の嫌疑あるものは、行事より惣年寄に達して町奉行所へ伺出づべく、後には既刊書の再版賣買等の場合にも、本屋行事へ斷に及ぶべきを命じた。（大阪市史第三第四上下御觸及口達、享保八・一二、文政二・一一、安政四・一二町觸、）此發令は元來書肆が、版權侵害防禦の手段として申請せるに基くもので、幕府の自發的一般法規ではないけれども、大阪の書肆が元祿以來仲間内にて私的に行ひ來つた行事の原稿檢閲は、此時以後大阪に於ては公認のものとなつた。

最後に附言すべきは普通の出版物と事情を異にして、古くより特殊法規の設けられたる暦の出版手續に關するものである。元來暦はもと京都土御門家に於て掌る所であつたが、近世の中葉に及んで、西洋天文學の研究が進んでからは、延享頃より暦の編纂は江戸天文方の管理する所となり、毎年天文方に於て作成したる原稿を、寺社奉行の手を經て京都所司代に傳達し、所司代より土御門家に提出する。同家に於ては之を開封し、天文方作成の暦の中段下段に、陰陽家所傳の吉凶を加筆したる上大經師に下付する。此等の事務の實際は主として陰陽助幸徳井家が當つたやうである。大經師が此原稿に依つて彫刻印刷したものを、土御門家及び天文方に於て檢閲の上、其寫を大抵毎年八月寺社奉行より所轄奉行又は領主の手を經て、江戸伊勢會津三島奈良等の暦發行を許可せられた者に交付し、九月晦日迄に各出版者に校合暦の提出を命ずる。校合暦は土御門家天文方兩者に提出すべきもので、提出せられたる諸所の校合暦は、更に當局者の校閲を經て、玆に始めて出版頒布を認許せられる。暦は徳川時代に於ても實に斯くの如く重大視せられ、其出版には殊更に甚だ繁瑣なる手續を設けたのである。蓋し暦は國民の日常生活の根幹をなすものであるからである。（京都御役所向大概覺書六、府内備考一三、市中取締類集九ノ七八、寶暦令典永鑑二七、敎令類纂二集七七、譚海一、三、五、）

日本と金銀島との關係形態の發展

小葉田　淳

日本と金銀島との關係形態の發展

小葉田　淳

序　言

予は前年來近世以前の金銀外國貿易に關して調査を續けたるに際して、十六・七世紀の交期から日本の東方に出現せる金銀島に關する若干の史料を寓目し極めて興味深く感じたのである。其の後得るに從ひ金銀島關係史料を蒐むるに努めたるも、予は全く此の方面の歷史に不案内なるを以て到底それの研究らしきものを豫期すべくもなかつた。昨秋オスカー、ナホッド氏の金銀島に關する長論文を讀むに及んで、其の蒐集せる史料の擴範圍にして、多種なるを嘆じ、且つ啓發せらるゝ所尠くなかつたが、而も猶不幸にして金銀島の發生推移てふ主問題に就き氏の敍述は予を滿足せしめるものでなかつた。是予の見解が餘りに狹少なるが爲めであらうか。本論に於けるナホッド氏を始め幾人かの先進に對する批判が、或は予の非禮なる恣意に過ぎざることを恐るのである。

かくて予の考察の進むに從ひ、十六世紀の金銀島を一瞥し、更に脈絡あるものを遠く中世に求め、遂に古典の著書にまで溯らなければならなかつた。然し是は予にとつては一層未知の分野であり、過誤を犯すこと益々深きを憂ふるのである。

さはあれ、本論の試みが縱令一章一句たりとも、先進の研究に加ふる所あり、後人の調査に助くる所あれば、予の滿足は極まるといふべきである。

一　希臘羅馬の著書に見えたる金銀島

グリーク・ラテンの書中にて黃金郷又は金銀島の記載ある古くして且重なるものは、エリトラ海一覽及びプトレマイオスの地理書であるが、此等に稍や先んじて猶一・二の記錄が見出される。一世紀のポンポニウス、メラ Pomponius Mela の地理書 De Situ Arbis に「タムスの側からいふと金島 Chryse カンジスの側からいへば銀島 Argyre があり、金島は金で銀島は銀で土地が成り、島名が物(金銀)から生れたか、傳說から由來したかは不明である」[1]と見え、羅馬の博物學者ガイウス、プレニウス、セクンヅス(A. D. 23—79) G. [illegible] Plinius Secundus は其の著博物誌 Naturalis Historia に「インダス河の河口の外側に金島と銀島とがあり、そこでは何人かゞ傳へてゐる如く土地が金銀より成るとは信ぜられず鑛山が豊富であると考へられる」といつてゐる。

一世紀末のエリトラ海一覽 Periplus Maris Erythrae には左の如く記す。

其の後針路を再度東方に轉じ、大洋を右手にし、(印度の)向ふにつゞく岸を左手にして進めばガンジス河が現はれ、其の近傍の極東なる土地の Chryse に到る。

〇中略

此の邊には金鑛があり、カルテス Caltis と呼ぶ金貨ありといふ。此の(ガンジス河)眞向ふに大洋中に一島があり、そこは人の棲む東の最後の部分で、太陽の昴る下にあり Chryse と稱せられる。エリトラ海の諸國中最良の鼈甲を産する。[3]

ショフ氏 W. H. Schoff は右の中の金鑛は多分ガンジス河口より西七〇乃至一五〇哩に位する Chota Nagpur 高原の金であらうといひ、又 Chryse Island はプトレマイオスに Aurea Chersonesus として知られた滿剌加半島であることは略ぼ疑なしといつてゐる。（The Periplus of the Erythrean Sea, 1912, p. 258, 259）ヴインセント氏（W. Vincent）のいふ如くエリトラ海一覽では golden contenent と golden island とが明白に區別されてゐること確しかである。（The Commerce and Navigation of the ancient in the Indian Ocean, Vol. II. London, 1807）而してケルン氏が爪哇と金島中に（H. Kern, Java en het Goudeiland volgens de oudste berichten）に指摘してゐる如く金島が日出處に在りとの說はヤワ、ドキーワに關するラーマーヤナの文句と一致するものとすれば、Chryse は爪哇、スマトラを指す金島の表示と解せられるでもあらう。（後段參照）

エリトラ海一覽中の金島が古代においで金產多かつた事の徵證される滿剌加・或はスマトラ・爪哇等の事が傳はつたものとしても、其の表現は頗る理想的空想的のものである。而してクリフオード氏 H. C. Cliford のいふ如くクリーセ島は金色の靄に包まれてゐたが、エリトラ海一覽の著者には實在の土地であつたことには相違ないが、其の內容は表現と共に想像的傳承的事實の實在化である。當代の地理的知識の限界、東の果て赫奕たる太陽の昇る下にありといふ金島が、かゝる理想的條件を具有して傳はることは後に述べる。

二世紀中頃のプトレマイオス Ptolemaios の地理書に見ゆる Chryse, Argyre に關するものは次の如くであ[illegible]れる。七卷第二章[illegible]ンジス河の向側の地理を述べた中に銀の國を擧げ、別の項に「非常に銀鑛に富めりといはるる銀國の彼方、Bêsyngetai に並んで金國があり、其處には非常に金鑛多く住民は Jamirai 人に似て顏色よく毛むじやらで蹲踞の姿勢をして扁平な鼻を有つてゐる」とあり、又別の處に黄金半島の名を擧げてゐる。而して彼の書中猶注意すべきはジワヷデオス島 Jabadias, Sabadios の記事であつて、「此の島名は大麥の島を意味し、非常に肥沃であつて多量の金を産し、首府を Argyrè といひ島の西端にある。其の位置は一六七度南緯八度三十分、東端は一六九度南緯八度一〇分である」といつてゐる。[4]

クリンデル氏 Mc Chrindle によると銀國は Arakan であることは殆んど疑ないが、其處は銀を産せないから、かく稱せられる理由は説明し難く、猶又南部のペグの一部地方をも含むらしいといつてゐる。(S. M. Majumder; Mc Chrindles ancient India as described by Ptolemy, Calcutta, 1927, P. 196) 又氏は黄金半島は普通馬來半島を指すが、特にイラワヂ河のデルタ卽ちペグの地方で古代の Suvarnabhumi (Pali form-Sovannabkumi に當り、此の内部の金に富める地方は、Burma でユール氏のいふ公文書に記す Sonaparanta (Golden Frontier) であるといふ。(Ibid. p. 128) ジャバデオス島に就いてはバンベリ氏が其の古代地理史 Bunbury; History of Ancient Geography に次の如く述べてゐる。

爪哇の名稱が Jabadius に類似することは確かであり、之が其の名稱の正しき形なりと思はれ、更に重要なる事はプトレマイオスが之が大麥の島を意味するといふてゐることで、それは當に爪哇の名の意味である。彼が問題の島に當てた南緯八度半は爪哇のそれによく吻合するが、彼の之等諸國に對する地理的知識は一般に曖昧で誤謬多く此の一致を説明するに殆んど又は全然價値なしといつてよい。然るに一方金の多かつたのはスマトラによく適合するので、スマトラがそのため常に注目せられたるに比して爪哇は殆んど或は全然産無しといつてよい。その西端の首府とは Achin に當るのであらうが、其處は爪哇の主要な都市の一つであつたに相違ない。何れにしても島の大きさに就いては不完全な知識しか持たなかつたので、實際爪哇は九度（九四〇哩）の長さがあるのに、僅かに數百哩とし（スマトラは九〇〇哩以上ある）てゐる。此の場合事實は別の二つの島に屬する個々の事を混同して一つの島に當箝める事があり得ないことでないと思ふ。それにしてもスマトラや爪哇の如き島々に就いての報告を得たのならば、一方に錫蘭島の大きさで非常に過大視した考へを持つたと同様、それが非常に廣大であると考へなかつたとすると不審である。Mannert はジャヴデオスをスマトラ南東のバンカなる一小島であるとすると。(pp. 643-4) ユール氏は爪哇の名稱に就いて Gāva, Gawi の名はアラビヤ人によつて一般に多島海に適用せられ、屢々スマトラに特別に充用されたとしケルン氏の所説を引用して、此の名の一層廣範圍の適用は始原的には印度人にありとし、又ケルン氏は金銀島を Suvarna-dvīpa, Rupya-dvīpa に結付けて論じ、それはラーマーヤナ Rāmāyana 及び梵文學の何處からかの引用から起つて、明かに希臘・羅馬の地理學者の著書に種々の形態をとつて現はれた金銀島の基礎を成すものであるとの説を擧げてゐる。ケルン氏の該説の要點は、（一）Suvarna-dvīpa, Yana-dvīpa は普通の表現では同一である、（二）元は異なれる島の名稱が互に混同された、（三）Suvarna-dvīpa は本來の意味ではスマトラで Yava-dvīpa は爪哇である、（四）スマトラ又は其の一部と爪哇は一つのものと考へられたので、それは明かに政治的に結合してゐたからである、（五）Yava-kati によつて爪哇の東端を指示した。(Cathey and the way thither Vol. II, p. 151) 又彼は述べて、印度人（及び又島民）が爪哇とスマトラの全部又は一部とを同一視したのは問題の一變化即ち單にアラビヤ人の爪哇への適用だけでなく、多くの通路を經て多量の金が爪哇に齎されたといふことを説明してゐる。爪哇は金島の名を本來持つてゐるが、金は少しも產しないのである。此の金產の傳承はプトレマイオス・ラーマーヤナ・ポールの彫刻・マルコ、ポーロから引く經路の内に見出す。[5] 爪哇とスマトラとが包括せられるといふように敎へられた場合に始めて明瞭となるので、スマトラは金產を以て常に聞えたからである。(Yule and Burnell, Hobson-Jobson Glosary of Anglo-Indian Collaquial words and phrases, p. 454) 和蘭學者は右の說に略ぼ同意する者が多いやうである。(フロイン、メース夫人、爪哇史松岡靜雄譯補一〇—一一頁參照)

金銀島が印度洋中の島嶼であるといふ所傳は、其の後も多く記されてゐる。三世紀中頃のソリウス Solius, Gaius Julius は其の著博物誌中に「インダス河口の外方に Chryse, Argyre の二島があり、鑛山が豊富で殆んど大部分の著者が土地が金や銀で出來てゐたと考へた程である」と記し、[6] 五世紀のマルテャヌス Martianus Capella は其の著言語學中に「印度には鑛山と金銀の產とによつて有名な Chryse, Argyre なる二島がある。何んとなれば其の名稱が既に之を證明す」といひ、[7] セビリャのイシドルス Isidorus (560頃—636 A. D.) は話原學第十四卷に「Chryse, Argyre は印度洋中の島で多くの著者によれば土地は金と銀とから成り、それより名が附けられた」と述べてゐる。[8] 又七世紀の世界地理書中に Indiae Thermanticae Elamice 洋中、極南に種々の島があり其の數島を擧げて Argyre を記し、又極南に Taprobane なる非常に美しい島があり、同じ部分に Chrise 卽ち金島があると記してゐる。[9)]
プトレマイオスの記述を襲ふて其の間少しく錯誤を加へたものに、六世紀のビザンツのエタンネ Etinne がある。彼は其の著倫理學の中に Argyra に就いて、此は Taprobane の首府であり、此の島は印度の島で、其の名は大麥の島の意である。非常に肥沃で金を多く産す。土名を Argyrites 又は Argyrēnus といひ、兩方共よく使用される。

といひ、Chryse に就いては

テオニシオスが金鑛があるからかく呼んだのは大洋の島をいふのである。同時にそれは印度の半島でもある。マルシャヌス(羅馬の法學者で二一七年以後死す)が沿岸航海記中に印度のガンジス河の向側に Chryse と呼ばれる半島があるといつてゐる。

と記してゐる。[10)] 彼に於いてはプトレマイオスの Jabadius が Taprobane となつており、Cbryse は、ソラニウス以下がエリトラ海一覽の所傳に類似する點あると同樣にテオニシオス等の此の種の說を混じ、且つ黄金半島の說を添加してゐる。

然しエリトラ海一覽の金銀島の表現形態はその後多く著書に於いて傳へられ

た。二世紀のテイオニシオス、ペリエゲーテスは、「東の海を廻航せんとしスキチャ海の深き流れを見出せば、船は金島に達する。そこでは最も清純な美しい日の出を見ることが出來る」と記し、十二世紀の Thessalonica の大僧正ユウスタチオス Eustathius はテオニシウスの記事を註釋して「大洋の東に金島があるが、或る人によれば其の島は金を産する所よりかく呼ぶといふ。テオニシウスによると日の出が最も美しく見え、其の光が純粋なので太陽が金の如く見えるといふ。クロース海の濃霧がスキチャ人の間に見る如き太陽に與へる蔭翳を有せぬ所から島の名が出來た。金島の名が太陽の下に於いて與へられたのはかゝる理由に基づく」といつてゐる。[12] ユウスタチオスに於いては、東方の極端太陽の最も清く美しく輝くことが金島の名の生ずる理由とせられた。

西歴紀元の前後からクラシック、ライタースの著書に現はれた Chryse, Argyre が何處を指すものであるかを知らんとして其の想像的なる錯然たる又非合理的なる表現を還元して是を實際に宛て究めんとする努力が爲された事實の一端は前述した。爪哇・スマトラを當初一つのものとして考へられたとする理由が爪哇に於ける多量の金産の記録を説明することにあつた程である。而してスマトラや滿刺加の金が、是等の所傳の始原的なるものに、又其の後に添へられた記載に其の動機を與へたることは事實であらう。ケルン氏のいふ如く二世紀中頃、前印度に行はれたラーマーヤナの史詩に「日出づる下に金島あり」とあり、又「七王國によつて輝き金鑛の豊富なる金島銀島なるヤバ、テヴイパを注意深く探檢……云々」とあることや或は同樣の内容を持つ所傳が希臘羅馬の地理學者のいふChryse, Argyre本源をなすものとすれば、確しかにプトレメマイオスの如きは附加せられた叙述を有してゐる。然しエリトラ海一覽にせよ、プトレマイオスにせよ、此二つの島の叙述は彼等の地理的知識の限界に位し、（從つて東とか南とかの極點）又傳承的記述として混錯誇張せる且想像的なる表現を示してゐる。エリトラ海一覽プトレマイオス以後の著書に於いては尠くとも此の兩島に關しては其の内容の進歩せる事實を見出し難い。是等の著書が其の表現記述の如何に拘はらず、金島・銀島（乃至は半島）を實存せるものと信じたることは論なきも、初期の著書に見ゆる想像的誇張的の記述は一層發展して二島を修飾することゝなつた。金銀島は或は文字通り金銀より成れる土地なりとし、尠くとも其の名に相當する程度に金銀鑛の極めて豊富なる島であるとする。八世紀中葉の西班牙の宗教家で且詩人であつたテオドルフ Teodoulfe d' Orléans の詩に「金島・銀島の富を誇り、セリク海に産するもの等、是等すべても守錢奴に滿足を與へず」とあるやうに、金銀島は一種の富める理想鄕たるの表現を持つ。其の位置は人の窺知せらるゝ限界をなすが故に、東の果てか稀には南の極みとし、太陽の昂る下大氣の清澄にして赫陽を仰ぐ所と考へられ、遂にそれが金島の名の生成を基礎つけることゝさへなつたのである。

註

1 Coedès; Textes d'aulturs grecs et latins relatifes a l'Extrême-Orient, Paris, 1910, p. 12

2 Ibid. p. 15

3 W. Vincent; Caedès, p. 23 等の譯もあるが今 Schoff, p. 63 に據る。

4 Caedès, p. 52, 57, 61, 69; S. M. Majumdar, p. 196, 219, 240

5 後の金銀島の表現法に多分の暗示を有するが故に此の種の文獻一二を左に示す。

A. D. c 650. Eastward by a fourth part of the earths circumference, in the warld-quarter of the Bhadrāsvas lies the City famous under the name of Yava koti whose walls and gates are of gold. Surgā-Siddhānta XII. V. 38 (from Kern)

Saka, 654, i. e. A. D. 762.—

the in comparable splendid island called Java, excessively rich in grain and other seeds, and well provided with gold-mines.—Inscription in Batavia Museum, Hobson-Jobson, p. 455

以下弧内は註の順　Coedès, p. 86 (6) p. 116 (7) p. 137 (8) p. 148–9 (9) p. 131, 132 (10), p. 71 (11), p. 137 (12)

二　歐人東漸以前の金銀島

九世紀以後のアラビヤ地理學者の著書に豊富なる金の存在を傳へた Wākwāk 又は Wāk に關する記載がある。

それによると金に富み犬の鎖猿の頸輪に至るまで金を以て造ると記し、Ibn Ḫordāḏbeh, p. 31; Kazwīnī, p. 300; Dimaśkī, p. 391; Ibn al-Wardī, p. 414; Absīhī, p. 470; Bākuwī, p. 463 金で造れる煉瓦にて城塞宮殿を建てるといひ、Ibn al-Wardī, p. 414; Abū Zayd, p. 84 金を鏤める衣類を賣出すといひ、Ibn Ḫordāḏbeh, p. 31; Kazwīnī, p. 300-301 金塊碎金を輸出すと記し Idrīsī, p. 194 鐵が無くて他國の金に於ける如く尊重されると Dimaśkī, p. 391 といふやうに述べられてゐる。[1]

Wākwāk が倭國の對音で日本の事を記したものであるとなす說は和蘭のド、フーエ氏 M. J. Goeje を以て代表せられ、[2] 日本の東洋史學者も多く之を是認するやうであるが、最近フェラン氏 Gabriel Ferrand の有力なる反對說が出て、是を南と東の二つの Wākwāk に分ち、氏のマダガスカル島となす舊說を前者に宛て、新たにスマトラを以て後者に擬してゐる。[3)]

ホルダーベー以來數百年の長きに互つて續出したアラビヤ學者の著述を通じて、後出のものが初期の記述を承繼すると同時に、錯雜、混淆を加へるものあるに至つたであらう。新しき所傳乃至知識の添へらるものゝあることを考へ得られぬではないが、一般に後出の書が確實なる知見内容を發展せしめたとはいはれぬやうである。Wakwak の地理上の位置も多くの著書中に種々に表示されてゐる。概してそれは東方又は南方を指してをり、殊にホルダーベー以下總じて初期の書には支那の東、又は極東の位置にあらはれてゐる。此の南方の概念も亦東方一般のそれと必しも矛盾するものでなく、フーユ氏も印度洋を一つの内海の如きものとし、亞弗利加の東南岸を遙かに東方に延長することが當時の地理的觀念であつたことを述べてゐる。フエラン氏は Biruni を引き、Zandjs の島は印度では suwarn dib と呼び、金の島の意味であることを擧げ、之は梵語の suvarna dvipa のアラビヤ譯でスマトラなることを論じてゐる。[4)] フエラン氏が東の Wakwak をスマトラとなすに關聯しても、其の豐富な金の存在の記述はスマトラの金に淵源させなければならぬ筈である。然るにアラビヤ學者の多くの著書に現はる所は、Wakwak は Zandjs と區別しており、Biruni に於いても然りである。予は之を以てフエラン氏のスマトラ說を是非する爲めにいふのでなく、當時の知識に於いて金に富める Wakwak が必しも一つの地域に固定せられずして、東方一般の地理的範圍に位置するそれ〴〵の說を持つことを指摘し度いのである。

同じくアラビヤ學者の書にあらはるゝ Sila の島が先づスレイマーン Sulaymān の報道では、支那より先きの海にありとし、金に關する記述なく、ホルダーベーにてはカントーの前面に高き山聳ゆとあつて金に富むことを記し、十世紀の Masudī は支那より先にシラの國及之に屬する島々の外最早知られたる王國記されたる國土なしとし、シラの國は風土よく財物富饒なるが故に外人其の國に到るもの去ることなしと記し、十二世紀の Idrīsī に至つて近づき難き極東の別天地となし犬の鎖や猿の頸環を金で造るといひ、十四世紀の Abulfidā の地理書に到つて西方の îles Éternelles et Fortunées に對する東の島となつてゐる。内田博士は當初シラは朝鮮を指すものであつたが、イドリーシーでは日本・朝鮮を混同し、進んでアブルフユダーでは何れの國にも正に相當しない一の想像的なる國土となつたと論じられた。[5] 支那の東方なるシラが、金に富み、更にイドリーシーに至つて Wākwāk 同様の金の記載をなすに至り、而も別に Wākwāk として同じ金の記載を持つてゐるのは、金島と東方とを結べる觀念、其の抽象性に於いて説明さるべきものであらうと思ふ。Wākwāk が何處に當るか、長き時代に亙る數多の記録中より其の錯雜せるものを還元し、非合理的なるものを合理化して之を究明するは勿論必要だが、其の道程に於いて可能なるだけ多くを歴史的事實に照らして自説の引證となさんには戒心を要することゝ思ふ。ド、フーエ氏の倭國説に於ける、Wākwāk の樹木、アフリカ遠征の説明の如きそれであるが、フエラン氏に於いても、倭國説を否定せんため Wākwāk の金の記述をポーロのそれに比較し其の矛盾を云々する如きも其の嫌ひなきを得ない。其の地理的表示を論ずる場合も亦同じ戒心を用意すべきである。

フエラン氏は Wākwāk 及び Wāk の位置を次の如く分類してゐる。著作年代は予の附加したものである。

1 スエズ近邊の Kulzum より四五〇〇 parasanges の距離 Ibn Ḫordaḏbeh (844-848), Iṣṭaḫri, Ibn Ḥawḳal, Muḳaddasi, (vers 950), Mille et une nuits

2 印度洋支那海より成る大洋の極東地方 Māfātīḥ al-olūm, Birūnī (1030), Idrīsī (1154), Ibn Said (1208-1274), Dimašḳi (1325)

3 支那の東方 Ibn Ḫordaḏbeh, Abrégé des Merveilles (vers 1000)

4　支那の西方 Sīrāzī (1311), Nuwayrī (mort in 1332)

5　支那の南方 Yākūt (875–880), Ibn Ḥaldūm (1375) Merveilles de l'Inde

6　イラクの南方 'Abdallah bin 'Amr, Ibn 'Abd al Ḥakam apud Ibn-al-Fakīh (902), Abrégè des Merveilles, Makrīzī (1365-1442), Abū'l-Maḥāsin

7　Khmèr 諸島中の東海又は南海の中央 Bīrunī (1030), ALğhī (1388–1446)

8　Campa 海に瀕する地方 Abrégé des Merveilles

9　Zādag=Sumatra の最近の地又は Zābag 自體 Abrègè des Merveilles, Kazwini (1203–1283), Ibn al-Wardī, (1340), Bākuwī

10　テモル・バンダ・モルッカ諸島の南 Sīdī 'Alī (1554)

以上をフエラン氏は更に次の如く要轄する。

一、印度洋支那海の極東にありとの說 (I. II.)

二、支那の東方にありとの二說 (III)

三、印度支那と Maldives (IV.V. VI) とにありとの多くの說

四、Zābag の傍か又は Zābag そのものに當るとの說

五、テモル・バンダ・モルッカ等インドネシヤの東の島にありとのトルコ文獻6)

右の內特に支那の西方の位置を示すものとして擧げたる Šīrazī, Nuwayrī の文献をフエラン氏自身の著譯によつて見るに、前者は「赤道は支那の東に始まり、印度人が Djamkūt と呼ぶ一島、次に支那の南部、次に Dizkank 次に金國を意味する Zawa 島を過ぎて Sīrandīb に到る」とあり、フエラン氏は著作にも論文にも M.

Wiedermann の說を引き Kankdiz は Diskank に相當するものとし、Mafātih al-olum に「カンクデスは東の遠地にある都市で、支那とワクワクとから非常に遠い沿岸にある」とあるを引用對照してあり、[7] 後者は「印度洋は支那の東方に始まり赤道を越えて西に向つてワク國、ザンデスのソファーラ、次いでザンデスを通過してバルバラーの國に至る」とある。[8] 是等のワク國がフエラン氏のいふ如く果して正しく支那の西方なる位置觀念に相當するやは、今予には理解し得ない。是等は年代も十四世紀のものであり、印度洋支那海を包む海の極東、又支那の東方にありとの說が比較的初期の文献に多く見ゆることは明かである。フーエ氏がワクワクを支那の東、極東の地にありとして倭國說を主張し、マスディのソファアラの先なる極地となすを唯南北に多少の疑問あるに過ぎすとし極東に概括せんとする態度を疑ふと共に、縱令當時南北に關するアラビヤ學者の知識は曖昧なりしにせよ、此れ等の大凡分たれる地理上の表現にはそれぐ\に個性的なものゝ存することを認め得るのでないか。

フーエ氏がワクワクの不可思議なる樹木、アフリカ征伐の如きを日本に結合し論じたるの當らざることは明かと思はれるが、又其の金に關する寓話的叙述に對して日本に於いて金は豊富にして且つ廉價なりしこと疑なしといひ、デイマスキーの鐵は金なり高價なりといひしに對し、朝鮮・琉球にて鐵錢を使用し又鐵の高價なることを擧げたる如き甚しき失當であらうと思ふ。日本・朝鮮・琉球が今日知り得る所を以ていへば、其の歴史的事實が何等この說明に價するものでなく、朝鮮にて麗朝成宗代鐵錢の鑄造ありたるもそれはフーエ氏のいふ如き意味にて利用し得るものでない。而して又フエラン氏が倭國說否定の立場から、ホルダーベーが金・黑壇を輸出するといひ、イドリーシーが金塊・砂金で輸出せらるゝといふに對し、マルコ・ポーロのジバングにては金が多いが國王はその輸出を許可しないといふに矛盾すると論じたる如きは、稍や的を逸したる觀がある。何んとなれば、ポーロのジバングの金の記事が日本の當時の事實をそのまゝに反映したのでなく、若し事實の對照が問題となるならば、日本の金は增減ありといへ常に輸出せられてゐたからである。

ワクワクがスマトラ・マダカスカルに又は倭國に其の始原的の發生を求むべきか、或は之等の所傳を錯淆せるものなるか、予は固より其の說を是非する能なきも、其れ等の數百年間に亙るアラビヤ人の知見と表現との態度に言及したる迄である。

マルコ、ポーロのジパング Zipangu に關する記載は餘りに有名であるが、金に關する部分を左に揭げる。

ジパングは支那大陸から東一五〇〇哩程離れた海中の一つの島である。國民は色が白くて開化してゐる。中略　其有する金は無限である。卽ちこの島から金を產し國王は其の國外輸出を許可しない。且大陸を遠く離れた島だから外國商人の通商するものも稀である。かくてこの國民の所有する金は推算し能はざる程である。予はこの國王の宮殿に就いて驚くべき事實を告げようと思ふ。この國王は頗る廣大な宮殿を有するが、屋根はすべて純金であつて、當地で敎會の屋根が鉛製であるのと同樣で其の價値は到底標價すること不可能である。且又宮殿の鋪石宮房の床はすべて金で石板同然の板金で、厚さ指幅二つは充分ある。窓も金製で此の宮殿の價値は計算以上で信ぜられぬ程である。

シパングの名稱、及び其の記載内容が日本と關係あり、且つ日本の事實を傳聞したる點の存することは疑ひないが、右の金に關する記述が單に日本の豊富なる金の存在事實の反映であるとし、若しくは却つて此の記述によつて日本が金に富める證據となすが如きことあらば、それは承服し難い所である。宋代に於いて日本の金が尠からず支那に輸出せられたるは事實でありポーロ・が又かゝる事實を見聞したりとするも、それは唯彼の著述に於いて東方金島の話柄を想起し連結する暗示をなしたるに留まり、かゝる寓話的叙述をものする全面的理由とならざるのみならず、金に關する叙述の内容が決して日本の事實を反映し、一致を示してゐないのである。七世紀中期に Yava Koti の都が城壁・城門が金で造らるといひ、十四世紀のイブン、アルワルヂーにワクワクの城塞宮殿を金にて造るとあるに、類似の表現を持つものである。

シパングの名は一四七四年のドスカネリー Toscanelli の世界圖に現はれてゐるといふが、次に一四九二年のマルテイン、ベハイム Martin Beheim の地球儀に記されてゐる。此の地球儀にはシパングの側に「ジパングの島は世界の東端にあり、住民は偶像を拜し國王は何人にも從屬せず、島には甚だ多くの金並に寶石・眞珠を産す。此の事はヴエニスのマルコ、ポーロによりて彼の第三卷に認められたり」とある。[9] 一五〇六年伊太利のコンタルニ Contarni の出版したる世界圖に、ジパングの記載あつて「此の島はマンヂ Mangi (蠻子卽南支那)の海岸から東方一五〇〇哩の所にある。金が豊富で容易に輸出するを許さず。國民は偶像を拜す」と註記してゐる。[10]

金島たる表現內容を有つワクワク島がアラビヤ學者の間では、東方の地に記され、縱令南北の觀念の接近し且曖昧なるものあるにせよ區別し得る記述を以て現はれてゐる。而して極東・支那の東方の位置も確しかに權威ある知見として現はれてゐる。ポーロにては南支の東方に日本と結合して金島が表現せられた。一般的の觀察を以てすれば、東方の知識の擴大發展せる十六・七世紀に於いて、古來の爪哇・スマトラに焦點を置く金島が猶殘存せられると同時に、ポーロ並びに其の以後の地理學者に於いて南支の東方卽ち實際よりも遙かに南に位置する日本が次第に北上し、日本に結ばるゝ金島も前者と分離して新たな形態を持つに至つたのである。馬來の王女と葡萄牙貴族との間に生れた Emmanuel Godiho de Eredia が一五九七年乃至一六〇〇年の間に當時葡萄牙を支配した西斑牙王に覺書を呈した。其の中に彼はスンダ島のスロル出身の漁夫より聞きたる金島に渡らんことを献言し、又宛名と日附を缺きたるリスボン文書館所藏の書翰にも金島の發見をなさん事を切望してゐる。金島は南印度(南緯十度に位置すると想像された地方並びに諸島)にあつて Luca Veach と呼び爪哇語で金島の意味で、彼の記述によると樹木の根本に見出される砂礫は金鑛であり、金で出來た大山の高い峰があるといふ。此の種の金島は前者の系統であらう。而して等しく東方の内で、北方の金島はやて復活せる銀島と共に遙かに高き歴史的役割を演ずることゝなつた。[11)]

註

1 頁數は G. Ferrand, Relations de Voyages et Textes géogra hiques arabes, persans et turks relatifs à l'Extrême-Orient du XIIIe au XVIIIe siècles, 2 Vols. Paris 1913—14 のそれを示す。

2 ド・フーェ氏の論文は「日本に關する亞拉比亞人の知識」と題して東洋學報五ノ一に遠藤佐佐喜氏の譯載がある。

3 G. Ferrand, Le Wākwāk est-il le Japon? Journal Asiatique, Avril-Jnin 1932

4 前揭著書一六三頁、同論文二三六頁。

5 内田博士「シラの島及びゴーレスに就きて」藝文六ノ三、四、八、十、七ノ一、四、九。

6 前揭フ氏論文、二二〇—二二〇頁。

7 同二一五頁、著書六一二頁。

8 フ氏著書三九四頁。

9 石橋博士「アメリカ發見前後の地圖地球儀とジパング」史林十一ノ三、四參照。

10 A map of the world designed by Giovanni Matteo Contarni engraved by Francesco Roselli 1506, London 1926

11 O. Nachod, Ein unentdecktes Goldland, Mittheilungen der Deutschen Gesellschaft für natur-und völkerkunde Ostasiens, Band VII, S. 313, フ氏論文二二七頁參照。

三　十六世紀の金銀島

等しく東方なる地理的觀念の裡にも、亞細亞東南邊の爪哇・スマトラを中心とする金島と猶朧げではあるが、區別せられて思考せらるゝに至つた北方の黃金の國或は島が、十六世紀に入るとやがて新な內容を生じ、更に又地理的經驗の照破によつて其の想像的存在が霧消し、他の暗晦の地に移向する如きことが行はれた。同時に銀島の存在が著しく前面に現はれ來つた點に於いて、かの往代の銀島を再生せるものといひ得るのである。以上の如き金銀島の推移を考ふるには、先づ此の世紀に至つて西歐人が始めて直接に極東に交渉を有つに至つた事實を擧げなければならぬ。卽ち十六世紀の初頭葡萄牙人は滿剌加を占領し、次いで支那へ進出して通商を開始し、一五四二・三年頃からは日本へも往來するに至つた。西班牙人は新西班牙より西航して東方に會し、一五七一年にはマニラに植民地を樹立し東方通商の根據地とした。次に金銀島の推移に、常に其の動きの一基礎を與へた日本及び日本を中心とする金銀貿易の事實を看なければならぬ。此の問題に關しては予は他の機會に稍や詳しく述べる所があつた。(二) 凡そ十六世紀の早き四分の一の世紀間は、日本の金は前代支那に輸出せられたると同じ傾向を承けて輸貿せられてゐる。卽ち特に葡萄牙人の記錄に顯著に示されたる如く、ゴール人と呼ばれたるもの及琉球人の手で多量の金が滿刺加方面に齎されてゐる。而してゴール人の解釋に就いて對立したる二つの有力なる議論、卽ちゴール人が日本人であるか琉球人であるかといふ問題も、其の輸出せる金が全く日本の金であつたことを認むるに尠しも妨げとなるものでない。然るに同世紀の中頃に稍や先だち、恰も葡萄牙人の日本發見の頃より日本の金銀貿易は甚だ大なる發展と轉移とを示してゐる。日本に於ける急激なる金銀鑛山發掘の增加、特に銀鑛の激增したる結果は銀價の暴落甚しく、金銀比價は大となつて、銀の流出は增大した。此の事は同時に又西歐人の東洋貿易發展の結果支那其の他の諸國の通貨であつた銀の需要の增加せるに對應したのである。鑛國以前日本の金流出を過大に見積つた從來の通說は誤謬で、十六世紀中期より金は專ら日本に輸入せられたのである。卽ち支那の金が年々尠からず齎られた事實は、日支兩國間の金銀比價の懸隔よりも說明し得るし、十七世紀初期の暹羅・廣南・スマトラ等に對する關係も同樣であつた。又比律賓に對しても旣に西班牙人のマニラ占據の前後より日本より銀を齎らして金を搬出しており、かゝる狀態は十七世紀初頭まで明白に指摘することが出來る。

ピントーは其の巡航記中に左の如く述べてゐる。琉球の北方に小島よりなる多島海があり、其等の小島は銀に富んでゐて自分の考ふる所では、並にルイ、ロペス、デ、ヴイラアロボス Ruy Lopez de Vil alobos よりモルッカ諸島の長官ヨルヘ、デ、カストロ Jorge de Castro 宛の報告によれば、住民(比律賓か)が何程か識る所あつて銀島と呼んでゐる諸島でなければならぬ。2)

一五五二年四月八日附ゴア發葡萄牙の神父シモン、ロドリゲス Simon Rodrigues 宛フランシス、シャヴイユルの書翰に稍や詳細に左の如く記してゐる。

カスチリヤ人は該島(日本)を銀島 Islas Platareas と呼んでゐる。予が日本にて面謁せる葡萄牙人等は告げて曰く、ノバ、イスパニヤからモルッカ諸島に向ふカスチリヤ人は該諸島の極く近くを通過する。

彼は次いでノバ、イスパニヤより來る船にして日本海岸にて難波するものの多くノバ、イスパニヤより日本發見の目的で是以上に船を出すことに注意すべしとし、日本人は戰鬪好きで武器等を奪ふために、來る者はすべて殺戮する程だから猶更の事であると述べて、

此等はすべて既に陛下の許に書送りたる事であるが、他の事務に追はれて恐らく未だ決定し給はぬのであらう。今貴下が陛下に進言せらるゝために同じ事を書き送る。多くのアルメード人がノバ、イスパニヤより銀島發見のため派遣せられ、途中にて難波するを聞くは、憐むべき事であり、且つ日本諸島の他に銀の存する島はない。[3)]

カスチリヤ人がノバ、イスパニヤよりモルッカ諸島に至る途中に於いて其の存在を信じた銀島は、ピントーの記す琉球北方の多島海中にありといふ銀島と同じものを傳へた事は明かである。

一般のカスチリヤ人よりも當時直接の交渉等によつてより確實なる日本の知

識を有したる葡萄牙人及び其の他の人々が、ノバ、イスパニヤより來船の途、日本以外に銀島と稱するに相當すべき所なく、其の所謂銀島は日本を指せるものとした事が知られる。アジユタ圖書館所藏の Jesuitas in Asia 中の初めの部分の一書で日本教會史と稱する記錄は、一五七五年より一六三四年までの日本の事を記しており、現存するものは一五五一年までの記錄第一卷のみであるが、其の第一編にカスチリヤ人は日本の事を銀の島といふと記してゐる。[4]

以上の如く十六世紀の中頃よりカスチリヤ人の間に琉球北方の多島海に銀島の存在を傳へられ、而して他方にはより深く日本に就いて識る所あつたと推知せらるゝ人々の中には、銀島は卽ち日本に他ならずと信せられた事實に就いて、當時日本に於ける銀の多產と其の過大なる外國流出の狀態との聯繫を想起しなければならぬと思ふ。葡萄牙人の日本發見の頃より日本銀は輸出品の獨占的位置を占め、其の後も銀が殆んど壓倒的の主要輸出品たる地位を失はなかつた事は他の機會に述べた。ルイ、ロペス、デ、ヴイラロボス指揮下の西斑牙艦隊は一五四二年メキシコを出發して、ミンダナオ、チドル等に到り、滿剌加・印度を經て一五四八年七月リスボンに到着してゐるが、此の探檢に關して一五四八年八月一日附リスボン發メキシコ總督宛のガルシヤ、デ、エスカランテ、アルヴアラード Garcie de Escalante Alvarado の書翰の中に、ボルネオより來れるペエロ、デユス Pero Diez なるものより得たる消息を載せてゐる。彼の語る所によると一五四四年五月支那ジャンク船でパタニを出て、チエンチヨウに到り次いでリアンポーに行き、更に南京に赴きたる後三二度に當り、琉球より一五〇リーグ隔てたる日本諸島に到つたと述べて、

日本の住民の有つ富は銀である。それは小塊で發見される銀で、其の見本は最近の便船で陛下の許へ送付した。

といつてゐる。[5)] 日本に往來したパードレ、ルイス、フロイス Padre Luis Frois パードレ、ガスパル、ビレラ Padre Gaspar Vilella 等が專ら日本に銀鑛の多き事を報じてゐる事は、他の機會に述べたから此處には繰返さぬ。

カスチリヤ人によつて傳へられた銀島が日本を指せるものとなす說は此の世紀の終り頃では諸國の航海者達にも次第に知悉せられてゐたらしく見える。一五九九年英國の航海者達が航海貿易の允許狀を得るために呈出した覺書に The manifold and populos silver islands of Japoness と見える。[9)] 葡萄牙人ペドロ、テイセ

ーラ Pedro Teixeira の航海記によると、彼は一六〇〇年五月一日滿剌加を出發して ボルネオを經てマニラに着し、七月十八日此處を出でゝ百リーグを航して呂宋島の終端パン、カアプルと稱する所に到り、水・家禽・豚・果實・野菜を積んでパンを出航し、夜半から正午にかけ猛烈なる潮流に沮まれて、出來得る限りの風力を利して潮流の向きの轉ずるまで半リーグを進めたに過ぎず、かくて間もなくすべての島の視野外に出でゝ日本に向け進路をとつた事を記して、

日本は以前には銀島 Argentarias と稱せられた。卽ち純銀の產出夥しく、葡萄牙人は每年多量に此を支那へ輸出したからである。

と述べてゐる。[7] テイセーラに於いては、日本と銀島との結合は過去の事實として記されてゐる。而してすべてのカスチリヤ人にとつて、或は同樣の航海者達にとつて、東洋とノバ、イスパニヤをつなぐ線上に近く存すといふ銀島が全く日本と融化し去つたのではない。其の次第は次節に詳記するのであるが、いはば想像的存在の內容を盛る銀島が、現實と結ばれて人々の前に展開し來た時には、やがて其の影を薄める時期であつた。多島海中の銀島の存在の傳からやがて日本本土でなくして其近緣の地に再現せらるゝ事を豫想し得る。此の過程に

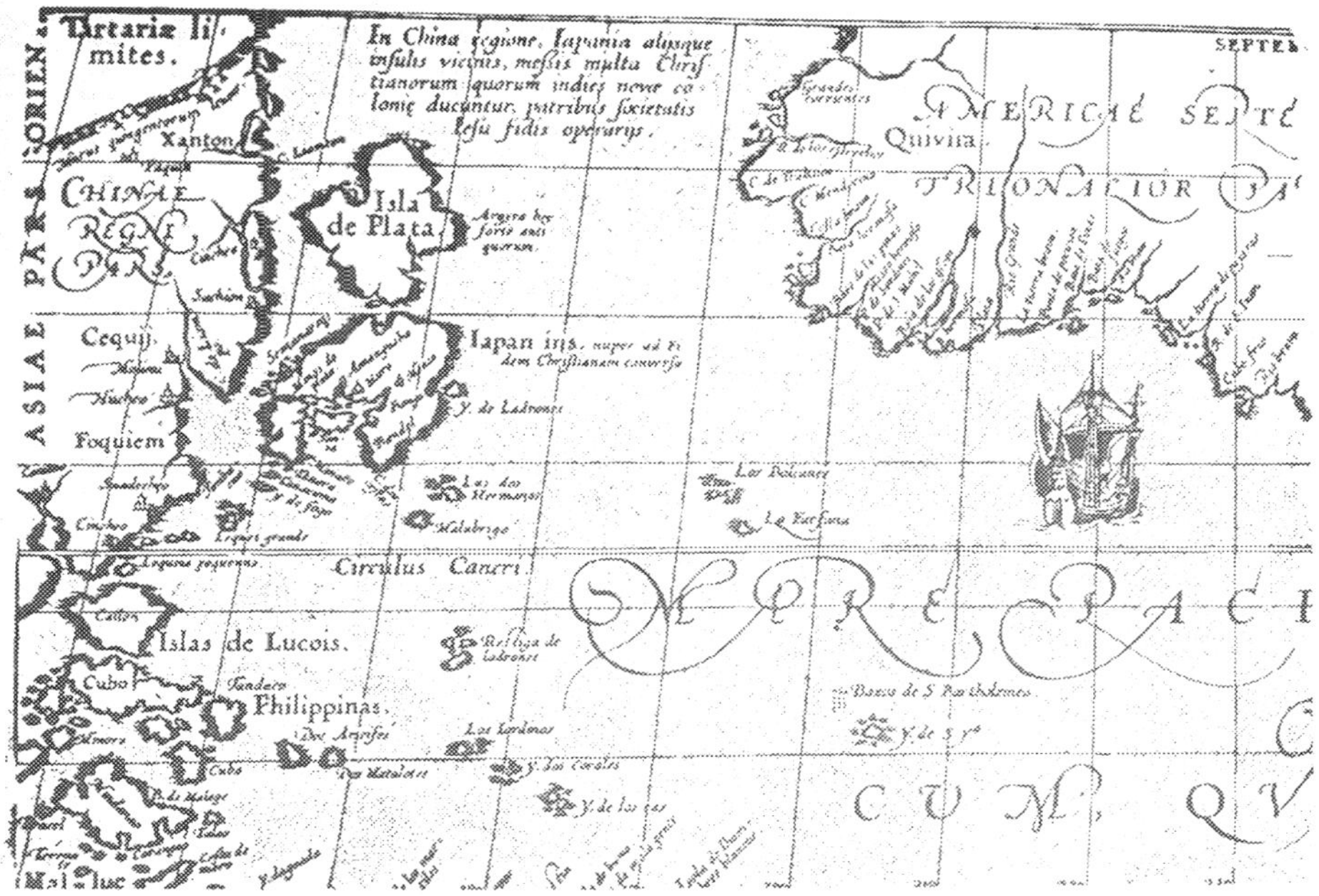

Maris Pacifici (Quad vulgo Mar del zur) novissima descriptio

現はれたるものとして、一五八九年の Ortelii Maris Pacifici novissima descriptio の地圖を見ることが出來ようと思ふ。此の地圖には見らるゝ如く、日本本州の北方に海峽を隔てゝ Argyra haec forte antiquorum と註記せる Isla de Plata なる一大島が圖せられてゐる。ダアルグレン氏 E. W. Dahlgren は其の「日本地圖に關する研究」中に此の圖を以て Vaz Duardo の地圖系統に屬するものとして擧げてゐるが、右の銀島の圖截は一般に此の圖と最も近き關係にありといふ一五八四年の Ortelii China nova descriptio auctore Ludovico Georgio 或は又一五九三年の Cornelii de Judaeis Asia 等にも見えざる特異なるものである。[8] 和蘭のビルヘル、ゲゼリウス Birger Gezelius は此の銀島は蝦夷を表はすものであるといつてゐる。然し此の推測は殆んど問題にならない。[9] 蝦夷が一大島として正しく認識せられて來たのは餘程後世の事に屬する。蝦夷の國が世界地圖に其存在を印せられたのは十七世紀中頃の事であつたが、當時是が一大島なりや又は大陸の一部なりやは不明であつた。更に又他の方面より見るならば、蝦夷に關して當時西歐人の持得たる知識は、右の如き銀島としての表現に少しの暗示をすら與へる性質のものでなかつた。一五六五年十二月廿日附都發のパードレ、ルイス、フロイスより支那及び印度のパードレ、イルマン等に贈つた書翰中に、

日本國の北方殆ど北極の直下に蕃人の大なる國あり。彼等は動物の毛皮を着し毛全身に生じ長き髮髯あり。飲まんと欲する時は棒を以て其髮を上ぐ。甚だ酒を好み、戰鬪に勇猛にして日本人は之を恐る。○中略彼等の中にゲワ《○出羽》の國の大なる町アキタ《○秋田》と稱する日本の地に來り交易をなす者多し。○下略

とあるが、[9] テレキー氏は之を以て蝦夷に關する最古の報告であるといつてゐる。[10] 一五九九年に獨逸のメンツで印刷された拉典文のルイス、フロイスよりクラデ

ウス、アクアヴイヴァ Claudius Aquaviva 宛の一五九六年の書翰の一節に次の如く記されてゐる。

遠からざる以前に、日本の都より三十日程の北方邊界の國の支配者で Taigarandono の息 John Vongui と呼ぶ高貴なる人に洗禮を施した。

此の Taigarandono は日本に於ける最北の支配者で蝦夷と交易してゐる。蝦夷はタータル人で大陸から、Zuegara《○津輕》なる既述の北邊の領土から十二乃至十五リーグを隔てた松前の島に來集する。其處で彼等は魚類・獸皮或は日本人の食用とする海草類を日用品の如きものと交換する。又他方蝦夷は武器や其の他の器具を以て衣類とする布を買ふ。此等タータル人は最も野蠻な人間の一で Moscovites の如く頭髮や髯は長く、狩獵・漁業を以て生活し農作を怠る。(11)

十六世紀に於いて蝦夷に就いて知られた知見の主なるものは恐らく以上を多く出でなかつたであらう。ダアルグレン氏は此の地圖に就いて次の如く記してゐる。

ケゼリウスとは反對に予は此の島 (Islas de Plata) か蝦夷をあらはすこと確かであるとは決して考へぬ。其處にやがて當然日本の一つの reproduction を見るであらう。そして Islas de Plata といふ名の形式は其の島の存在を記した責任者が西班牙人であることを示してゐる。メルカトル Mercator は日本を古代の Chryse 金島と同一のものと見做してゐる。此の金島が既に古くから銀島 Argyra と接近しておかれてゐることは其の證據を一六〇〇年代の葡萄牙人のペドロ、テイセーラの言葉の中に有つのである。

主島の北の輪廓線が北東に突起した所を有つてゐるので、Vaz Duardo の純粋な型と違つてゐる。此の地圖は葡萄牙の宣敎師がかつて航海を企てなかつた此の方向に於ける土地の延長の最初の認識を示してゐる。此の點に於いて一五八九年の地圖は明かに一五九三年の Cornelii de Judaeis 亞細亞圖と一致する。テレキー氏は後の地圖に蝦夷と海上交通をなしたアキタの存在することは歐洲の探檢者が明かにそこに到着して北方にある一大島の最も確かな認識を得るやうになつたのであると觀察してゐる。Judaeis にあつては Islas de Plata は見えない。是卽ち銀島が蝦夷と何等の一致を持たないことを證するものであるが、遙かに後世になつて附加せられた所があり、それに隨つて、Judaeis により、又 Ortelii の大蒐集家たる無名の作圖家によつて日本が描かれてゐる。(12)

ダアルグレン氏のいふ如く、Islas de Plata が蝦夷を表はすものでないこと、而して此の特異なる存在の島が西斑牙人の作圖家の手に成つたことは疑ない。然し氏が日本が二つの島として圖せられ、メルカトルのいふ如く日本を上代の金島と同一のものと見て、金銀島が古來相接近して置かれたのであるから銀島が日本として今一つ記されたりとし、テイセーラの記述を其の證據として擧げてゐるのは大なる錯誤を含んでゐる。日本がかつて黄金に富める國又は金島として考へられたとしても猶引續き此の時代迄考へられてゐたのでない。此の事は本論の全過程に於いて說明する所である。當時黄金に富める國としては寧ろ琉球が思考せられた。又テイセーラの「日本は其の純良の銀の多産の故に以前銀島と稱せられた」といふ記述は金島たる日本に接近し、日本を成せる一島としての銀島をいつたと解すべきではない。それは前述の如く西斑牙人の傳へた琉球北方の銀島が、日本に他ならずとする說が一般化したる事實を意味するのである。

此の地圖のみに現はれて、次に來るあらゆる種類の地圖には全く消失した特異なる銀島が、日本の一島として記された否かといふことに就き作圖家の意の存する所は容易に忖度し得られない。カスチリヤ人が琉球の北方の多島海中に或は又モルッカよりノバ、イスパニャに至る同じ海上にありと傳へた銀島は、同樣の知聞を得たであらう此の西班牙の作圖家の知識となつたであらう。然るに日本に就き、より確實なる知見を有した人々にとつて此の銀島は日本なりと考へられ、やがて銀島卽ち日本說は多くの航海者達の常識となつた。一方にノバ、イスパニャ航路近邊に銀島に充つべきものが見出されざること、他方に日本に銀鑛豊富なることが此の說の基礎を成してゐる。此の地圖の銀島が日本本島の正北方に在つて右の航路より遙かに遠退いてゐる事實は、右の航路に當る日本の東方若しくは東北方に置くことを敢えて避けたるを示すのではあるまいか。然りとすれば銀島卽日本說の右の航路に銀島に凝すべき島なしとする點を一應顧慮したものといふことが出來る。然るに銀島卽日本の說が一般化され、日本が現實の姿を確實に現はし來たる時は、やがて銀島がそれより分離されんとする時期である。故に銀島が日本本島と離れて圖せられた一五八九年の地圖が、縱令日本卽銀島の觀念から成されたものにせよ、猶之を本島と分離し當時の知識では全く暗闇なる北方に求める必要があつたであらう。或は又琉球の北方、即ち日本近邊の海中に存するといふカスチリヤ人の銀島説を依然として基礎として表はしたものとも見られる。而して此の場合に於いてもノバ、イバニヤへの航路近くより其の所在を避けんとする前述の顧慮が日本の北方に位置せしめたる一理由として考へられるのである。

日本の近邊に銀島ありといひ、又日本即ち其の銀島なりとする説が傳へられたに對し、金島は如何であらうか。蓋しダアルグレン氏のいふ如く、金銀島は本來想像的なる存在に化せるものであり、かゝるものとして二島の接近せる存在が約束されてゐるのである。前にも掲げた一五九九年の英國航海者達の呈出した覺書に、

The gouldon islands of the Great and small Lequeos

とあり、是は「銀島たる日本」と併記せられてゐる。此の覺書は女王エリザベスに對して通商航海の允許狀を得んために西班牙が未だ獨占權を主張し得ない國々や港を記して呈出されたもので、女王は之をフルケ、グレーヴル Fulke Grevile に諮問し其の意見を徴したが、同年三月其の奉答を得て翌年九月には航海者達の計畫に同意したのである。是、倫敦東印度會社設立の紀元をなすものであつ

た。右の記載によつて銀島と同樣恐らく西斑牙人等の金島と稱したるものが琉球に當れることを、尠くとも一部にては信ぜられてゐたと思はれる。琉球に於ける之に關聯せる事實は猶溯つて索め得るのである。

十六世紀の初頭、琉球人の海上通商が未だ活氣を呈した時代、彼等は滿剌加・支那等に於いて葡萄牙人と接觸し、多量の金を滿剌加迄も齎らしてゐた。此等の事情は葡萄牙人の報道に尠からず記されてゐる。即ちそれによれば琉球に於ける金・銅等の豐富なる商品の存在を擧げ、更に大なる金鑛の存在迄も記述するものがあるに至つた。トーレ、ド、トンボ文書集に收めた一五一八年八月一日附シマン、デ、アンドラーデ Simãs de Andrade より國王ドン、マヌユルに宛てた書翰に、大なる金鑛を有するレキオス諸島のことの報道があるといふ短かい要項を示してゐる。(14) 是は確しかに事情に暗き外國人にとつては想到し易き過誤であつた。其の後に於いても琉球の豐富なる金が西斑牙のキャプテン、フランシスコ、デ、グアレー Francis de Gualle の一五八二年の航海記に記されてゐる。グアレーは次回一五八五年には比律賓・ノバ、イスパニャ間の航路上に寄航地を發見せんとして航行の途にのぼり、キャプテン、ペドロ、デ、ウナムーヌ Pedro de Unamunu の右の航海に關する報告には金島 Rica de Oro 銀島 Rica de Plata の記載がある。是は日本の東方にあらはれた次期の金銀島の名稱の始めて見ゆるものである。而してウナムーヌの報告と並んで、一五八二年のグアレーの航海記は、次期の金銀島の成立過程を知る上に頗る重要であることは次節に論ずる。

彼は一五八二年五月にアカプルコを出帆して、比律賓を經てマカオに到り、同年七月廿四日に此處を發して南東次に南々東に航行したが、其の後の經過に就き左の如く報じてゐる。

フォルモサ島卽ち美はしき島を通過して針路を東にとり、又二六〇リーグの程を東北にとつて、琉球諸島の長さを過ぎて更にそれより約五〇リーグだけ航進した。前述の支那人の語る所によれば、琉球の諸島は其の數多く、良好なる避難港にも非常に富んでゐる。其の住民は顏や軀を呂宋のビサヤ人の如く彩り又同様に装ふてゐる。又琉球には金鑛がある。彼は又告げて、琉球人は屢々小舟に駕して牡鹿・鹿皮及び粒狀の金・又は極めて碎片の金を支那の海岸に齎らして交易するといひ、此等は決して僞りでなく、彼自身が同じ商品を支那に搬出するために九回も琉球に往つたことを述べた。予は其の眞實なることを信ずるもので、卽ち後マカオ及び支那沿海にて此の事を糺したが、その誤ならざるを知つた。此等諸島の先端は北東に伸びて二十九度の位置にある。

グアレーの記述は九回も琉球に往來せりといふ支那人の談話に據つたるものとしては、錯誤が過ぎ台灣島の所傳をも混淆したらしくも見える。

琉球人の鹿皮貿易等の記載は稍や後に顯著に記される台灣島の取引を暗示せしめる。而して琉球人の海上通商の活躍は、十六世紀中頃より南支那海に於ける倭冦の超梁が劇甚を加へたると、葡•西人の東洋貿易發展とに阻まれて次第に衰滅に歸した。[15] 此の世紀の初期には琉球人は日本の金を多く滿剌加方面にまで齎らしてゐるが、中頃よりは支那より滿剌加•スマトラに亙り比律賓をも含める東洋一帶の通商圈內に於いて、價値關係の推移により日本では金は專ら輸入的傾向に轉じてゐる。十六世紀の後期に於いて琉球人が貿易の目的で支那に金を舶載したことは通常には考へられぬことである。故にガアレーが恐らく信じ、又現在其の地理的記載が示す如く、航海記の琉球が臺灣島にあらずして今日の琉球諸島をいふならば、琉球に金鑛ありとの報告と共に、前期以來の所傳と解し得るであらう。[16]

然し何れにしても該報告の琉球が當時の大琉球に關するものとして認められ、十六世紀の後期に於いて琉球諸島に金鑛ありとの説が西歐人に致されたことは事實である。而して日本に於ける銀島程に縱令一般的ではなかつたとしても、彼等の金島と呼ぶものが他方琉球に擬せられたとすれば、右の如き傳承が其の動機を與へしことを又認めなければならぬ。

琉球諸島には金鑛は全くないことは既に十六世紀中頃の支那人によつて明記されてゐる。一方に於いて西歐人の琉球への直接接觸と其の知見の開明とは金島の存在を永く此に結合せしめるを不可能とした。

註

1 日本の金銀外國貿易に關する研究、史學雜誌、四四ノ一〇、一一

2 Peregrinaçam, f. 173 r.。

3 Monumenta Xaveriana, Tomo 1, pp. 730–5

4 日本敎會史に就いては、岡本良知譯補初期耶蘇敎徒編述日本語學書研究一三〇―一四五を參照

5 Dr. W. Dahlgren, A Contribution to the history of the discovery of Japan (The Japan Society, London, Vol. XI, pp. 222–246) 所引

6 J. Bruce; Annals of the East India Company, Vol. II, pp. 115–118

7 The travels of Pedro Teixeira, p. 10 (Hakluyts' Society)

8 E. W. Dahlgren, Les débuts de la Cartographie du Japon, (Archives D'Études Orientales publiées par J. A. Lundell Vol. 4), Upsala, 1911, pp. 46–47

9 B. Gezelius, Japan i västerländsk fromställing till omkrang år 1700. Ett geografiskt-kartagrafiskt försök Akademisk abhandling, Uppsala, 1910, p. 143, 153.

10 耶蘇會士日本通信（異國叢書）上卷一九二

11 Teleki, 21 pp. 2. Til, Japan

12 Hakluyts' Voyages, Vol. X, p. 346

13 Dahlgren, ibid. p. 46

14 岡本良知、所謂ゴーレス問題に對する一寄與、歷史地理六〇ノ四參照

15 Hakluyts Voyages, Vol. X, pp. 291–97 リース氏はこの琉球諸島を臺灣島なりとしてゐるが、フォルモサ島の東北に相當の距離を有つ諸島は琉球と見なければならぬのであらう。（リンスホーテンの地圖參照）それはとにかく右の琉球が臺灣島の事實を指すや否やとの研究と、報告が齎らせる結果の地理的所傳の實際とは別問題である。

16 Dr. L. Ries, Geschichte der Insel Formosa, (Mitteil. d. D. G. Bd. VI, S. 416 Nr. 59,) 萬曆七年（一五七九年）の明の琉球冊使長樂謝行人杰の日東交市記なる書に、自洪武間、許過海五百人行李各百觔與琉人貿易、著爲條令、甲午之役得萬金、五百人各二十金、多者三四十金、少者亦得十金八金、辛酉之役僅六千金、五百人各得十二金、多者二十金、少者五六金、稍失所望、是以已卯招募、僅得中材應役、不能前如之精工也、所獲僅三千餘金、各八金、多者十五六金、少者三四金、大失所望、至損、廪助之、始得金禮而歸、蓋甲午之役、番舶轉販者、無慮十餘國、其利旣多、故我衆所獲亦重、辛酉之役、番舶轉

販者僅三四國、其利既少、故我衆所獲亦減、已卯之役通番禁弛、番舶不至、其利頓絕、故我利頓絕、故我衆所獲至少、勢使然也

とある。（中山傳信錄、卷一渡海兵役の條所引）甲午の役卽ち嘉靖十三年（一五三四年）の陳侃、辛酉卽ち同四十年（一五六一年）の郭汝霖の琉球册封使の時代を經て萬曆の初期には册封使に附帶して行はれた貿易の利は殆んど皆無に歸したので、其の原因は琉球の海上通商の衰滅にあるといつてゐる。

17 前掲、拙稿參照

四 日本の東方海上に現はれたる金島、銀島

十六・七世紀の交期より日本の東方海上に現はれた金島・銀島に就いては、オスカー、ナホッド氏の東亞獨逸自然人文學術協會報告第七卷第三號に掲げた「未發見の黃金鄕、北太平洋に於ける發見史への一寄與」O. Nachod, Ein unentdecktes Goldland. ein Beitrage zur Geschichte der Entdeckungen im nordlichen grossen Ozean なる精細なる論文がある。氏は先づ一六三五年のウイルレム、フェルステーヘン Willem Verstegen の蘭領印度總督に致せる書翰をあげ、其の內に遙か以前に西班牙船が漂到せりといふ金銀島の來由を、前世紀のアンドレス、デ、アギーレ Andres de Aguirre、ペドレ、デ、ウナムーヌ Pedre de Unamunu 等の報告中に求めて論

迹し、一六一一―一四年のセバスチャン、ビスカイノ Sebastian Vizcaino、一六三九年のクアースト、タスマン Quast und Tasman 一六四三年のフリース Vries の金銀島探檢より十九世紀初頭のクルウゼンシュテルン A. F. von Krusenstern の探檢に至るまで金銀島に關する記載を綿密に順叙してゐるのである。此の論文によつて金銀島に關する多くの文獻を知ることを得、且つ啓示せられる點も尠くないが、不幸にして金銀島の發現・推移に就いて、從つて其の歴史的性質に就いて之を首肯せしめるに充分でないものがある。

一六三五年に長崎在留の和蘭東印度會社員ウイルレム、フェルステーヘンはマルクス、サイモンセン Markus Symonsen 及びビンセント、ロマイン Vincent Romeyn 等のセバスチャン、ビスカイノの金銀島探檢當時の事を周知せる蘭人より聞きたる所に基きて探檢の建議を蘭領印度總督に呈したが、其の次第は左の如くである。

餘程以前に交易のためマニラを出でゝノバ、イスパニヤに向つた一船が、南海にて三七度半、日本の東、陸地より三八〇乃至九〇哩(西班牙哩)の地點で、猛烈なる嵐に遭遇し、マストを失ひ、引返すか、或は最近の島に避難する必要に迫まられた。嵐が幾らか靜まつて遠退いた時に、速風で晴れて、倖に或る大なる高く聳えた島を望み彼等は尠からざる喜悅を感じだ。航路を眞直ぐに其處に向けて、上陸して見ると島は未見の土地で誰も知る者はなかつた。

土民は姿美にして色白く、容整うて愛嬌よく、親切にして、交るにこれ以上を望み得られざる程であつた。暫時にして此島が何處も斯くの如き狀態なるを知つたるが、一本のマストを求めたる後彼等の航海を續くるに決した。而して彼等は何れも太守或は騎士として生活するにも事缺かざる如くに考へた程に滿足した。猶この點に就いて、恰も人々が金や銀を謂ば單に岸邊にて掬上げる程で、否それのみならず彼等の鍋や其の他の水事道具は金や銀で鑄作せられてゐる如く長々と冗言を費してゐる。[1)]

フェルステーヘンの報告は次いでビスカイノの探檢の顚末に及んでゐる。此の報告を得て、一六三六年一月四日附にて蘭領東印度總督ヘンドリック、ブルーウェル Hendrick Brouwer 及び參議會員アントニオ、ファンディーメン Antonio van Diemen 等よりアムステルダム本社に宛て左の如く報申した。

日本に於ける次席商務員ウイルレム、フェルステーヘン（彼は昇任のため當地に來てゐる)が、西班牙人と共にアカプルコよりマニラ、又マニラよりマカオを經て日本に來るなど彼處此處屢〻航海したるビンセント、ロマインより聞きし事を報告せる所によれば、日本の東方約四百哩、北緯三七度半の南海に、甚だ金銀に富み釣合のとれた親和な土民の住せる非常に大なる陸地卽ち島があつて、マニラより西印度に歸航の途檣を失つた一西班牙船は針路を誤まつて同島に立寄り、頗る友誼ある待遇を受けた。

更にビスカイノの探檢に就き記して、

前記のビンセント、ロマイシは喜んで自ら此の冒險の援助をなすべく、且つ其の島の氣候と位置北緯何度に世界中の最も富みたる寶があるかに熟知してゐるに違ひない。依つて我等は將來同地に於いて衣服のため歐洲・印度及び支那の物產を得交通することが出來るであらうことに注意するであらう。前記フュルステーヘンがそのことに就き我等に報告し更に我等が證明せしものゝ一切のコピイがある。

と述べてゐる。[21]

右の此の時より余程以前に、西班牙船が漂到せりといふ北緯三七度半、日本より東方約四百哩の距離にある金銀島の由來に關し、他の史料によつて其の眞相を知り得るであらうか。予は先づナホッド氏の記述の順序に從つて之を看ようと思ふ。

1　一五九七年アムステルダムで始めて出版されたリンスホーテン Fan Huygen van Linschoten の Reys-Gheschrift van de navigatien det Portugaloysers in Orienten 中には、年代の記されぬマカオからメキシコへの旅行記(五十章)と、一五八五年にマカオで一稅關吏の書いた比律賓を出てマカオからメキシコに至る航海の報告との外に西班牙のフランシスコ、デ、ガアレーのものせる、アカプルコより比律賓へ(一五八二年)マニラよりマカオへ、マカオからアカプルコへ(一五八四年)の復航等の旅行を記した文書を逐語的に譯したが、而も是はゴアの印度太守が送つた原翰の寫しによつたのである。

ガアレーはマカオを去る七百哩の間の海上と、ノバ、イスパニヤを去る二百哩の海上とは、何の障碍もない廣大なる海で、其の水路はノバ、イスパニヤの海岸に沿ふて三七度半まで上り得べしと記述し、――注意すべきは、この範圍はフェルステーヘンの報告せる金島の位置する緯度と全く同一である――金銀島に就いてはガアレーも他の前述の二人の西班牙人も少しも觸れず、ガアレーは其の代り判然と「この様に一島の存在が航海に對して必ず表示しそうな如何なる障害もない海表面である」と指摘してゐる。其の他リンスホーテンの他の著作にも、此の種金銀島に關する噂を記さない。

そこで、ナホッド氏は「噂は漸く一五八二年にガアレーがノバ、イスパニヤから歸つてから亞細亞に生じたもので、リンスホーテンが一五八九年に去つた印度には未だ擴がつてゐなかつたと見るべきである」と推論する。3)

2　レガスピ Miguel Lopez De Legazpi の比律賓遠征の勇士の一人で、後メキシコの太守が西班牙國王に宛てた報告書の中で「賢明にして信用ある地理の通」と書き立てたアンドレース、デ、アギーレ Andrés de Aguirre が、——ナホッド氏によれば——多分一五八三、四年の間頃に、ドン、ペドロ、モヤ、デ、コントレアース Don Pedro Moya de Contreas に宛てた書簡の中で、日本の東方の島の發見を然も Rica de Oro, Rica de Plata とも何とも云はずに報じてゐる。其の概要は次の如くである。

此の海中に（アメリカ海岸を北上して或は支那につゞき、又アニアンと呼ぶ海峽によつて之を分離し、島々がその中に在りといふ)又日本諸島と此方の側から發見せられた限界の地點との間の海中に、非常に富める、開化せる住民の棲む島々がある。此の事は神文アンドレス、デ、ウルダネタ Andres de Urdaneta が葡萄牙人のキャプテンから聞いた話である。予は此の報告を見聞し、ウルダネタ並びに予が陛下の命を受けて實行し、その間比律賓諸島が發見せられ、植民せられ、又ノバ、イスパニャへの復航路も發見せられた最初の航海の報告を陛下に奉らんとして到れる時、ウルダネタは上述の報告をも陛下に獻じ、予は其の寫しをとり保存したが、予の乘船がノバ、イスパニャへの航海中難波し、予の所有物全部と共に失はれた。其の内容を簡單にいへば、次の通りである。

廣東で支那商品を積み込んだ一隻の葡萄牙船が日本に向けて航進したが、日本が見える距離の所で酷い暴風に遭遇し、日本に着くを得ずして八日間といふものは猛烈な暴風と危險な天候とに苦しめられ陸地を見ることが出來ずに航進した。九日目に天候は一變して晴れ上り、そこに二つの大きな島が見出された。其の一つに着いて見ると良い港があり、大きな町があつて頑丈な石壁に圍まれてゐた。

○中略

君主は彼等(葡萄牙人)を大きな美しい建物の家に招じ入れて非常に親切な好意を示した。彼等は身振りで了解せしめ、やがて此の國が非常に肥沃で銀・絹その他の商品に富むことを發見して、船に戻つて商品を持ち來り交換を申出でた。

○中略

彼等は此の國の領主が約四リーグの距離に見ゆる他の島及びその近くの今一つの島の支配者であることを知つた。すべて此等の島々は銀が非常に豊富で、白色で親切な氣質を持ち絹や綺麗に織つた木綿物の衣服を着た住民が多く棲み、其の言語は支那人・日本人と異なつてゐるが習熟に容易で、葡萄牙人は四十日間の滯在中に容易に住民に理解せしめることが出來た。○中略

此等の島々は三五度と四〇度との間にあるが、日本との經度の關係は彼等が暴風・濃霧・暗黑の間に航海したので明白でない。彼等は日本より東へ進んでゐたのだ。葡萄牙人等は交易を終へてから滿剌加に歸へつたが、其の島をアルメニオ島 Islas de Armenio と名附けた。仲間の間で尊敬されてゐるアルメニヤ商人のために。

ナホッド氏は、其の全記述には幾多の相違はありながらフェルステーヘンの報告に記された所と驚く可き一致點があつて、殆んどある細い點では言葉の響まで似ており、金銀島のこの發見の知識の基礎をなすものは疑もなくアギーレの報告であるといつてゐる。

3 コントレアースは一五八五年八月二十二日附の書翰に於いて、ノバ、イスパニャの太平洋岸の探檢と發見とに當らしむべく二艘の三本檣の快走船の建造を命じたる事を報じた。卽ちノバ、イスパニャ、比律賓諸島間の往來の途上カルフォルニヤ・日本及び支那の沿岸に碇泊し得る寄航地を發見することが切望されたのであり、前掲アギーレの書翰も此の際に致されたのである。この建艦は停頓したがリンスホーテンによつて一五八二―四年に太平洋航海を傳へられたフランシスコ、デ、ガアレー其の人が、――此の際の航海記の一部は予は注意を以てHakluyts' voyages 中より前節に譯載して置いた――アルメニヤ島其の他の島を發見するために、彼が一五八四年に乘つてアカプルコに歸航せるサン、ヨアン號 San Juan に乘り、比律賓より探檢航海に出發するため先づ比律賓に廻航する命令を受けて、一五八五年三月二十五日に出發した。

これが如何に進行しそして寧ろ失敗に歸したかは、ガアレーの後繼者カプテン、ペデロ、デ、ウナムーヌ Pedro de Unamunu の報告によつて知ることが出來る。此の報告は創草の金銀島の性質を考へる上に最も重大である。然るにナホッド氏は遺憾なことには、セビリヤの文書館所藏の一五八七年の文書によつて記述してゐるが、其の原文を忠實に紹介してはおらぬ。現在予は原文書に就いて精査すること不可能なるを以て、ナホッド氏の記述によつて考査を廻らす外はない。氏の記述を逐語的に譯すれば次の如くである。

卽ち彼はルソンの北方の小嶼島群の Islas Bubuyanes を出發して、航路を數種の地圖に二九度乃至三一度の點に描かれてゐる Rica de Oro と呼ばれてゐる島に向けた。二九度の點で二つの無人島に遭遇し、Rica de Oro を探したが、Rica de Plata も同樣に何等の結果も得られなかつた。その結果彼は所謂それ等の島は結局實際あるのではなく、誰かゞ傳聞に迷されて地圖にのせるに到らしめたものであると認定する事が正しいと信ずるに至つた。

同樣に彼は Isla del Armenio も三四度乃三五度に置かれてゐながら發見する事が出來なかつたと。[51]

これによると、ガアレー等の所持してゐた數種の地圖には二九度乃至三一度の地點に金島が圖せられてゐたが、銀島は記されなかつたらしい。卽ちナホッド氏が論文の終りに揭げたアルメニヤ島・金銀島の位置の一覽表にもウナムーヌの記載では銀島は不明であるといつてゐるのは、地圖上に描かれなかつたからである。金島を地圖の位置近くに探檢して得られなかつた時に、銀島も亦ウナムーヌの記憶にあつて共に發見せられなかつた事を併記したのであらう。而してウナムーヌにあつては、アルメニヤ島は銀島との關係は必しも明確でないが金島とは別に考へられ、其の地圖には三四、五度に置かれてゐたらしい。ナホッド氏が「Rica de Oro, Rica de Plata の名は此時初めて出たのであるが、其の由來する所も說かれなかつたし、單に傳聞によつて地圖に上せられたものだと云ふウナムーヌの假定として出されたのは惜しい氣がする」と記したに就いて、二島の名が始めて出たのはガアレーの所持した地圖ではなくてウナムーヌの報告に於いてと解せられる。

4　アギーレの報告に先づ現はれ、ウナムーヌの報告では三四、五度に位置し、恐らく金銀島と而して明かに金島とは別に考へられたアルメニヤ島はその後には現はれない。ナホッド氏はいふ。「この島に關する事は單純に Rica de Oro, Rica de Plata に轉嫁される。それは單に想像でなくて、實例としてアギーレがコントレラースに宛てた書翰の寫しに添えられたノバ、イスパニャの後の太守が西班牙國王に宛てた一六〇九年十月二十一日附の文書は Rica de Oro, Rica de Plata の島の報告をしながら、此の二つの名は出でずに終始アルメニャ島の話をしてゐる」と。(6)

5　金島銀島の地理上の位置が始めて明白に示されたのは、一六〇九年メキシコで出版されたアントニオ、デ、モルガの比律賓諸島誌であらう。Antonio de Morga, The Philippine Islands モルガの記載は次の如くである。

比律賓諸島を去ること四〇〇リーグで、ラドロン諸島の某火山や山脊を望見する。此の諸島は二四度まで北方に伸びてゐる。此間猛烈な暴風や旋風に遭遇する。三四度にセストス Sestos 岬があり、比律賓を去る六〇〇リーグ日本の北の頭部に當る。三八度に位置する實見することと稀な他の諸島の間、此處でも同じ危險や暴風に遭ふが、氣溫は低く、船は金島銀島の近傍を通過する。此の島も見えることとは稀である。此處を過ぎると大海原は無限に擴げて如何なる天候

の際も船は自在に走ることが出來る。(7)

十六世紀に於ける前述の如きウルダネタ及びアギーレの報告は彼等自身の直接の證明ではなく、他人からの受賣りであり、而もアギーレが單に記憶の中から組立てられた記述を唯一の賴りとしなければならぬので、其の間採用を躊躇すべき間隙の存するのはナホッド氏と共に遺憾なる事實である。而も吾人はこれを直接に疑ふだけの他の證據が見出されず、之によつて論を進めるの外はない。

アギーレ、ウナムーヌ等の報告の內容がビスカイノ、フェルステーヘン等のいふ金銀島に先行するものであり、やがて後者に推移發展したるものであること、又アギーレのアルメニャ島が後の金銀島に轉嫁せること等に就いては、大體ナホッド氏の記述は是認せらるべきであらう。然るにナホッド氏の論述を通讀して特に不滿に堪えざる事は、是等の諸報告の時代を通じて金銀島が經過せる變化發展の諸相の有機的結合は不明なる點である。卽ち以上の諸報告に現はれたる島々は、それがやがて同一體の推移せるものなる事を示す所の諸々の類似せる記述と共に、又それ〳〵に特相ある內容を有つてゐる。此の類似と異相との發展の正確なる把握こそ金銀島の歴史性を正しく認識せしむる關鍵に外ならぬ。例せば前述の報告に於いて次の如き事實を摘出し得る。

一、アギーレに見ゆるアルメニャ島は銀の豐富なる事を記されるが、金に關しては全然記載がない。

一、右のアルメニャ島は北緯三五度乃至四〇度にある。

一、ウナムーヌに見ゆる地圖には恐らく金島のみの圖載があり、其の位置は北緯二九度乃至三一度である。銀島の位置は不明だが、彼の報告では金島の近くと考へられたらしい。

一、ウナムーヌに於いてはアルメニャ島は明かに金島と區別せられる。

一、モルガに於いては金銀島は約北緯三八度、フェルステーヘンに於いては三七度半に位置する。

而しては予輩は直ちに次の如き疑問に逢着する。

一、アルメニャ島が金銀島に轉嫁したのは事實としても、如何なる經路をとつたのであらうか。

一、金銀島が明白な地理上の位置にあらはれて來た當初、卽ちモルガ等の記す位置は誰しも容易にアギーレのアルメニャ島の範圍内にあることを氣付くが、如何にしてかく現はれたか。
一、ウナムーヌの地圖に金島は二九度乃至三一度であつたが、是が如何にしてアルメニャ島の範圍まで北上したのであるか。
是等に關するナホッド氏の答は極めて簡單である。氏はいふ。
ウナムームの是等の島を再發見せんとする努力に關する報告も亦よく想像の驚くべき力が、次第に變形させる樣に、何か全く反對の事實が多分その報告の根據となつて居るらしいと云ふ認定に近づけるやうだ。
又、
かくして予は謎の國の發見と富とに關するフェルステーヘンの報告の立つ根本材料が――富に關してアギーレは金については殆んど語らず、只銀についてのみであり、貴金屬製の煮物道具についても殆んど云はぬからよほど人目を眩ます事はない――(此の場合ナホッド氏がアルメニャ島が、金でなく銀の豊富なる事を報道された點を指摘したのは、此の事がアルメニャ島の歴史性を決定するに重大なる點なりとしてゞなく、單に想像的な金銀島が胎生期に於いて、未だゞ富の表示の稀薄なる程度をいふためである)それ自身決して移動性のあるものでなく、口傳によつてやつと過大に騷ぎ立てられた噂に過ぎぬと云ふ結果に達する。(18)

それ故にナホッド氏にとつては、此等の報告の間に示された金銀島の推移過程も單に口傳と想像の殆んど自在なる變化を以て簡單に說明され得るかの如く見える。

モルガが金銀島の位置を北緯三八度の邊に記したのも、氏は「然し多分この地理上の範圍はイスパニャ船がアメリカに歸航する時の航路が三七度乃至八度である事を知つて居て、それから簡單にこの島に對しても同じ範圍を割出したものと簡單な場合に還元すべきではなからうか」と記して當時の航路より想到せるものと片付けてゐる。それならばウナムーヌの地圖は何故金島を二九度の近邊に置いたのであるか。否それのみでなく金銀島の位置の記された當初から、それ〳〵に多かれ少かれ何か據るべき契機を有つて現はれたと思はるゝ諸々の地點も、しかく簡單に解去るべきであらうか。アギーレのアルメニャ島が先づ銀の豊富なる島として北太平洋に現はれ、金島が二九度近邊に記されたといふ如き注意すべき事實も、予輩は不幸にして氏によつて懇切なる説明を聞くことを得ないのである。

是等に就いての卑見を陳べるに先だちて金銀島に關する初期の記錄を通覽しておくのが便宜である。

ビスカイノは其の金銀島探檢の報告書中に於いて左の如く記してゐる。

和蘭人等は葡萄牙船の破損して偶然此島を發見し、數日間同所に留りて住民あり、土地肥沃にして金銀あることを見たるが、其緯度も位置も又此圖より幾何レガワあるかも確知せざることを告げたり。[9)]

右の和蘭人に關する消息は明かでない。フェルステーヘンに金銀島の話を傳へたといふビンセント、ロマインの徒は、西班牙人と共に、太平洋の航海に從事したといへば、彼等に當るのであらうか。それにしてもロマイン等の傳へる所は、余程以前の西班牙船の漂到であり、ビスカイノの記す和蘭人は葡萄牙船の漂到を傳へてゐる。而も西班牙船のそれは他に徵すべき相當する史料も見出されないが、葡萄牙船のそれはアギーレの報告に當るであらう。

一六三八年にメキシコで印刷せられた印度事務顧問會議長カスチリヤ伯ドン、

ガルシヤ、デ、アロ、イ、アペラネダに宛てたアドミラル、ドン、イエロニモ、デ、バニウエロス、イ、カアリロ Admiral Don Hieronimo de Bañuelos y Carrillo の比律賓諸島記事にビスカイノが金島 Rica doro を探すためアカプルコを出帆して疾風のため流されて金島と同緯度の位置に到つたが、その島に投錨し得ずして日本に到つた事を記し、その端註に「金島はマカオを出帆せる船によつて發見せられた島で彼等がガリー船を修繕するために上陸したが、一週間後には土地が金の板に變じてゐることを發見した。予は該島の位置で猛烈な暴風に遭つたが、此の邊はかゝる困難なくして航海し得る船は稀である」といつてゐる。是は葡萄牙人の漂到をいつてゐるらしいが、ビスカイノの漂流記事といひ、金島の記載といひ可成の混淆相違を示してゐる。

一六〇六年八月十九日附の告示を以て西班國王はメキシコ太守マルキス、デ、モンテス、クラロス Marques de Montes Claros に命じてメキシコ太守の意見に從ひノバ、イスバニヤから比律賓諸島に到る航路に、ビスカイノの發見せるモンテ、レイ Monte Rey の港を寄港地となすべきことを達した。然るに太守は翌年五月二十四日書翰を國王に奉じて、寄航地としてモンテ、レイよりも更に適當

なる二つの島あることを擧げて、
三四度或は三五度の所に Rica de Oro, Rica de Plata と呼ぶ二つの島があり、モンテ、レイの港の西に當つてゐて經度は余程遠いが緯度は之と殆んど變らない。此の航海をなす者は二つの島は比律賓より來る船の避難場として非常に適當であり、此の島を再び發見して其の一を該目的のため植民するのは有利であると言明してゐる。
と述べ、此の探檢の目的にはビスカイノを以て最も適任であると具申し、猶附記してアカプルコより比律賓歸航の途探檢を行ふを可とした。よつて國王は翌一六〇八年九月二十七日附を以て次の太守たるドン、ルイス、デ、ヴェラスコ Don Luis de Velasco に對してモンテ、レイ港の移住を暫く中止し、ビスカイノに命じて探檢せしめ、金島銀島の中で最も其の目的に適したりと思はるゝものの一つに寄航地を發見・植民開港せしめ、之に要する經費は國庫より支辨して適當なる一切の處置をなし又植民者に對してはモンテ、レイ港に移住すべき者に附與せられたると同一の特權を與ふべく、若しモンテ、レイ港の方が前記二島の中何れよりも適當なりと思はるゝ時は、曩に同港に關して陛下の命せられたる所を行ふべきを達せられた。[10] 該探檢をアカプルコより行ふか否かに就いては、比律賓諸島のプロクラドール、ヘネラル Procurador General の比律賓より行ふが諸種の點に於いて有利となす献議あり印度事務顧問會は此の問題を審議してメキシコ太守に通知し、右の事實の如何を調査せしめることを決議し、一六〇九年五月三日附を以て國王は之を布達した。[11] 一六一一年より一六一四年に亙るビスカイノの探檢の顚末は其の金銀島報告書に詳しく記されてゐる。ビスカイノは一六一四年五月二十日附を以てメキシコ市より國王に書翰を奉つて、

日本國に關して受けたる命令を果したる後、歸途諸島探檢の準備をなし、一六一二年九月浦賀港を出でしが、神好天氣を與へ給へるに依り、携帶せる命令書に示せる諸島所在地に到り、三六度の所を探檢せしが、發見せず、又三七度の所にも三八度の所にも發見せず、更に三五度三四度まで減じ、十月十八日に至るまで努力を續けたり。

といつてゐる。[12]

一六〇七年メキシコ太守が始めて金銀島に關して西斑牙國王に奉せる報告中に其の位置を三四、五度として記したのは當時の航海者中の口傳又は報告に基

づいたのであらう。同じ頃實際比律賓との間を往來し、多くの海洋圖を作成したエルナンド、デ、ロス、リオス、コロネル Hernando de los Rios Coronel が更に精細なる表現を以て金銀島の事を報告してゐる。即ち彼によれば、其の島々は住民ありたるか否かは不明なるも、金島は北緯二九度銀島は三六度にあつて日本を去る一五〇リーグの所にあるといつてゐる。エルナンドの報告せる島々の位置は、私見によれば金島に於いてかのウナムーヌのそれを、銀島に於いてアギーレのアルメニヤ島の面目を傳へ、恐らく金銀島の始原的形態を有するものであらう。エルナンドはビスカイノの探檢失敗後に於いても一六一九年か二十年頃恐らくマドリードで記したと思はれる比律賓にて必要なる改革事項の內で左の如く述べてゐる。

（比律賓、メキシコ間の航海が長く途中で新鮮な食料品が得られぬ限り非常に多數の者が罹病する。之に對する救濟法として、神は海中航路途上に休養所として役立つ一つの島を成し置かれた。恰も葡萄牙人が航海中に新鮮な食物を得られるセント、ヘレナ島に於けるが如く。予が銀島と呼ぶ其の島は大きくて周圍百リーグを越える。通過の際其の島を見る船もあるが、港が知られぬ限りは誰も其處で新鮮な食物を得んとする者がない。人の棲む標が見えるから住民はあることと察せられる。水・食物・補給物を得るために・マニラから一小船を派して島を探檢して良港を求めることが非常に必要な事だ。其の探檢は最も大切なことゝもいへる。其の近邊で船は暴風のために綱具を失ふことが多いのだから、この點からも缺くべからざることである。卽ち島に避難し修理し得てマニラに戻らずとも航海を進めることが出來るのである。予は數年前航海上の必要から前年中に島を探檢すべき命令を比律賓長官に達せらるゝを信ずべき旨を陛下に献言したるも、それは再び命令せらるべきものである。〇下略

エルナンドが比律賓、メキシコ間の寄港地として探檢の必要を說いたる一つの島、卽ち金銀島二島をいふにあらず、又金島をいふにあらずして、それが銀島に外ならざることが注意せられる。彼は猶、前表の如く金島を南に銀島を七度も北方に位置せるを信じたのであらう。

ビスカイノの探檢に先だち、メキシコ當局の許に報告せられた金銀島の位置は種々であつたらしい。卽ち一六〇九年七月十二日メキシコ太守によつて開かれた會議の取決めは、比律賓の途中遙に離れてその側を通過せる數船の報せる

所に基づき、三一度乃至三三度と解してゐる。(15) 是いはゞ諸説の折衷的なるものであり、同時に其の位置變化の過渡的形態を示すものである。

一六三九年のクワストの金銀島探検の際、蘭領印度會社より其の進路指令の有力なる一つの準據となつた西斑牙の地圖に載せられた金銀島(金島の名は注記せられてゐなかつたらしいが)の位置も注意すべきものでゐる。其の指令中に西斑牙の地圖に三五度乃至六度に記されてゐる二つの島はアルメンティ Armenti 及び Rica de Plata 即ち「銀に富める意」と名付けられてゐるといつてゐる。此の島々は日本の東方西斑牙哩で二〇〇哩の所にある筈である。Armenti は西斑牙人によつて暫く捨てられてゐたアルメニャ島の音に類似する。この外に西斑牙の地圖に銀島より二度北の方五〇哩西に當つて南北三〇哩の長さの島がある。これが恐らく Rica de Oro であらうといはれる。(16) 即ち金島は北緯三七度乃至八度位に置し日本の東方一五〇哩の邊であらう。然らば此の地圖は他のすべての報告と相違せる事實を示してゐる。銀島は後者を通じて金島の北方(一般に東北方)たるに拘はらず、前者のみは其の東南方にあり、即ち金島が銀島の位置より約二度の高緯度にある。此事實は金島の位置が他と同様なる銀島との關係から說明し難くして、特殊の意義を有するが如くに見ゆる。而して予は之を單なる想像の齎らせる變異、若しくは倒錯と見ずして特殊の契機を認めんとするのである。西斑牙の地圖にアルメンテの島が銀島と相並ぶことは、此兩者の關係が特別なることを示してゐる。

以上述べ來つた金銀島の位置を次の如く要約することが出來る。

1　アギーレの銀の豐富なる島、卽ちアルメニヤ島は三五度乃至四〇度、一六一〇年頃のエルナンドの報告に銀島は三六度(日本より一五〇リーグ)西斑牙地圖に三五度乃至三六度(日本より二〇〇西斑牙哩　)。

2　ペドロ、デ、ウナムーヌの報告に金島は二九度乃至三一度、エルナンドの報告に二九度(日本より一五〇リーグ西斑牙地圖に三七度乃至八度(日本より一五〇西斑牙哩)。

3　モルガの書に金銀島三八度、フェルステーヘンの報告に三七度半(日本より三八〇乃至九〇西斑牙哩)。

4　モンテス、クラロスの報告に金銀島三四度乃至三五度、ビスカイノに與へられた命令書は三六度、而して彼は三四度乃至三八度の範圍を探檢に從事したのは、メキシコに於ける金銀島所傳の如何なるものであつたかを示すものである。

三、四兩項の位置の範圍は略ぼアルメニャ島のそれに當り、金銀島の相對的位置に就きては明確にされぬ。

5　一六〇九年のメキシコ太守の許の會議は數船の報告に基づき金銀島を三一度乃至三三度とす。

金銀島の位置に以上見たる如き差異の由來する所に關し、譬へばナホッド氏がエルナンドの報告を評して「然しその說明は彼の航海してゐた時に船から實際見たとはいつてゐらぬから、自己欺瞞であるか或は航海者の間に行はれてゐた噂の繰返しに基づくにもせよ、何れにしても後になつて試みた所では彼を信用する譯にはゆかぬ」といへる如く、差異を唯差異として認め、特異なるものを非常視することを罷め、此等を一貫せしめてそれ〴〵の契機を明かにする必要ありと思はれる。特に前掲三項以下が金銀島の地理的關係を明記せざるに比し、一及び二項の之を確記するものこそ其の發生を知る關鍵たり得るのでないか。何んとなれば、其の歷史を識るに必要なる最前期の史料の示す所が、明かに之に黨みしてゐるからである。

アギーレの報告に見ゆる一葡萄牙船の漂到せりといふアルメニャ島が金銀島の先驅たる内容を示す點は、銀の豊富であるといふことゝ、其の位置が三五度乃至四〇度であり、明確には傳へざるも日本の東方(又は東北方)なることを暗示する點とである。而して西斑牙の地圖に銀島のみがアルメンテ島と連接するのは此處に注目されなければならぬ。此島が容易にかの十六世紀中頃カスチリヤ人によつて傳へられたる琉球北方の多島海中の銀島、又は東洋よりノバ、イスパニャに至る航路上に近しといふ銀島の一表現に外ならぬことが察せられるであらう。予は前節に於いて、始めカスチリヤ人の傳ふる銀島が日本なりとする説の一般化が、既に銀島の存在を日本より分離せしむる機運を促せることを述べた。

金島に就いて最初に地理的範圍を示したウナムーヌの報告に見ゆる地圖に於いて注意せられたることは其の位置が二九度乃至三一度であることである。予は前節に於いて、琉球諸島に金鑛ありといはれ、恐らく西斑牙人等によつて傳へられた金島が是に擬せられた事實を述べた。ウナムーヌの金島は琉球より轉移し暗示せられたものであらう。琉球に對する知見の現實的なる開明は既に金島たるの存在を許さない。是がやがて西斑牙船の航路に近き其の東北方に金・島を出現せしめた事情であらう。一五八二年のフランシス、デ、グアレーの航海記に於いて、ナホッド氏はリンスホーテンの譯により、三七度半の位置即ちフエルステーヘンの金銀島の位置は眼を妨ぐるものなき大海たることを記すを注意すべしとし、金銀島の說の未だ聞えざる證左としたが、猶更に注意すべき事は同じその航海記に見ゆる琉球に關する所傳である。即ち琉球諸島に金鑛ありて金を輸出することを記し、其の先端はウナムーヌのいふ地圖の金島と同緯度なる二九度に伸ぶといつてゐる。而してウナムーヌの報告は、ガアレー其の人の次回の探檢報告であることを想へば金島と琉球間の想像上の連繫が、偶然以上のものを感得せらるるであらう。ウナムーヌの銀島に就いて地理的範圍も明かでなく、アルメニヤ島との關係も必しも確かでないが、後者は三四度乃至五度にありといひ、エルナンドの報告に見ゆる銀島の三六度と共に、アギーレのアルメニヤ島の地理的範圍にある。而して後者に見ゆる金島が二九度なること又其の舊態を傳へるものといつてよい。

モルガ以下フェルステーヘン等に至る人々によつて傳へられた金銀島の位置は三四度乃至三八度で何れもアギーレのアルメニャ島の地理的範圍に在る。事實當時アルメニャ島の名は忘れられて金銀島に轉嫁せられてゐた。而して銀島金島の發生が前述の如くとすれば、是に就いて次の問題が生ずる。即ち二九度近邊の金島がアルメニャ島の範圍に迄北上する經路は如何に解すべきかといふことである。

古來の觀念が Chryse, Argeria 二島の相接近せる存在を約束せるものなることが一應之に答ふるかのやうに見える。然るに銀島が南下せずして金島の北遷したる點に就いて、未だ假定的のものであるが、予は一つの契機を考へて見たい。即ち奥州の金華山と金島との關係である。

ケンプェルは其の日本史に於いて、奥州の東又は東北方にある金島《キンジマ》・銀島《ギンジマ》の位置を日本人は外人に祕密にすると記して、恰もそれが起源を日本に求めるかの如くいつてゐる。[17] 然しこれは疑はしい。彼の日本史は一六九〇年長崎に來航して以來九二年迄日本に滯在し此の間に蒐集した資料や見聞が其の基礎となつてゐるが、其の内には多くの日本製の地圖もあり、而して金銀島の記載ある正保丁酉長崎版の萬國總圖も既に出刊せられてゐた。此等の地圖が歐洲地圖の亞流であり、金島銀島が歐人の間に生成したるものであることは明白であるからである。然るに享保年間の出版にかゝる西川如見の長崎夜和草中に「世界萬國金銀之沙汰附紅毛金島に到る事」と題する左の記事がある。

寛永の頃にや紅毛平戸へ入津の折から本國より日本へ來らんとして大風に放たれ南部の東海にて一つの島を見付て水取に枝舟より上りけるに、其島の砂石みな黄金なりければ、多く船に取つみて船を出さんとするにふねかつて動事なく、さま〴〵ちからをつくして出なんとすれど、舟はうかみながら少も動かず、日も既に暮なんとすれば是はいかさま此島の神の惜み玉ふならんと恐れおもへば、取たる砂石を皆海に捨ける時舟うかみ出で本船にかへりぬ。扨是より平戸へ到りて河内浦といふ所に荷物なとおろしけるに、其船底に右の金砂のこばれたるが有しを水主共ひろひとりて酒にかへて飲けるとかや。其黄金を所の者とも脇指の具に用ひたるよし、其折から見たる者の物語に聞し。世界の圖に日本の東海に金島、銀島ありとは此島ならん。此後又幾とせなりけん、紅毛人今一度此島を尋ね行ばやとて、二三年の糧を積持て日本の東海に到り、四方八方乘廻り尋ねしかど金島消うせてある事なしとかや。 おもふに此海洋には霧霞常に深く或は蜃樓の類ひなる熱氣海上に立事多き所なれば金島かくれて見得ざりしならん。 消うせたるにはあらざるべし。 都て此海は世界第一の灘海にて奇怪の事ども多き所なれば蠻船もおそるゝとかや。 扨その紅毛船水に飢て南部の地へ漂着し枝舟をおろし五六人水取によせけるを、 南部の浦人怪みて三人を捕へぬれば餘は迯行て本船も出でぬ。 捕へたる三人の紅毛人は南部より江戸へ送りつかはさる。 此三人の中に平戸へ度々行たるが有て、 日本詞にて平戸の者に志筑某といふものこそわれ能知る者なりといひしに、 則平戸へ仰事ありて急ぎ志筑をめしければ早うちして參りぬ。 紅毛人是に逢て悦べる事かぎりなし。 則意趣委しくかたりつれば志筑通達分明にて公けの御うたがひ解ぬれば、 汝長崎へつれ參るべしとて三人の紅毛人引つれ長崎に來りぬ。 此時は紅毛船は長崎へ入津せし折節にて其歳歸帆の紅毛船より三人は歸りぬ。 志筑某は其儘にて長崎紅毛の通事と成し住居す。 銀島の事は知たるものなし。 世界圖には金島・銀島とて二島見へたり。[18]

右の内後半に記載したる南部に漂着した紅毛人の顚末は一六四三年二月金銀

島探檢の目的でバタビヤを出發したヘンドリック、コルネリスゾーン、スハープ Hendrick Cornelisz. Schaep 指揮下のブレスケンス號が同年七月末南部の海岸に到り、船長スワープ以下が南部藩士に捕へられて、江戸に護送せられて、十二月平戸商館長のヤン、ファン、エルセラック Jan van Hlserack に引渡されたる事件に相當するものなること明かである。[19]

紅毛人の金島の發見の顚末に於いて、其の船が日本に來航の途暴風のため日本の東方に吹流されたといふ點はアギーレの葡萄牙船が支那より日本に來航の途漂流してアルメニヤ島に到つた報告といくらか似てゐるし、金を積んで戻られなかつた話は十六・七世紀の交のエマヌエル、ゴデンホ、デ、フレデア Emmanuel Godinho de Fredia (Heredia) の報告に見ゆる如く、南印度中の金島 Nusa Veak は樹の根下に見出される砂礫は金鑛であり金の山の高い峰があると記し、彼が暴風で其處へ吹寄せられ金を積込んで出發したが、嵐が起り船を進めるため金を棄てなければならなかつたといふのと一脈相通ずるものがある。然し此の金島は最もよく金華山に類似するを示してゐる。

陸奥の金華山より天平年間毘盧庶那佛の造立の滅金料として奉れる貢金を產

したとは古來の所傳で、神秘なる一種の黄金鄕として古くより世人の眼に映じてゐた。[20]

長崎夜話草に、

日本の東、奥の海中に金華山といふあり、此島の砂石に黄金ありといへ共、島の神惜みたまふ。是を取事あたはず。若取て舟に乘ぬればその舟忽ち災難ありといひつたふ。前の紅毛金島の事にひとし。

と述べてゐる。此の事は單り夜和草のみでなく、例せば寛政十二年の本朝諸國風土記に金華山の事を記して、

峰々に權現の社あり。又箱崎とて左りの岨に天女出現の靈窟あり。一山ことごとく、砂金にして誠に黄金の湧出せるが如く、朝日夕日に映じて海水は金波をたゞよはせたり。頓て船に來れば舟人の言樣山の履たる草鞋を秡べし、金砂の付て出る事を權現のおしませたまふといふとぞ。各解去齋舟に乘て歸ぬ。

と述べてゐる。[21] 神の金を持去るを惜むといふ同趣の説話は、日本では古く大和・甲斐の金峯山等にも傳へられ金華山のそれも恐らく近世以前よりの所傳であらう。[2] 夜和草の筆者如見は勿論紅毛人の金島と金華山とを別視してゐるが、殆ん

ど同一物たるの表現を示してゐる。之に就いては西歐人の金銀島の所傳が日本に於いて何時しか日本風に潤色されたものと見得るかも知れない。然し同時に金華山の話柄が、金島の生成過程に一つの契機尠くとも其の地理的範圍に關する暗示を與へなかつたであらうか。

クワストの探檢に發した西班牙地圖に銀島及びアルメニヤ島を三五度或は三六度とし、金島を更に西北二度の高緯に記した點に特殊の意味を求むれば是は金華山の所傳より得たる暗示に結付けられるであらう。

朝鮮總督府博物館所藏の倭虜國圖には奥羽の東北方海中に相當大きく圖せられた金山なる島がある。此の地圖は其の紹介者藤田元春氏が製作が新しく寛政前後かと思はれると説かれたことは解し難い。[23] 其の内容は近世初期に溯り得て少しも差支ない。金山は流宣圖等によつても示さるる如く金華山島に相當するであらう。朝鮮の作圖家が在來の地圖・知見によつて作れる倭虜國圖に、金華山を金山島として東北海中に記したる所に、單なる文字の錯脱と早斷する以上の意義をかの金島の歴史に就いて認め得るのであるまいか。かくして金島がアルメニヤ島よりの直接の轉移たる銀島に對して接近するに好都合なる暗示が與へられたであらう。モルガ・フェルステヘーン等が兩島を三八度乃至七度半に報じた所傳の原は漸く薄明を浴びたかの如く見ゆる。然しアルメニャ島の地理的範圍に生成しだ金銀島はもとよりすべての流傳の間に、其の位置を固定せしめる要はないのである。

以上を要約すれば次の如くなる。

1　銀島・金島の日本琉球説の客觀化と其の日本・琉球よりの分離的要望

2　十六世紀後半頃の北太平洋中の銀島の一表現としてのアルメニャ島

3　一五八〇年代に琉球と近緯度の地に出現せる金島

4　金銀島の接近せる存在の古來よりの觀念と日本人より傳聞せる金華山の説話より得たる契機による金島の位置の北上

5　アルメニャ島の金銀島轉嫁並びに其の地理的範圍内に於ける金銀島位置の諸説

註

1　P. A. Leupe, Reis naar de Eilanden ten N. en O. van Japan door Mrt. Gerr. Vries, in 1643 Amsterdam 1858, S. 35–40

O. Nachod, ebenda, S. 315—317

2 海牙文書館植民地文書一〇二八號（東大史料寫本第六三號）

3 O. N. S. 319—20

4 O. N. S. 320—25

ダアルグレン氏は此の書翰を擧げて次の如くいつてゐる。

アルメニヤ島は金銀島と同種類の想像的なるものであらうか。予は既にアギーレの書翰が琉球を訪れしことを取扱へることを暗示したが、エスカレントの報告と比較する時此意見は保證せられるのである。

エスカレンテの報告とは一五四八年八月一日附を以てメキシコ太守に宛てたもので、テイモル島にてデエーゴ、デ、フレテス Diego de Fretes より得たる琉球に關する消息である。即ちそれは次の如くである。

予が（フレテス）暹羅の首府にて乘船してゐた時、琉球人のジュンコが到着した。彼等は白色有鬚の善良な風貌の國民で我々西班牙人風に絹や綿布を着してゐた。琉球人の語る所によれば、王は未婚の者、子供ある者、財產ある者は國を去るを許可せずして誰人も海外に留まるを得ず、キャプテンは生死に拘はらず其の部下を連れて歸國しなければならぬと。予は暹羅にて死去せる三人の琉球人の遺骸が故國に運ぶため鹽漬けにして保存せらるゝを見た。彼等の齎らす商品は金と銀とである。

〇中略（琉球人支那人間の係爭事件にかゝる）

予と共にあつた二人の葡萄牙人が交易のため支那に赴かんとしてジエンコで航海せる內に、暴風のため琉球諸島に漂到した。暹羅に於ける友情の御蔭げで島の王は彼等を待つこと篤かつた。彼等の受けた好遇と目擊せる富に惹かれて、他の葡萄牙商人が支那ジエンコで航海を企て、支那海岸より東方に向つて同諸島に到着したが、此度は上陸を許されず、其の齎せる商品目錄を手交し買入品價格は直ちに支拂はるゝことが達せられた。彼等は其の通り實行し十分に銀を以て支拂を受けた。必要な食料品を供せらるゝや否や去ることを命ぜられた。

ダアルグレン氏のいふ如く、エスカランテ及びアギーレの報告に類似の點も見出されるやうであるが、又相違の點も多い。特に其の地理上の表現の如きで、氏は次のやうに論じて之を緩和せんとしてゐる。

（アギーレの報告中）明瞭な誤謬の中で（恐らく記憶の間隙あつたための）新たに發見せられた島（アルメニヤ　）の位置即日本の東緯度三五度乃至四〇度を指摘し得る。此の緯度の誤なることは海牙王立文庫所藏の一六四一年リスボンにてアントニオ、サンチエス Antonio Sanches の描いた地圖によつて證明される。此の地圖には――予の氣付いた所ではアギーレのいふ發見が記される唯一のもの――三二度乃至三四度の間、神祕なる金銀島の近邊で、日本の東方大洋中のずつと外方に、三島よりなる一團の所に el Armenio の名を見出す。アギーレをして諸島に注意せしめ、彼等（葡萄牙人）の發見となつて彼をして最も重要なる意見を述べしめたのは此の位置なること當然である。Dr. E. W. Dahlgren, A Contribution to the history of the discovery of Japan, (The Japan Society, London, Vol. XI p. 242—244, p. 252)

然し此の論は寧ろ轉倒せる議論である。アルメニヤ島及び金銀島の發生推移に關しては本文に說ける如くである。一六四一年の地圖の el Armenio の位置が、アルメニヤ島の最古の文獻たるアギーレを訂正する手段とはならない。アギーレの報告に於ける關係者のすべては、アルメニヤ島の琉球なることを無論意識しなかつたであらう。要するにアギーレにせよエスカランテにせよ、間接的な而も不確實な漂流等の記錄には、種々の錯雜せる記錄見聞が混淆する場合あることを考へなければならぬ。而して意識的でなくとも類似せる表現を別個のものに於いて見る場合もあるであらう。然しダアルグレン氏とは別に琉球がアルメニヤ島と或る聯關を有するに至つたことは奇縁といはねばならぬ。

5　O. N. S. 326

6　O. N. S. 325

7　Blair and Robertson, The Philippine Islands, XVI, p. 204

O. N. S. 327

8 O. N. S 328–29

9 村上博士譯、ビスカイノ金銀島探検報告一二八頁、Blair and Robertson, ibid. vol. XXIX, p. 80

10 Blair and Robertson, ibid. Vol. XIV, pp. 270–275

11 Ibid. p. 277 印度事務顧問會議答申書は一六〇九年四月九日附で、村上博士譯ビスカイノ金銀島探検報告附錄第一號文書として擧げられてゐる。

12 村上博士譯、前揭書、附錄第三號文書

13 O. N. S. 340

此の報告は日附なく、一六一〇年十二月廿一日附メキシコより國王に奉れる彼の書翰に添へられた。

14 Blair and Robertson, ibid. Vol. XVI, p. 323

彼は金銀島の探検をアカプルコより行ふべきか否かに就き(比律賓の Procurador-general として比律賓より行ふべきを献議し、印度事務顧問會議の決議は一六〇九年五月三日にメキシコに達せられた。彼は金銀島に關し、最も識見ある人の一人であつたであらう。(B. and R. Vol. XIV, p. 277)

15 O. N. S. 340

16 P. G. E. Heeres, Abel Jansoon Tasman's journal of his discovery of Van Diemens land and New Zealand in 1642, Amsterdam 1898, p. 25

O. N. S. 378

17 Kampfer, History of Japan Vol. I, Glasgow 1906 p. 112

18 長崎夜和草(長崎叢書本三〇—三二頁)

19 此等の經緯に就いてはモンタヌス日本誌に(和田萬吉氏譯本三二二頁以下)記載がある。

20 天平二十一年陸奥國司百濟王敬福が黃金五百兩を貢したことは有名な話だが、其の金產地は近時遠田郡涌谷村に宛つべきことが認めらるまで金華山說が廣く行はれた。

21 能登總持寺無爲庵西有穆山著本朝諸國風土記

22 かゝる傳承の一端は拙稿金銀の研究（南方土俗一ノ二）中に述べた。

23 藤田氏は此の地圖の表はす年代を圖中の注記によつて推定して次の如くいふ。

肥前・薩摩等地、中國・琉球・南蠻・呂宋之商船無日往來、市肆太半唐人而琉球最近、島嶼錯峙水運便、

とあれば、本註記は天文以後恐らく文祿元和以後のものであることが考へられ、

陸奥、東西六十日程、地接蝦夷、廣漠無際、道路通行處爲五十四郡、其外山戎自城、分置兵號令、郡制又過五十四郡、則其人長大身有毛、倭稱蝦夷、卽我國野人之地、多產文魚貂等物、倭言、自陸奥直到我國之東北道、途中至而近、而北海風高疑不敢渡云爾

とあつて、地圖の製作が餘程新らしいことを證明するもので寬政前後のものでないかと考へしめる記事である。（藤田元春著日本地理學史八三—八四頁）

然るに初めの註記は之を普通に解すれば、おそくも寬永以前の狀態を示してゐるし、後の註記に見ゆる陸奥の先に蝦夷地を接續せしめ多毛の人が住し、海を隔てゝ北方に韃靼の大陸を記すことが、何故寬政前後の蝦夷探檢の知識の結果を示してゐるのか、理解し能はぬ。

此の程度の知識を近世初期に求めるも尠しも差支なしと思ふ。

五　十八世紀以後の金銀島

Alexander Dalrymple圖書館所藏の文書に一七四一年十二月附の比律賓諸島長官宛の西班牙國王の命令書の一通の寫がある。此命令書は金銀島を探檢して移民するために當時呈出せられた出願の結果發せられたもので、其の中に嘗つてマルキス、デ、モンテ、カストロの呈出せる申告に準じ、金銀島の事情に通じたパイロットや其の他の者から報告を求めることを指示した一七三〇年六月附の前命令書に從ひ金銀島に就き起草された一通の報告書が引用せられてゐる。一七三〇年の命令書によつて要求された報告といふのは、(一)一六〇六年金島・銀島に植民をする爲め存すると考へられたと同じ理由が猶存續するや否や、(二)ノバ、イスパニャへの航海が其の當時同様同航路を經て爲さるといふならば其の事は如何、(三)所謂金銀島に關し知り得る所は如何の三點で右の質問に對し四人のパイロットの返書の要項は次の如くであつた。

(一)、比律賓諸島よりノバ、イスパニャに到る航海は普通の貿易風によつて爲し終へるのでなくあらゆる風を利用しなければならず、一定した航路はない。然し以前と同様に金銀島を右手にして通過し、北方に航行することが何時も行はれる。比律賓・ノバ、イスパニャ間に中間寄航地のあることが便易なることは變り

ない。(一七三三・一一・一八、マニラ發署名 Henrique Herman)

(二)、海圖を案ずるに金島はエスピリット、サント岬を去る東北東二分の一北六六〇リーグの距離、北緯二九度四五分にある。銀島は同岬から北東東七六〇リーグで三三度二六分にある。(一七三三・一一・二五、署名 Geronino Riomoro)

(三)、予の所持する地球儀では金島は北緯一九度二五分なる Volcan de San Aqustin (ラドロン諸島の一)から北東東にあり、北緯二九度二五分で Volcano から三四二フランスリーグの距離にある。銀島はその北東東三度で Volcano から四二〇リーグ北緯三二度五〇分である。右の島々が前述の平行線にあれば、――予は非常に不確實と思ふが――嘗つて考へられた通り有用であらう。(一七三三・一二・二、署名 Pedro Laborde Faujias)

(四)、予が比律賓からノバ、イスパニャに赴いた四度の航海で、金島・銀島の間を一を北にし他を南にして通過した。卽ち其の際三〇度と三六度の平行線間を保續してゐたので、二島は其の間に位置するのである。(一二・一〇、署名 Manuel Golvez)

是等の報告と共にマニラの商人の幾人かゞカストロの申告に反對して金銀島

探検の事は王國の收入上にも商業上にも有害であると述べた報告が引用せられてゐるが、國王は結局次の如き結論に達した。

受領せるすべての報告の結果から前述の如き發見の試みを促すべき何等の理由も無きものゝやうである。即ち此等の島に就いて報告を受けた一六〇六年以來現在に至るまでの長き間、ガレオン船は此等を求むるを必要とせずして、此の航路を航行し來り、且又島の位置は曖昧で、ある者は他の者に比し高緯度にありと考へ、其の大きさを知る者無く、住民の種類も否住民ありや否やすら知る者がないのである。マルキス、デ、モンテ、カストロが發見をなすべく申告した手段は實施し難きものゝやうである。さればガレオン船がノバ、イスパニヤに毎年航した航路を變更することを禁ずる旨を命ずる。[1]

一六九六年伊太利人ジエメーリイ、カレリ Gemelli Careri が西斑牙船に乘つて比律賓からノバ、イスパニヤに向つた。彼の報告する所によると北緯三四度七分(經度は航行の樣態から見るとラドロン諸島の東方約十度)にカナリヤに似た小島が網具の上にとまつたので捕へたがその日の内に饑と疲れとで死んだ。パイロツト達はそれは銀島から來たのであらうと考へたが、カレリは言つた。

然し予は金島・銀島は空想の島であると考へる。何となれば此の如く航海が行はれた長い間、彼等は遂に姿を見せなかつたから。[2]

一七八八年にジョン、メアレス John Meares は英國商船隊のキャプテンとして支那よりアメリカ西海々岸の北部に向つて出發した。四月九日朝甲板から遠くに大船らしきもの丶來航するを認めて近づいて見ると、それは海中に孤立する巨大なる岩で高さが三五〇呎もあり、Lot's Wife と名付けたといふ。其の位置は北緯二九度五一分・グリニッチ東經一五七度七分である。[3] 是より先一七四三年六月英人ジョーヂアンソン Admiral Jorge Anson が比律賓附近で西班牙船 Nuestra Señora de Caba を襲つた時、分捕品中に一葉の北太平洋圖があつたが、同世紀の後半に至つて此の地圖を基として太平洋圖が刻刊せられた。金島は此の地圖にては三〇度・三一度間、グリニッチ東經一五八度・一五九度間にあり南北の廣さ約二分の一度東西約五分の一度であり、銀島は三三度・三四度間にあり、東經一六四度・一六五度間にある。[4] 一七七九年四月マニラからノバ、イスパニャに向つたキャプテン、クックの所持せる地圖にに銀島は三四度・東經一六四度、金島は三〇度東經一五五度となつてゐる。ナホッド氏も以上兩圖の類似を指摘してゐるが、[5] ブルネーはメアレスの Lot's Wife は前者の金島であるといつてゐる。然し Lot's Wife との結合はメアレス自身が明言しておらぬので猶必しも明確ではない。

以上述べたる如く十八世紀に於いては金銀島は大體三四度以南に現はれてゐる。然らばビスカイノ以下の前世紀の金銀島探檢が三四、五度以北を中心として爲されその徒勢に歸したる結果が、金銀島の南方移轉の有力な一理由と考へ得るであらう。而して其の地理的の表現も前代以上に曖昧である。此の時代に於いては金銀島を單獨に探檢の對象とするだけの興味を失つてゐる。加之それ等は既に空想的なる存在となす考が大なり小なりに強くなつたし、金銀島の〻に全然似合はしからざる岩礁の如きものに結合せしめ知識的解消の滿足を求めんとするに至つた。

是等はすべて三世紀に亙る所の、或は更に悠久の往昔からつながつた所の金銀島が最近世紀に於けるあらゆる學術の進歩を次にして奏した前奏曲であつたのである。

一五九五年版のオルテリウス、テイセラの日本地圖や一七〇〇年ピーター・ファン・デル・アー出版のウイリアム・アダムスの地圖等に房總の東方海中に見えるToy, Gesimaの二島を金銀島に關係せしめる說もあるが、[16] 此は問題ともなるまい。一五九八年アムステルダム出版のHeuricus a Langrenの地圖も日本は全くテイセラと同形であつて、[17] 以上三圖共に陸前の東方に當る所にNasuna、房總の東方にToy, Gesimaの合計三島を圖してゐる。それは日本の行基圖系統のもので、例せば日本一鑑所載行基圖の同じ部分に記す松島・東夷・伊伊島に相當することは確實である。東夷・伊伊島は金銀島の歷史に別個のものである。一六〇二年に利瑪竇が明の神宗の依賴に應じて作製した坤輿萬國全圖にも金銀島の記載はない。[18] 日本で其の後出版された地圖で、正保丁酉(同四年は丁亥に當り正保間丁酉の干支なし)長崎版の萬國總圖、寶永五年(一七〇八)江戶版の萬國總界圖、天明三年(一七八三)の地球一覽圖等に金銀島がある。金島は何れも奧州の東北方にあり、銀島は更に其の東北にある。又堺市前田長三郞氏所藏世界圖屛風北半球圖の金銀島も同樣である。萬國總界圖の如きは本州の北方に圖してゐる。是は何れも其の位置を三七、八度とするモルガ等に類似の說の系統を受けてゐる。然らば此の説系統以外のものは日本に知られなかつたかといふにそうでもないらしい。一六四三年七月スハープ一行が南部の海岸に到り江戸に護送されたが、モンタヌスにも此の間の事を記し、日本皇帝(將軍)が蘭人の日本の東南に在る領地の金島に航海するといふ事に對し少からず忿怒せりとし、スハープ一行のビレヴエルド Byleveld が金島は何度に在り又何處の邊にあるやと問ふたるに對して、トサイモン語りて其の島は江戸の海角より六十リーグの海上に在りと答へたといふ。モンタヌスは之によつて「シャーフ及びビレヴエルトは五月十九日カストレユム號を見失ひしと同一の海岸ならんと判斷せり、同處は江戸より東南約五十六リーグに在りしなり」といつてゐる。[9] 然らば此の金島は三四、五度と考へられたのであらう。

以上何れも十七世紀の金銀島の知識の輸入せられたもので、十八世紀のいはば第二次的移動の後のものではないのである。

註

1 James Burney, A Chronological history of the voyages and discoveries in the South Sea or Pacific Ocean, London 18-06 Vol. II, pp. 263-265
O. N. S. 433—435

文中一六〇六年のカストロの報告とは既述の一六〇七年五月二十四日附のものを指すのであらう。

2　Churchill's Collection of voyoges, Vol. IV, Book 3, chap. 6.

J. Burney, ibid. p. 267, O. N. S. 431

3　J. Burney, ibid. p. 267

4　Ibid. ol. V, pp 38—39, 81—83,

此の地圖はドレスデンの王立文庫に存在するといふ。(O. N. S. 440)

5　O. N. S. 441

6　日本地理學史の著書藤田元春氏はテイセラの地圖の圖解にて「日本の東に東夷とギシマがある。これが後に金島銀島といはれる誤りの島である」といひ、同じ本文の説明にて「第一に日本の形がとゝのつてきて後世の行基圖少くとも海東諸國記の形に近づく、卽ち奥羽が突出する。さうして安房の海上に東夷と銀島が出現する。」(一六二頁)といひ、又アダムスの地圖の圖解に「安房の半島の右に東夷と銀島がある」とあり、又別の處に「しかし世界の地圖はまだアダムスの時代一六〇〇年の初期に於ては日本さへも不確實であり、日本に黄金が豊富であるといふマルコ、ポーロの傳説を生み、アダムス以後西洋の人々がその金島や銀島を探檢する時代になるので云々」(一八三頁)と述べてゐる。是によると Toy Gisima が金島銀島に當るのか、後に至つてかく誤られるのか明白でないが、思ふに藤田氏の意は後者にあるのであらう。Toy が東夷 Gisima は葡伊西蘭語のジシマ・ヒシマ又はエシマで伊々島を表はすことは、例せば日本一鑑所載の行基圖に對照すれば寸分疑ない。(テイセラの地圖に就いては滝田伊人氏「西歐最初出版の日本地圖に就いての或る考察」歷史地理五六の四の論文がある。)金銀島の發生推移を考へれば東夷伊々島が何等關係を有せないことは明かである。

7　Portion of The Planisphere of Heuricus a Langren published in Amsterdam, Dr. F. G. Wieder Monumenta Cartographica, pl. 40 bis, 1923, Hague

8　蘆田伊人氏は其の所藏にかゝる利瑪竇の圖といはれるものに金銀島の奥州の東北にあることを述べてゐられる。（人情地理昭和八年四月號）然るに藤田氏が北京午門博物館長裘善吉氏より得たといふ坤輿萬國全圖の寫眞（同氏著書卷頭圖版參照）や京都帝國大學所藏の圖版本（歴史地理第七卷第一號の卷頭圖版に見ゆる）には金銀島はない。蘆田氏の右に關する敎示を得度いものである。

9　和田萬吉譯モンタヌス日本誌三二二頁以下

結論

金銀島には二千年間に亙り西人の地理的知識の限界に浮遊したる一つの理想鄕であつた。金銀島として輝かしくも浮出でたる其の脊後の實體に就いて、多かれ尠かれそれを指摘し得るのであるが、いはゞ影像としての金銀島の推移が、多分に想像と訛傳とによつて暈されてゐるにはせよ、實體の推移と當時の事情とを如何に機微に反映してゐるかを感得し得る。而して金銀島が大きな問題として歴史の場面に登つた時は、地理的智識活動の擴張が開始せられた時代であつた。金銀島がやがて想像的なる存在に過ぎぬとして解消せられたのは、地理的知識の發達が一通り世界の隅々を照破したる頃である。それは十八世紀を經て十九世紀を待たなければならなかつた。だが以上の經過に於いて予輩はナホッド氏と倶にかくいふことが出來る。よしや幾度か探檢されたる日本の東なる謎の國が、エルドラードの時と同樣に傳說の分野に入れらるべきものとしても、それは人類に富を齎らした。而も響のある金屬の形に現はされるものでなくて、精神的分野に於いて探檢旅行が起したる吾人の地球の知識擴張によつて齎らされた富である。それは確かに人類の能力の增大を一般的に示す一の過程であると。（昭和八・八・二六・初稿、同九・一・八・再稿）

附記

本稿を草するに當り、臺北帝國大學桑田・岩生・岡田・松本・中治の諸學士、同文政學部學生中村孝志・原徹郎諸氏の助致・助力を得たること多きを銘記し度い。

追　記

此の原稿を既に印刷に廻送したる後、二月初旬入手したる通報 T'oung Pao 第三十巻（一九三三年第一―二號）に Edmond Chassigneux 氏の Rica de Oro et Rica de Plata と題する約五十頁に亘る論文を見出した。

氏は日本の東方海上に現はれたる金銀島は、ナホッド氏等が想像的なるものとし、グアルグレン氏がアルメニヤ島は琉球諸島ならんも金銀島は依然想像的存在となす說を排して、ダ氏の琉球、即ちアルメニヤ島說を更に發展せしめアルメニヤ島より轉嫁せられたる金銀島は即ち琉球諸島より出發せるものなることを論じてゐる。從つて氏の論文の主要なる點は、「古い記錄であり傳說によつて變化を受けてゐない」アギーレの報告に見ゆるアルメニヤ島と琉球諸島との同一性を論證するにある。氏はダ氏の兩島同一說の論證法の不完全なるを說き、其の不一致の主要なる點即ちアルメニヤ島の緯度三五度乃至四〇度にありといはるに對し、沖繩の主部が二六度一三分に位置する誤差を說明することが一重要論點となつてゐる。氏は結局それは風波と島の自然の風物とが與へた誤解とするのである。

シヤシニユー氏は先づアギーレの報告に强き西風に流されたとあるに對して、マカオより日本に航する東南恒信風期に於いて西風は颱風に際して見る現象に他ならずとし、其の圏內に捲込まれた船は風雨と昏異とのために南を誤つて東方に流されたりと信じ、而して再度葡船を襲つたであらうと思はれる颱風のために、餘程遠方に流されたりと感ぜしめたに拘はらず實際は少ししか動かず、始め暴風の起つた時に位置せる地點の西南及び南の間に存在することゝなつたのである。かゝる地理的地位を占め良港を有する地は即ち沖繩に外ならぬとする。（六七―七〇頁）然らば緯度に關する葡人の誤解は何によるか。氏は彼等が觀象器の類を失はずにおるならば、三五―

四〇度は餘りに不正確なる表現であるとし、即ちそは葡人が想像せる緯度であり、沖繩の自然地理によつて其の基礎が提供せられるといふ。

かくして氏は沖繩の土壤や草木等に就き論述し、W. C. Perry を始め十九世紀の諸家の見聞印象記を擧げ、此の地の自然物は或は英國の立派なる庭園の感じといひ、或は non-tropical であるといふを引用し、以て「熱帶地方にありながら熱帶地方にあらざる如き風物を有し、旅行者をして北歐附近の風を思はしめたる點に問題の鍵が存する。葡人の船長はかゝる印象をうけ、意識的に漠然として葡萄牙の南部地方と同じ緯度を與へた」と歸結する。(七〇―七三頁)之を以て氏は嚴密にアルメニヤ島と沖繩との同一性が論證せられたりとするが、猶人事關係の記事や歷史の記載も補助的のものとして參考し得るとし、アギーレの報告せるアルメニヤ島住民の白人の如くして善良なる性質を諸種の記錄に對照せしめ(七四頁)最後に沖繩の海上貿易の活動と蓄積せる富に言及しアルメニヤ島の富と聯繫せしめてゐる。即ちゴービル氏 P. Gaubil の論說によつて、尙泰久の世、支那との貿易も大に發展し、銀と銅錢とを輸入し、福建にては銅錢が缺乏したので皇帝に申上し、それまで琉球の商品に對し支拂つた支那の銀や銅錢を禁止せること等を述べ、(七十五頁)アグノエル氏 M. C. Haguenuer の紹介せる秋山氏の所論を引きて十五、六世紀に於ける琉球人の支那、日本、朝鮮、滿剌加、印度支那等の通商活動を述べて、かくして「琉球には貴金屬が溢れ、その一部は地金として外國市場に送られ贅澤品と交換せられ、其他の部分は器等に作られ云々」(七十九頁)とし、十六世紀の初め葡萄牙人が滿剌加に到着したる時金や銀に富む琉球の事を羨望しつゝ聞いたとして、バロス以下の記錄を擧げてゐる。

以上氏の所論を見るに、アギーレの報告は實際上の出來事を記錄したといふだけでなく、葡船の經驗を在るが如く正確に傳へたるものとして論を進めてゐる。此の前提を暫く可なりとして、氏が科學的に緯度の差を說明し兩島の同一性を論證し得たりといはるゝに拘らず、予輩は容易に次の疑問を呈することが出來る。

一、葡萄牙船の漂到を事實とすれば、ダ氏のいふ如く一五六〇年代の終り頃の事であらう。此の時代にはマカオ日本間の通商に從事する葡商船には琉球は日本と同じ程度に耳目に熟した所であつたことは明白である。然らば何故葡人が問答や通商のために送つた約四十日間の滯在中に島名をも知らず、未見の島としてアルメニヤ島等と名付けたのであるか。

尤も氏は「漂着した島を琉球と一緒にしなかつたのは、東北に流されて行つたと信じたからだ」(八十三頁)と辯明してゐるが、それだけでは全く論にならない。

二、琉球の風物が非熱帶的で、それが三五―四〇度の高緯度と誤解した理由だといふ。予輩は當時の航海者が縱令觀象器の有無といふ如き憶說は措くとするも、自然風物によつてのみ緯度を決定するか否かを疑ふとともに、尠くとも琉球に一歩を印せる人にとつてかゝる論は殆んど無用であると思ふ。何んとなれば、西人が北歐の立派な庭園に比して其の印象を紹介したる如きは餘り問題とならず、緯度決定の如き現實的問題に對しては寧ろ同じ東洋の自然物の對比こそ重要である。三三・四度に位置する平戶や豐後の風物は彼等には熟知せられた筈である。

然し之等の論は實は予輩には大した關心となり得ないのである。アギーレの報告は、餘程以前に彼とは別人なるウルダネタが葡人より聞けるといふ話の要項を記憶を辿つて記したものだといふ。ナホッド氏もいふ如く此種の記錄に最も大切な年月も船名も記されぬ態のものである。部分的には或る事實(例せば琉球の人事關係の如き)を表現してゐると考へられるが、全體としては事實そのものと信じ得ない歸結に達する。

シヤシニユー氏が琉球の貿易と富とに就き論ぜられたる所も、誤解か尠くとも不充分な點がある。專ら銀、銅錢が琉球に輸出せられ、福建の申告によつて琉球への銅錢輸出を禁じたといふ如き、其の海上通商により蓄積せる貴金屬（金銀）を地金として外國市場に送つたといふ如きそれである。殊に滿剌加に到つた葡人が琉球の金銀を羨望しつゝ聞いたといふが、葡船がアルメニヤ島に漂到したのは琉球の通商活動も既に萎縮したる時期であることを顧慮しなければならぬと同時に、十六世紀初期の金銀貿易に關しては充分區別して論ずる必要がある。カスタニユーブ等は琉球に金・銀・生絲・絹布・陶磁器等に富めるを記すが、Chronica do felicissimo rei Don Emmanuei-por Damiaõ de Goes. Lisbon 1567 にはフエルナン・ペーレス、デ、アンドラーデがタマン島にあつた時の一節に、レケオス、グオロス、ジヤポンゴスのジエンコの齎らすものは金であることをいつて銀の事をいはず、一五三六年に囚はれてゐた廣東の獄中から出した Vaco Calvo の書翰にはレケオスに金の多きことをいつて銀に言及してゐない。而も後者は琉球に關し孰れも比較的正確な史料である。（此等は實は東洋殊に日支の金銀貿易の推移發展を理解することによつて理解されるのであるが）故に琉球に金鑛山の存在を報ずる葡人があつても、銀鑛山のそれをいふものはなかつた。

氏は琉球に於ける金銀寧ろ富の豊富なる報道が、金銀島への發展に關係せしめらるゝが故に此の點が問題となるのである。但し十六世紀初期の葡人の金に關する報道が、金島に關與せる點に於いて、極く部分的であり、推論の法を異にするが私見に相通ずる點を見出す。

かくしてシヤシニユー氏の所説に對し猶次の質疑が可能であると思ふ。

一、アルメニヤ島は三島孰れも銀の豊富なる事を記すが、金に就いては全く默してゐる。氏は十六世紀後期に葡萄牙人が日本を銀島と呼んだ事實を看過せられたのではないが、是は全く古代の銀島と同樣に、日本の事情が明かになると東の未知の大洋に消滅したとし、後の金銀島とは無關係のものとせられる。（四十三頁）日本及び日本に關聯して呼ばれた銀島は單なる想像上の生成ではなくて、日本に於ける驚嘆すべき銀産出其の壓倒的の輸出を考へなければならぬのである。銀の産出貿易の傳聞に就いて、十六世紀前期にては金の輸出とは區別せられるものがあり、又其後日本に比しては全く問題とならない琉球を銀島の出現に結合するのと孰れが自然であらうか。此の場合アルメニヤ島が三五度乃至四〇度にありといひ、アルメンテ島と特に銀島を併記した西班牙の海圖等の存することを忘却してはならぬ。

二、氏はアギーレ以後十九世紀に亘る金銀島關係の多くの史料を列擧して殆んど論文の前半を塡められたが、其等の有つ個々の表現内容を如何に結合すべきかに就いては、想像の變化といふ以外に多くの説明を期待し得ない。アギーレの報告のアルメニヤ島の三五―四〇度は沖繩の二六・七度の誤りとすれば、金銀島の名稱の最初に見えたウナムーヌの報告では銀島の位置は明かならずして金島が二九度近緣に見えたるは如何に説明すべきであらうか。又初期の記錄卽ち十七世紀以前のものでは、銀島は三〇度以北なるに、金島は二九度のものがある。(シャシニユー氏がエルナンドの報告に金島三六度銀島二九度とあることを記したのは恐らくナホッド氏の引用によられたのであらうが、之は金島二九度銀島三六度の誤りである。(四五頁))金銀島が等しく琉球より出たものであるならば銀島が常に―西斑牙圖の特殊の例を除き―金島の東北に位置するは如何に解すべきであらうか。

之を要するに氏の說は、ダ氏のアルメニヤ島卽ち琉球說と金銀島はアルメニヤ島の轉嫁なりとする說(是はナホッド氏以下の說く所で、最早疑なき定說である)を連結せる形にあるのだから、ダ氏、ナホッド氏の所論を常に顧慮した本稿に於いては又此の新說に對しても略ぼ應ふる所ありと信ずる。(昭和九年二月二十二日追記)

南洋崑崙考

桑田六郎

南洋崑崙考

桑田六郎

崑崙に二樣の使ひ方がある。一は西域の崑崙であり、一は南洋の崑崙である。吾人の考へでは、兩者は餘り關係はない。すなはち南洋の崑崙の字は、西域の崑崙の字から來て居るかと思はれるがその起原や內容に至つては全然關係がない。これは本より自分が南洋の崑崙を硏究した結果云ひ得るのであるが、讀者の誤解を恐れて、冒頭に一言して置きたいと思ふ。從つて自分がこゝに論說する所は、標題の如く、一に南洋の崑崙に就いてのみであるから、論說中單に崑崙とあるも、南洋の崑崙の意味であることを承知しておいて戴きたい。

上代から支那人は南洋の馬來人を崑崙人と云ひ、南洋の船を崑崙舶などと云つて居るが、印度人が馬來人をかく呼んだことも、亦馬來人自身がかく呼んで居ない。從つてこの呼び方は、支那人が何かを誤解し、或は濫用したことから思つて居るとしか考へられない。そこに問題が生じて來るのである。

南洋の崑崙に就いては、佛の學者フェラン氏の崑崙考[註一]が最も詳細を極めて居るが史料の不足や、譯文の誤りや、意見に尙ほ自分が同意出來ない所が少くないのでこゝに別に新に崑崙の史料を列擧しつゝ、根本的にその用法を調査し、その内容を檢討する方法を取ることにした。

フェラン氏は支那史料の第一に、山海經卷十六大荒西經の「有大山名崑崙之丘……其外有炎火之山投物輒然」を引用し、[註二]是を梁書卷五十四扶南國傳の自然火洲[註三]と比較し馬來語で火山を gūnoṅ berapi 或は gūnoṅ āpi と云ふから、崑崙を山の意味の gūnoṅ の音譯と見て居るが、[註四]是は贊成出來ぬ。郭璞の註にも南洋の火山國を引用してあるが、崑崙之丘が西方の山であることは議論のない所であつて、これを馬來語で解釋するのは當を得ない。但山海經の炎火之山の思想は、吳の康泰の扶南土俗傳や萬震の南方異物志に火洲[註五]があるので、或は南洋系統かも知れぬが、若し南洋系統とすれば崑崙之丘の樣な古いものではない。さうとすれば炎火山のことから崑崙之丘に及んで解釋するのは順序が誤つて居るとしか思はれぬ。

南洋の崑崙に關する現存の史料は、呉の時より以上に溯ることが出來ぬ。

南州異物志曰扶南國在林邑西三千餘里自立爲王諸屬皆有官長及王之左右大臣皆號崑崙(太平御覽卷七八四所引)

隋書卷三三經籍志によると「南州異物志一卷 呉丹陽太守萬震撰」とあり、太平御覽所引によると、此の書は又南方異物志とした所もある。 隋書經籍志には「扶南異物志一卷 朱應撰」があるが、梁書卷五四海南諸國傳所記「呉孫權時遣宣化從事朱應中郎康泰通焉」の康泰の呉時外國傳、扶南土俗傳[註六]は見えず。 朱應の扶南異物志は、南史卷四九劉杳傳に見える朱建安扶南以南記[註七]と如何の關係あるか分明せぬが、北堂書鈔卷一三二に應志といふのを引き斯調國の記事がある、 藤田博士は應志は譌誤で、呉時外國傳の文に相違あるまいと云はれるが、[註八]自分の考へでは、應志は朱應扶南異物志の略稱である。 朱應の異物志は後世引用される所が少いのに反し、康泰の所傳は太平御覽に引用するもの多く、 その他梁書、水經注、證類本草等に見えて居る。 然し惜しいことには崑崙に關する記事が見當らぬ。 從つて崑崙に關する最初の支那史料は南州異物志所傳を以て始めざるを得ない。 この南州異物志によると、 崑崙は稱號であるから山海經の崑崙とは字こそ同じけれ、 全然別系統のものであることがわかるのである。

次ぎに左の史料がある。

竺枝扶南記曰頓遜國[註九]屬扶南國王名崑崙國有天竺胡王百家兩佛圖天竺婆羅門千餘人頓遜敬奉其道(太平御覽卷七八八所引)

竺枝の年代分明せぬが、この書は水經注に引用せられて居る。頓遜國の位置は分明せぬが、南州異物志(太平御覽卷七八七所引)によると、扶南大王范蔓に征服されてその屬國となつて居り、扶南記と一致する。こゝでは崑崙が王名となつて居るが、これは王號ではあるまいか。そして扶南の屬國としての王號であれば、南州異物志所云扶南の大臣の稱號である崑崙と同じ種類の言葉と見て差支へあるまいかと思はる。

隋書卷八二眞臘國傳によると、五大臣は「一曰孤落支、二曰高相憑三曰婆何多陵四曰舍摩陵五曰髯多婁」であつて崑崙の號見えず然し通典卷一八八の槃々國[註十]の條に次の文がある。

其大臣曰敎郞索濫次曰崑崙帝也次曰崑崙敎和次曰崑崙敎 帝索甘且言崑崙古龍聲相近故或有謂爲古龍者在外城者曰那延猶中夏刺史縣令

又文獻通考に林邑の高官として西郡婆帝、薩婆地歌、「歌」倫多姓歌倫致帝一地伽蘭の名があり、西紀一〇九二年に占城の使臣の肩書に良保故倫軋丹、傍水知突があるのをフェラン氏は擧げて居る。[註十一] 然し文獻通考の林邑の高官の名は實は隋書卷八二林邑國の記事に本づくもので、西郡婆帝は西那婆帝 skt. senā-pati の誤りであり、その他「外官分爲二百餘部其長官曰弗羅次曰可輪如牧宰之差也」と云ふ文句も注意すべきものである。又通典卷一八八林邑國傳末に「至大唐貞觀中其王范頭利死卒國人共立頭利女爲王諸葛地者頭利之姑子女王獨在國中不寧大臣可倫翁定乃立地爲王妻之以女主其國乃定諸葛地自立後遣使可倫因地盤獻火珠」の文句があり、その中の大臣及使臣の二可倫もフェラン氏の見落す所である。

通典槃々國の條に古龍崑崙に關する議論があつたが、それに就いては尙ほ同書扶南國の條に次の文句がある。

隋時其國王姓古龍諸國多姓古龍訊者老言崑崙無姓氏乃崑崙之訛

古龍についてはアイモニエ氏が、是をクメル語の kuruṅ (auj kruṅ) "roi, régent" で解釋して居る。[註十二] つまり通典では古龍を王姓として居るのに、アイモニエ氏は王姓と認めて居ない。今古龍を强ひて王姓とするならば、扶南王僑陳如の名が注意されて來る。 南齊書卷五八扶南國傳に「宋末扶南王姓僑陳如名闍耶跋摩 jaya varman 遣商貨至廣州」又「永明二年闍耶跋摩遣天竺道人釋那伽仙上表稱扶南國王臣僑陳如闍耶跋摩叩頭啓曰」とあり、單獨に僑陳如の名は記して居ないが、梁書卷三四扶南國傳には「其後王憍陳如本天竺婆羅門也」と云ひ、憍陳如―持梨陁跋摩 çruta varman or çrestha varman ― 憍陳如闍耶跋摩 ― 留陁跋摩 Rudra Varman [註十三] の王統を記して居り、 通典は「其後王姓嬌陳如本天竺婆羅門也」と云ひ姓の字がある。 又他の國の例を見ると梁書婆利國の條に「王姓嬌陳如」とあり、 隋書赤土國傳では「其王姓瞿曇 Gautama 氏名利富多塞」とある。 されば憍陳如は元來人名にすぎなかつたのを、 その子孫が姓の如く、 王名と併せ用ゐた樣に見える。 織田得能著佛教大辭典によると「憍陳那人名 kaundinya 巴 kondanna 舊稱憍陳如亦拘隣尊者の姓」とあり、 佛最初の弟子、 五比丘の筆頭人である。 又亦沼智善著印度佛教固有名詞辭典には kondanna の音寫として拘鄰若、 拘利若、 憍陳如、 憍陳が記してある。 以上の中拘隣、 拘利は古龍、 崑崙と似て居る。 ダ行音とラ行音の轉訛は後に述べるとして、 憍陳如を拘隣、 拘利で寫す例がある以上、 古龍、 崑崙でも憍陳如を寫さなかつたとは斷言出來ない。 然し隋書眞臘國傳には「王姓刹利氏」とあつて、古龍の字が見えないから、通典の王姓古龍は、耆老の言の如く單に崑崙のことで、單に異字を使つた丈のことで、別に王姓ではないかも知れないと考へられる。扶南王姓古龍に對するアイモニエ氏の説は旣に述べたが、これはペリオ氏も贊成して居る。フェラン氏は更に古龍、歌倫、故倫、崑崙をクメル、シャム語の王號 kuruṅ, kruṅ は本より、チャム語の klun̄, klauṅ も po "seignenr" と結びついて po klun̄ となり、役人の肩書に用ゐられて居る例を引用し、チャム語 klaun "fleuve" に王の意味はないが、是をクメル、シム語の kuruṅ, kruṅ と同一種の語とし前記の漢譯語を説明して居る。註十四

然し隋書林邑の條の大臣の歌倫、通典林邑の條の可倫、及同書槃々の條の崑崙より溯つて南州異物志の崑崙を見るに、王號ではなく、大臣顯官の稱號或はその一部であることが注意される。又南北朝隋唐時代史書の南洋諸國の傳を見るに、國名、王名、官職、植物等の名稱に梵語そのまゝが用ゐられて居る例が多い。例へば室利佛逝 Srivijaya 杜和羅鉢底 Dvārapati 伊賞那補羅 Īsānapura 特牧城 Devapura 那弗那城 Navanagara, Navinapura 或は何々跋摩 varman と稱する王名、隋書赤土國の條にある薩陀迦羅 saṭamkāra 迦利密加 karmika 達努達叉 dandasena

倶羅鉢帝 kulapati 那邪迦 nayaka 鉢底 pati 等の官職、通典槃々國の條の地方官那延も那邪迦であらう、その他隋書眞臘國條の婆那沙樹 panasa, phalasa 奄羅樹 amra 毘野樹 bija, vija 婆田羅樹 badara 歌畢陀樹 kapittha 等がある。是れ本より印度文化の輸入時代であるから、當然の結果であらうと思はれる。

かくの如く、崑崙が大臣等の稱號肩書に用ゐられ、且當時の南洋諸國に梵語がそのまゝ各方面に行はれて居ることを考へると、崑崙と云ふ言葉も土語よりむしろ直接梵語に求むべきではないかと思ふ。クメル、シャム語の kuruṅ, kruṅ もチャム語の kluṅ, klauṅ も、もともと梵語に由來するものではないかと研究して見たが發音上及意味の上で丁度それと同じものが發見出來なかつた。それで梵語の guru ではどうかと思ふ。是は次の意味があり、馬來語やチャム語にも輸入されて居る。

guru — great, large, long; high in degree, violent, valuable, highly prized, beloved, proud, venerable, best, excellent; any venerable or respectable person, as a father, mother, or any relative older than oneself; a spiritual parent; a relious teacher, etc. 註十五

çham, gru, grū (skt. guru). guru, père ou maître spirituel; précepteur; lettré, docteur, savant; médicin.—grū bait(=kh. krû pêt), médicin. pō pārmo′ gru, pō dam grū, deux prêtres ou deux classes de prêtres de la grande caste royale sacerdotale.[註十六]

malay, guru(sans)a teacher, an instructer. tuan gurn, a school master.[註十七]

次ぎに guru の古い用例を見ると、中央瓜哇の kalasan と云ふ所にある 701çaka =779A.D. の碑文に "un temple de Tārā a été construit par le guru du roi de la dynastie des çailendra" "le mahārāja fit construire le temple de Tārā pour honorer le guru" の文句があり、[註十八]安南の Quang-nam 州の Dong-duong にある第六王朝 (875-691) の梵字碑に "Laksmīndra Bhūmīçvara Grāmasvamin chéri de plus éminents guru de la terre" の文句があり、[註十九]カシミールの詩人 somadeva がアナンタ王(1063頃)妃の爲めに書いた kathā sarit sāgara にも所々に guru(high priest) の語が出て居る。[註廿] 今崑崙を guru として通典槃々國の官職の解釋を試みると、勃郎索濫 bala "might, power", samrāj "a sovereign, lord" 崑崙帝也 guru, amātya "a companion, conceller, minister" 崑崙勃和 guru, parama "highest, more excecllnt", 崑崙勃帝索甘 guru, pati," sankana "causing fear or awe" の様では如何。

崑崙の起原について尚ほ他に義淨が一說をあげて居る。南海寄歸內法傳卷一序文の中に、南海諸洲十餘國を擧げ「良爲掘倫初至交廣遂使總喚崑崙國焉」と云つて居るが、崑崙は元來地名でないことは前述の如くで、義淨は單に掘倫洲から考へ及ぼしたものにすぎない。

舊唐書卷一九七林邑國傳末に「自林邑以南皆拳髮黑身通號爲崑崙」の文句がある。[註廿一]

かくの如く、崑崙と云ふ名が廣く通稱として用ゐられる樣になつたのは何時頃からであるか。フェラン氏は崑崙の個々の用ひ方については十分調べて居るが、用法の變遷と云ふことには重きを置いて居ないのは不可と思ふ。

崑崙が南洋人の意味に用ゐられた最初の例は晉書卷三二孝武文李太后（東晉孝武帝の母）傳の次の文句である。

時后爲宮人在織坊中長而色黑宮人皆謂之崑崙

是はフェラン氏は見落して居るが、辭源崑崙の條に出て居り駒井義明氏の崑崙考[註廿二]にも引用してある。又神田喜一郎氏によると、[註廿三]南齊書卷三一荀伯玉傳に「又度絲錦與崑崙舶營貨」とあり、これは南齊の世祖武帝の太子時代の所業である。

又酈道元の水經注卷三六に、宋の元嘉の初、交州軍が林邑を攻めた時、林邑王陽邁と壽冷浦に戰つた話がある。

壽冷浦裹相遇闇中大戰(阮)謙之手射陽邁柁工船敗縱橫崑崙單舸接得陽邁謙之以風溺之餘制勝理難自此還渡壽冷浦至溫公浦

この文中崑崙單舸は南洋の輕舸の意味である。フェラン氏は、支那軍が崑崙島まで追擊したと譯し崑崙島を今の Culao cham として居るが、[註廿四]原文にはそんな內容は少しもない。

又隋書流求國傳に「初(陳)稜將南方諸國人從軍有崑崙人頗解其語遣人慰諭之」とあり、この崑崙人が馬來人であることは、生蕃の馬來系の言語から察せられる。これによつても隋書の流求が臺灣でないと云ふ說の不可なることは勿論馬來人が「頗解其語」とあるにより生蕃が南洋から移住して未だ久しくないことも察せられ、生蕃の移住年代の推定に貢獻する所ある樣に思はれる。

崑崙語が馬來語であることについては、義淨の大唐求法高僧傳に所々その例がある。卽ち「旋廻南海十有餘年善崑崙音頗知梵語」とか或は「解崑崙語頗習梵書」等。當時南洋に佛教が弘通して居たので、こゝで佛教を學ぶものも少からず、當然崑崙語卽ち馬來語に熟達する僧もあつたのである。

唯こゝに一つ、道宣の續高僧傳卷二彥琮の傳に次の文句がある。

(隋)新平林邑所獲佛經合五百六十四夾一千三百五十餘部並崑崙書多梨樹葉有勅送(翻經)館付琮披覽

この文中の崑崙書をフェラン氏はチャム文字に解して居る。[註廿五] 然し是は當然梵書でなければならぬ。隋書林邑國傳に「皆奉佛文字同於天竺」とあり、林邑、扶南(眞臘)の梵字碑文のことを併せ考ふべきである。隋が大業の初、林邑を平げて得た數多の多梨樹葉 tāla-pattra 書の佛經は天竺から將來したものであらう。

かくの如く、崑崙が廣く南洋に關して用ゐられる樣になると、時々內容が不明になることがあり、特種の考慮を必要とする。例へば慧超の往五天竺國傳の波斯の條に「常於西海汎舶入南海向師子國取諸寶物所以彼國云出寶物亦向崑崙取金亦汎舶漢地直至廣州取綾絹絲綿之類」と云ふ文句があるが、この採金の崑崙國を義淨の金洲と分明に比定してよいか如何か、事實はさうかも知れぬが、慧超は南洋の事情を知らないのであるから、彼がこの文句をかいた時の心持ちでは、漠然崑崙の名を用ゐたものとしか思はれぬ。又慈覺大師將來と云ふ龜茲沙門禮言集梵語雜名には「崑崙儞波多羅」とある。バグシ氏は是を kouen louen, jipâttala ch. Nipâttala (Dvîpa? ou jâvâ°?)-malaisie と解して居る。[註廿六] 然らば雜名の說明は崑崙中の一國名を以て崑崙を解して居るので崑崙全部の説明にはなつて居ない。

さて最後に義淨の掘倫(骨侖)洲につきて説明して此の稿を終りたい。義淨は掘倫が初めて交廣に至り遂に崑崙の總稱が起つたと云つて居ることの誤りであることは前述した所であるが、この掘倫洲は何處か便宜上高楠博士の説を見ると博士は崑崙は pnlo condore の支那名崑崙と同じ、土名は kon-non で Condore はその訛誤であると云はれて居る。[註廿七] この島は土名 kon-non であることはフィンドレ氏も云つて居り、[註廿八] 安南では崑嫩と書く由。[註廿九] 然し是は現在の土名であつて古くからさうであつたとは云はれない。この島が分明に支那史料にあらはれて居るのは唐書地理志末の軍突弄山、同書室利佛逝國傳の軍徒弄山であることは學者の一致する所である。是を崑崙山と云ふのは島夷志略に「古者崑崙山又名軍屯山」とあり、明代では星槎勝覽以下崑崙山と書いて居る。自分の考へでは土名kon-nonは近世の支那名崑崙の訛ではないかと考へる。然し義淨の掘倫洲は自分もこの島であると考へる。唯説明をダ行音とラ行音の變化に求めるのである。瑠璃の璃梵 vaidurya が吠瑠璃、吠瑠璃耶、毘頭梨、吠努璃耶等譯されて居るが、是は支那人がダ行音とラ行音を混同したのでないと思ふ。梵語辭典[註卅]を見ると tadittalit, kalamba-kadamba, kadamba, guda—gula, khudaka—khulaka, kalatra—kadatra, katamāla,—karamāla, vātyālaka bariyala, 等少くない。馬來語 d が l の如く發音されると云ふケルン氏の說も參考される。註卅一 要するに自分は、島の本名は Condore であるが、印度人によつて d が l に變つて發音されたり、又馬來語の d l の明瞭でない場合等から、掘倫、崑崙の名が起り、更に l n の誤り易さから kon-non が起つたのではないかと考へるのである。(了)

註一　Gabriel Ferrand, Le K'ouen-Louen et les anciennes navigations interocéaniques dans le mers du sud. extr. du journal Asiatique (1919)

註二　ibid. p.7.

註三　梁書には自然大洲とあるが大は火の誤り、Pelliot, Le Fou-nan, B.E.F.E.O.111, P. 265.

註四　Le k'ouen-Louen, p.56.

註五　南方異物志には中洲とあるが火洲の誤り、藤田、東西交涉史の研究頁六六三、

註六　太平御覽卷七八七に「吳時康泰爲中郎上扶南土俗曰」とあり、藤田博士は「扶南土俗は康泰が扶南から歸つて上表した文であり、吳時外國傳はその著作した書だと云ふ」と云はる（東西交涉史の研究頁六八〇）

註七　Pelliot, Le Fou-nan, B.E.F.E.O. 111.P.277.

註八　東西交涉史頁六七四、

註九　B.E.F.E.O.111, P. 263.

註十　東西交涉史の研究頁一三一一四、

註十一　Le k'ouen-Louen, P. 79—80.

註十二　B.E.F.E.O.11, P.302, note1.

註十三　M. A. Bergaigne, Les inscriptions sanscrites du Cambodge (j. Asiatique, 1882), ibid, Chronologie de l'ancien royaume khmêr (j. Asiatique 1884)

註十四　Le K'ouen--Louen, P.79 –80.

註十五　M. Williams, Sanskrit-English Dictionary, 1872, P. 293.

註十六　É. Aymonier et A. Cabaton, *Dictionaire Cam-Français*, P. 109

註十七　F. A. Swettenham, Vocabulary of the English and malay Languages, P. 43, 155.

註十八　G. Ferrand, L'empire sumatranais de Crivijaya, P.39.

註十九　M. G. Maspero, Le royaume de Champa, P. 109.

註廿　N. M. Peuzes, the Ocean of Story, being, C. H. Tawney's translation of Somadeva's kathā Sarit Sāgara.

註廿一　辭源崑崙の條に此の文句が南史にありとして居るが南史には見當らぬ。

註廿二　歷史地理五九の四。

註廿三　崑崙舶，南方土俗一の二，雜誌では荀伯玉が荀泊玉となつて居るが誤植であらう。

註廿四　Le K'ouen-Louen, P. 7—8.

註廿五　ibid. P. 9.

註廿六　P. C. Bagchi, Deux Lexiques Sanskrit-chinois, t. 1, P. 295, n. 867.

註廿七　J. Takakusu, A Record of the Bnddhist Religion as practised in India and the Malay Archipelago by I-tsing, P. ×li×

註廿八　A. G. Findlay, Indian Archipelago and china Directory, P. 504.

註廿九　B.E.F.E.O.IV.p.2 9

註卅　M. Williams, Sanskrit-English Dictionary, 1872.

註卅一　Encyclopaedia of Islam, edit. by Th. Houtsma. n. 28, kalah. P. 669

補記　本論文脫稿の後、東洋學報第七卷第二號所載藤田博士の「宋代市舶司及び市舶條例」の市舶源流の項に、宋書王玄謨傳に「又寵一崑崙奴子、名曰主、常在左右、以杖擊群臣」の記事あるを指摘されて居るのを、發見した。是は本論文頁十の後半に補はるべきものである。但これにより本論文の要旨を改むるに及ばないのを幸とする。

金朝行臺尚書省考

青山公亮

壹尚書省六

金朝行臺尙書省考

青山公亮

目次

第一節　緒言

行臺尙書省は、略して行臺ともいひ、金の初世に創設され、また廢罷された官府である。

行臺とは、地方に特設された臨時の中臺――中央政府に於ける尙書の官府――の謂で、その名は、遠く魏晉の間に起り、❶その傳統を引いた官府は、唐の初世に及んでゐる。

唐初以前の行臺の職掌は、軍興に際して當面の戎事を典綜するを主眼としたもので、❷之に該當する官府を金制に求めると、章宗朝以降――金の末葉――に屢〻設置された行尙書省❸がある。

金初の行臺(行臺尙書省)は、名は行臺であるが、實は漢地の民政を行ふ機關で、唐初以前の行臺及び金末の行尙書省とは、その職掌を異にするものの如くである。茲に、その然る所以を論述して、大方の是正を仰ぎ度いと思ふ。

第二節　汴京行臺の創建

金史・百官志(○卷五五)は、汴京(○河南省(開封道)開封縣)の地に、始めて行臺の設けられたことを略記して「行臺之制、熙宗天會十五年、罷劉豫、置行臺尙書省于汴、」と云つてゐる。

熙宗本紀(○卷四)は、その創建の日を齊國廢罷の時に係けて「(天會十五年)十一月丙午〇一八日、廢齊國、降封劉豫爲蜀王、詔中外、罷行臺尙書省于汴」といひ、建炎以來繫年要錄〇卷一一七は、齊の舊臣・銀靑光祿大夫太子太傅張孝純以下を權りに行臺尙書省左丞相以下に任じたのを——事實上行臺の設立されたのを——翌十九日に係けてゐる。建炎以來繫年要錄・三朝北盟會編〇卷一八一及卷一八二等に見える前後の事情より推すと、行臺の創設された日時は、恐らく十九日であつたようである。

この日、行臺の創建された主因は、前に揭げた如く、齊帝劉豫の處分を斷行したことにある。金史〇卷七七及び宋史〇卷四七五の其の傳を綜合すると、劉豫、字は彥游、景州阜城の人、北宋の元符年間に登第し、歷官して知濟南府事に進んだ。時に建炎二年〇金天會六年のことである。その冬、府城を致して金軍に降り、天會八年九月九日には、太宗の封冊を受けて齊國皇帝の位に卽いた。太宗本紀〇卷三は、これを記して、「立劉豫爲大齊皇帝、世修子禮、都大名府〇河北省（大名道）大名縣」と云つてゐる。建國當初に於ける齊の疆域は、大略今の河南・山東の二省に河北の一部を加へた地である。

かゝる變體的國家の建設された所以は、漢人をして漢人を治めしめるとともに、相當有力な藩屛を設けて宋に當らしめるに在つたと考へられる。要するに、宋金の對立抗爭に由來する河南地方の政情が、金をしてかかる政治的工作に出でしめたと斷ぜられる。

その後に於ける齊の沿革を略述すると、建國の歲、丞相以下の官屬を設け、翌辛亥の歲、建元して阜昌といひ、その二年○金天會一〇年・宋紹興二年には都を汴京に遷し、三年○金天會一一年・宋紹興三年には宋を攻め、一度は襄陽○湖北省（襄陽道）襄陽縣を手中に收めるを得たが、翌年宋將岳飛のために奪還された。この頃より頻りに師を金に乞うて宋軍の北進を防ぐとともに、時に南下の勢を示して江南の人心を驚かせたこともないではなかつた。然し、藩屏としての大功の特に擧ぐべきものがなく、封册を受けてより僅かに八年にして、天會十五年十一月十八日に至り、その詳細な情狀は暫く措くも、全く金の術策に陷り、何等の抵抗を試みる暇さへなくして廢罷されたのである。

齊國廢罷の直後、その舊都に創建されたのが、問題の汴京行臺尙書省である。行臺尙書省といふ名稱の先蹤は、近く劉豫の齊國に求めることが出來る。阜昌四年○金天會一二年・宋紹興四年金・齊の聯合軍が、大擧して宋を侵さんとした時、劉豫がその子麟を以て東南道行臺尙書令を領せしめたといふことが、宋史のその傳に見えてゐる。ここにいふ東南道行臺の職任が、遠征の軍事を燮理するに在つたことは行臺の稱呼に附隨してゐる傳統的字義よりいふも、またその建置の事情よりいふも、極めて明亮である。

然しながら、汴京行臺の建設された事情は、これと趣を異にしてゐる。從つて單に名稱を同じくするの故を以て、兩者の職掌を同一視するのは、不可である。

汴京行臺の主たる職任は、一見、齊に代つて民政の任に當るとともに、軍備國防の責にも當つたかの如く考へられないでもない。然し、國防のことは、齊の力を以てするも、猶ほ充分なるを得ずして、常に金の助力を仰いだほどであるから、張孝純を首相とする行臺に、これを求めることは、もともと無理である。然りとすれば、問題の行臺の主たる職任は、民政を理することと以外には、他に擬すべきものがない。金史劉豫傳に「於是置行臺尚書省於汴、除去豫弊政、人情大悅」とあるのは、不充分ではあるが、行臺の職掌に關する右の卑見を、幾分か支持する記事の一つである。

第三節　燕京行臺の設置

汴京行臺は、創建後一年に滿たずして廢せられた。其の主な理由は、平和論者の主張が廟議を動かした結果、河南の地を宋に還附するに決したことにある。國策の變更に伴ひ、金帝國に屬する漢地の中心として、重要の度を增加したのが燕京（○今の北平市）である。百官志行臺の條に「天眷元年（○宋紹興八年）以河南地與宋、遂改燕京樞密、爲行臺尙書省」とあるのは、這般の消息を示唆するとともに、燕京行臺の設立を傳へた記事であり、熙宗本紀に「(天眷元年九月)丁酉（○一四日）、改燕京樞密院、爲行臺尙書省」あるのも、亦た參考すべき資料である。

燕京行臺について考察するには、先づその前身とされてゐる燕京樞密院のことを考究する必要がある。

一體、樞密院の制は、金の漢官の中、最も異色を有つものの一つで、百官志（○卷五五）には、

樞密院　天輔七年、始置于廣寧府、天會三年、下燕山、初以左企弓爲使、後以劉彥宗、初猶如遼南院之制、後則否、　泰和六年、嘗改爲元帥府、樞密使一員、從一品、掌凡武備機密之事、（○以下略）

と記されてゐる。金一代の通制より云へば、この官府は、武備の機密を掌つた最高級の軍衙である。然し金初に於いては、これと異り、猶ほ遼の南院の如き官府であつた。南院といふのは、南樞密院の略稱で、漢人を統治する最高行政府として遼朝の創設した官衙である。❹更に是を金史の紀傳に照らすに、樞密院が凡そ武備機密の事を掌るに至つたのは、海陵廢帝の天德二年以降のことのようである。❺從つてそれ以前に設けられた燕京樞密院の職任は、猶ほ遼の南院の如きものであつたとせねばならない。

この見解を側面より支持するとともに、燕京行臺の職掌を示すものとしては、宗弼傳〇卷七七に「會置行臺於燕京、詔宗弼爲太子、領行臺尚書省、都元帥如故、——中略——詔諸州郡、軍旅之事、決于帥府〇元帥府、民訟錢穀、行臺尚書省治之〇二〇、宗弼兼總其事」といふ記事がある。

進んで燕京行臺の沿革を見ると、天眷三年〇宋紹興一〇年には、復た汴京に移置されることになつた。その主な理由は、都元帥宗弼を主將とする金軍が、再び汴京方面を占領したことにある。宗弼が、この遠征の總司令官となつたのは、都元帥であつたからで、領燕京行臺尚書省事であつたこととは、全く無干繫である。熙宗本紀に「天眷三年五月丙子〇三日、詔元帥府、復取河南陝西地」とあるのは、その明證である。

第四節　汴京行臺の再建とその廢罷

再建された汴京行臺に關する金史の記述は、頗る簡略である。卽ち百官志には、單に「天眷三年（〇宋紹興、一〇年）復移置於汴京、皇統二年（〇宋紹興、一二年）定行臺官品、皆下中臺（〇尙書省）一等」とあるのみで、その廢罷のことを言はず、熙宗本紀の如きは、その汴京に移置されたことさへ載せず、次の海陵紀（〇卷五）に「(天德二年（〇宋紹興二〇年）)十二月己未（〇一七日）、罷行臺尙書省」とあるのによつて、その廢罷のことが知られるに過ぎない。

もともと、この行臺は、河南方面の地が再び金の領有に歸すに至つたため、從來の燕京行臺を、復た汴京に移しただけのものである。たゞ少しく問題となるのは、天德二年の暮に、廢罷された理由である。

ここに其の間の事情を考へるに當り、先づ注目すべきは、從來汴京行臺の治下に置かれてゐた所謂河南の地が、依然として金の領土であつたことである。從つて汴京行臺の廢せられた理由を窺ふ捷徑は、この官府に代るものとして如何なる官衙が新設されたかを調査するにある。

この意味に於いて、特に重視すべきは、地理志○卷二五南京路・開封府(卽ち汴京)の條に見える次の記載である。曰く、

開封府、上留守司、留守帶本府尹兼本路兵馬都總管、天德二年、罷行臺尙書省、置轉運司・提刑司○以下略

これに由つて見ると、汴京行臺の廢罷は、漢地に對する民政機關の整備と分化とより發生した處置と考へられる。この年以後、絕えて行臺尙書省の設立を見ずに終つたことは、その有力な證據である。

第五節　結　語

熙宗の天會十五年○宋高宗紹興七年に創設され、海陵廢帝の天德二年○紹興二〇年に廢罷された行臺の制度及び沿革に關する卑見は、大略叙上の如くである。行臺の主たる職掌が、漢地の民政を行ふに在つたのは、創建より廢罷に至るまでの事情が然らしめたもので、行臺の稱呼に附隨する魏晉以來の歷史と傳統とを、敢て無視した所に、その特色が見られる。

附註

❶行臺の名の正史に見える始めと思はれるのは、三國志、魏書、卷二二、陳泰傳に、「轉爲左僕射〔尙書左僕射〕、諸葛誕作亂壽春〔安徽省（淮泗道）壽縣〕、司馬文王〔司馬昭〕率六軍、軍丘頭〔河南省（開封道）沈邱縣〕、泰（陳泰）總署行臺」とあるものである。

❷魏晉以降唐初以前の行臺の職掌、沿革等の大略は、通典・卷第二十二・行臺省の條下に見えてゐる。なほこの事に就いては他日別に一篇を草す考である。

❸金の行尙書省の職掌については、「市村博士古稀記念東洋史論叢所載の拙稿「成吉思汗時代の漢官特に行省に就いて」の中に述べた所を參看されたい。

❹遼の南樞密院のことは、津田左右吉博士の「遼の制度の二重體系」といふ論文（滿鮮地理歷史研究報告第五　所載）に詳說されてゐる。

❺金史、卷五、海陵紀、天德二年十二月己未の條、卷八四、白彥敬傳、卷一三二、僕散師恭傳、參看。

ジャガタラの日本人

村上直次郎

ジャガタラの日本人

村上直次郎

一　ジャガタラの開基

ポルトガル人が始めてジャバ島に來た頃には、其の主要なる貿易港はカラパ Calapa であつた。基督紀元一五二二年マラッカから派遣された葡船の甲比丹エンリケ・レメ Henrique Leme が、スンダ Cunda の王から、カラパの地に城を築いて貿易を行ふ許可を得、實地檢分の上チリウーン河の右岸、河口に近い處を築城に適當と認め、先づ其の場所に記念の石柱を建てた顚末は、リスボン市のトルレ・ド・トンボ Torre do Tombo 文書館所藏、同年八月二十一日附の公文書に記してあり、右の石柱は約十五年前バタビヤ市内で發掘された。

リンスホーテンは此の時代の事を傳聞したものと見え、其の著「東印度の航海」

の大ジャバの章に、[ロ]「島の主要なる港はスンダ・カラパ Sunda Calapa で、海峽の名も之に依つて附けられたのである」と述べてゐる。其の後間もなくバンタン Bantam の回敎徒が侵入してカラパを占領し、其の名もジャヤカルタと改稱したが、ポルトガル人は之を訛つてシャカタラと稱へ、ジョアン・デ・バルロス編纂の[ハ]「亞細亞の第四旬年」にも第一編第十二章に著名な海港六ヶ所の一をシャカタラ Xacatara 別名カラバン Caravam としてある。カラバンはカラパと同一であらう。バルロスも後章にはジャカトラ Jacatra と記し、それが歐洲人の間に一般に用ひらるゝに至つた。然し支那人は依然カラパの稱を用ひ、噶喇吧、咬留吧等の文字を之に當てた。

オランダから南洋航路探檢の爲め始めて派遣された、コルネリス・デ・ハウトマン Cornelis de Houtman 引率の四隻の船は一五九六年六月下旬バンタン港に着き、十一月ジャカトラに入港したが、當時貿易港として繁昌したのは、バンタンであつて、ハウトマンの[ニ]航海日誌にも、「リンスホーテンの著書にジャカトラを主要なる貿易の町と記してあるが、それは長い前の事で、今は少しの貿易も行はれてゐない。昔此の町がソンダ・カラパ Sonda Calapa と稱へられたのはココス・カラバ(椰子樹)が繁茂してゐた爲めである」といひ、「現に椰子を多く產し、之から造つたアラク酒はバンタンよりも安く、又家鶏果物等が豐富にあり、河水の質が良い」と記してある。

當時ジャカトラの領主はバンタン王の一族で、其の居館はチリウーン河の左岸に在り、竹で造り芦や椰子の葉で葺いた土人家屋約千戸が之を圍み、河岸に沿うて延長一哩に及び、其の奥の森林には野牛、犀等の猛獸が住んでゐたと傳へられる。

一六〇二年オランダ聯合東印度會社が創立されて、ワイブラント・ファン・ワルワイク Wijbrand van Warwijck がジャバに來た時、一六〇三年八月バ《ホ》ンタン王の許可を得て、同町の最も便利な所に商館を置き、貿易を行ふ事とした。其の後蘭船が薪水補給の爲め時々ジャカトラに寄航してゐる中に、港灣が廣くして碇泊に宜しく、薪水食料品等を得る利便の多い事が漸く認められた折柄、バンタン王が貿易の繁昌するにつれて屢々金品の献納を強いたので、商館長ジャックス・レルミチ Jacques l' Hermite はジャカトラの領主と交渉して同處で貿易を行ふ許可を得、一六一〇年十一月一日石造の商館を建築する敷地其の他に關する契約を締結した。此の敷地はチリウーン河を挾んで領主の居館と相對してゐた支那人居住區域を分割したもので、廣さは五十尋平方あり、オランダ商館は之に對して領主に一萬二千レアルを納めた。

此の頃オランダ東印度會社では南洋航路の船舶の根據地を同方面に設くる必要を感じ、最初の印度總督ピーテル・ボット Pieter Both に適當な地を選定する事を命じた。ボットは一六一一年一月ジャカトラに着いて實地を視察した上、前記の契約を追認し、此の港を根據地と定め、次で契約の地所に五十歩に十八歩の石造家屋を建てゝ商館に當てさせた。爾來オランダ人及びポルトガル人、印度人等のジャカトラに住居を定める者が漸次增加し、學校敎會等も出來たが、總督は尙ほ艦隊を率ゐてモロッカ諸島方面に滯在する事が多かつた。

一六一八年十二月末十四隻から成る英國艦隊が大擧來襲し、ジャカトラの領主と協力してオランダ商館を攻擊した。總督ヤン・ピーテルスゾーン・クーン Jan Pietersz Coen は急造の城に陸上のオランダ人を籠城させ、己は港內の蘭船七隻を率ゐて優勢なる敵の鋭鋒をアンボイナに避け、翌年五月下旬十七隻の船を率ゐてジャカトラに引返した。是より先バンタンの王は英國がオランダに代つてジャカトラに據る結果、バンタンの貿易の衰微せん事を惧れ、ジャカトラの領主を貶し、バンタンの英國商館に壓迫を加へて干渉を試みたので、英國艦隊司令官は急にバンタンに引上げ、ジャカトラ城の圍は解けた。其の後バンタン王から城の引渡を要求したが、豫てジャカトラ占領の必要を感じてゐたクーンは英國人の撤退を好機とし、五月三十日千人の兵を上陸させてジャカトラの土人町を襲ひ、三千のバンタン兵を敗走させ、領主の居館及び町家を燒拂つた。次で城を改築して規模を擴大し、其の南方に町を新設し名實共にオランダの根據地たるに適したものとせんと努力した。東印度會社重役會に於ては此の町と城とをオランダ民族の名バタビ Batavi に因んで[ト]バタビヤ Batavia と稱する事に決して總督に通知し、一六二一年八月以來公に此の名稱を用ひた。然し我邦に於ては此の町をジャガタラと稱へ、咬𠺕吧と書いてもジャガタラと讀ませてゐた。それで本論文には以下常にジャガタラの稱を用ひる。

イ　バタビヤ市開基三百年記念出版　Oud Batavia, 1922—23. Platen Album J 1

ロ　Jan Huygen van Linschoten, Itinerario, Voyage ofte Schipvaert naer Oost ofte Portugaels Indien. 'S Gravenhage 1910. I. 77

ハ João de Barros, Decada Quarta da Asia. Lisboa, 1777. Parte primera, Livro I. Capitulo XII.
ニ Cornelis de Houtman, De eerste Schipvaart der Nederlanders naar Oost-Indië, 'S Gravenhage, 1915-1925. I 162, II 45, 46, 311, 312
ホ Begin ende Voortgangh van de Vereenighde Nederlantsche Geoctroyeerde Oost-Indische Compagnie. Amsterdam, 1645. Reijse van Wijbrandt van Waerwijck I 55
ヘ Mr. J. A. van der Chijs, De Nederlanders te Jakatra. Amsterdam, 1860, Bijlage I.
ト Jan Pietersz. Coen, Bescheiden omtrent zijn Bedrijf in Indië. 'S Gravenhage. 1915-1922. IV 497

二　日本人のジャガタラ居住

オランダ人は慶長十四年(一六〇九年)に商館を平戸に設けて我が國と貿易を開始したが、其の時來航の二船の一ローデ・レーウ・メット・パイレンは、本國に歸つて日本向の貨物を積んで慶長十七年(一六一二年)八月再び平戸に入港し、同年十二月(一六一三年二月)歸航の際[イ]日本人約七十人をジャバに連歸つた。此の人數は大部分兵士で外に船大工が六人あつた。又元和元年(一六一五年)には平戸商館で[ロ]日本人五十九人と三年間の雇傭契約を結び、ヤン・ヨーステンから買受けてジャバに廻航するジャンク船フォルタイン及び帆船エンクハイゼンに分乘渡航させた。右の中には船員が五十人、大工が七人、馬丁が二人あつたが、ジャバに着いてからは會社の命令次第で兵役其の他何役にでも就く約束であつた。ジャンク船フォルタイン[ハ]乗組の日本水夫は船長等の命令を聞かず、其の取扱には非常に困つたといふ事であるが、其の頭人クスノキ・イチエモン Kusnoky Itsiemon はジャガタラに着いてから、エンクハイゼン乗組日本人の頭人セーエモン Ceyemon が自分よりも重用されるのを嫉んで城内の日本人宿舎に於て突然之を斬殺したので、總督は裁判の上イチエモンを斬罪に處した。右兩度の渡航者中ジャガタラに留り、一六一九年七月に至り更に三年間[ニ]陸上勤務の契約をした者八人の名が記録に殘つてゐる。其の他は或は歸國し或は海上に勤務し又は兵士となつて他の城にゐたのであらう。

總督クーンは事務總長 Directeur-Generaal であつた頃から、兵士としての日本人の價値を認識し、本國に送つた一六一四年一月一日附の書翰[ホ]中には、チドール島征討の際日本兵が終始オランダ兵と等しい武功を立て、第一に城壁に掲げられるのは其の旗であり、餘り大膽で剽悍な爲め多數の負傷者を出したと記し、オランダ兵と同額の給料を出せば同一條件で欲しいだけの日本人が傭ひ入れられると書き添へてある。又平戸商館長に送つた一六一八年三月三十日附の書翰[ヘ]には最初の機會にバンタン及びジャガタラに於て使用する爲め、最も勇敢で且技倆ある青年日本人二十五人を送らん事を要求してゐる。一六一八年末ジャガタラ籠城の際城中に在つた約四百人中に日本兵が二十四人ゐたといふ事であるが、其の中には右に擧げた渡航者もあつたであらう。

イ　Coen, Bescheiden I 32
ロ　附錄第三號
ハ　Coen. Bescheiden II 111, 234; IV 125.
ニ　附錄第四號
ホ　Coen Bescheiden I 17, 32
ヘ　Coen Bescheiden, II 573

總督クーンはジャガタラの再興後人口增加に力を用ひ、土人を招撫し、支那人の移住を奬勵すると同時に、多數日本人の渡來を希望し、平戸商館長には一六二〇年六月十三日附同二十六日附の書翰[イ]を以て、帆船及びジャンク船の便每には時と事情の許す限り多數の勇敢なる日本人を送らん事を命じ、是は勞働の爲めでなく戰爭に使用する爲めであると說明し、若し會社の使用人でない自由移

HIER RUST D'EERSAME
CHRISTEN IAPANDER
GEBOOREN TOT
NANGASACKI DEN
OBYT DEN

バタビヤの日本人墓碑

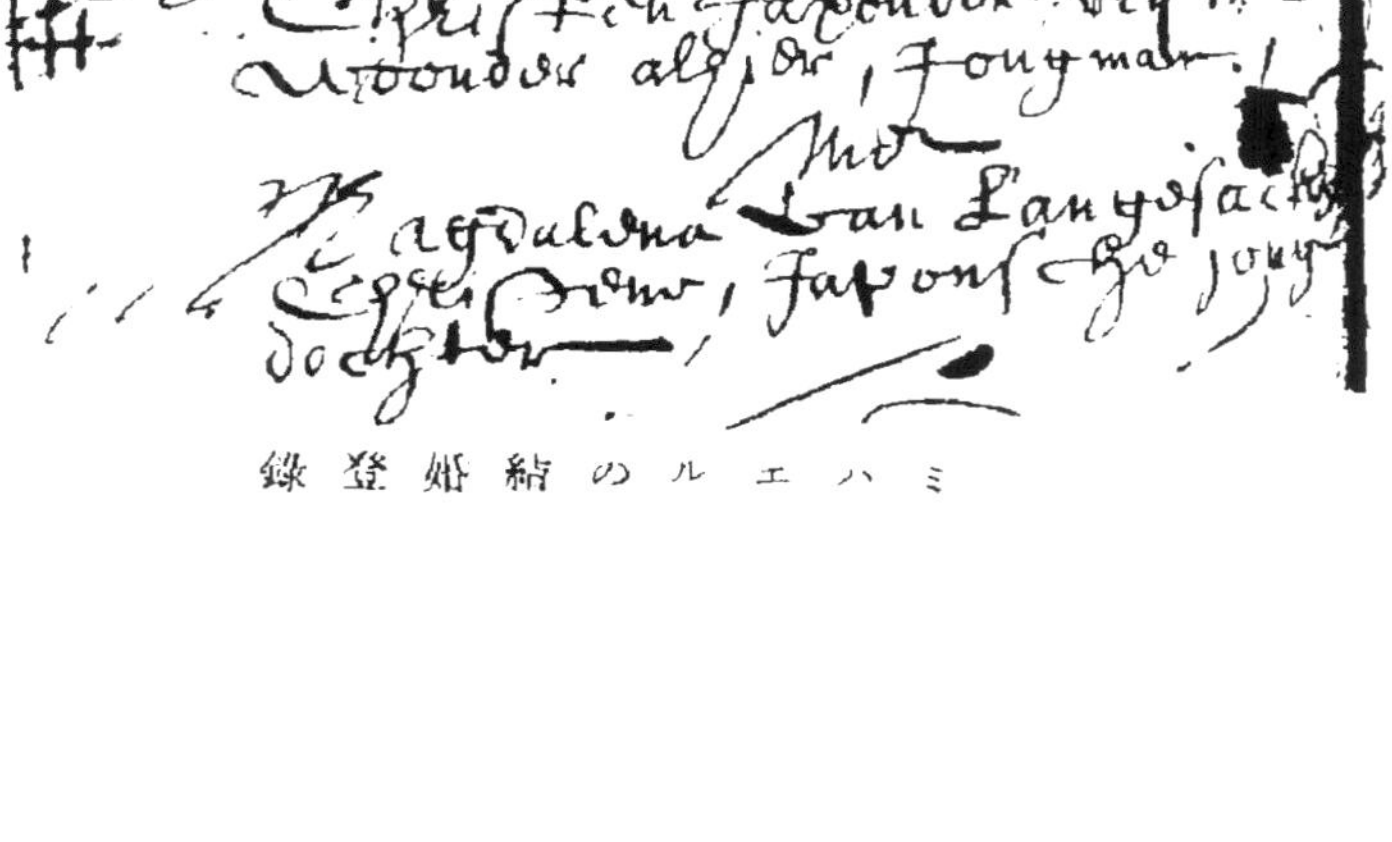

ミハエルの結婚登録

民が得らるれば隨分多數を送らん事を求め、會社に過重の給料を負擔させぬ爲め相當數は月給を約束せずに送る事が望ましいと書き添へた。ジャガタラ城の人員調書に依れば一六二〇年一月には日本兵の數が七十一、一六二一年八月には五十三であつた。一六二一年一月總督クーンはバンダ島攻略の爲め約千人の兵を率ゐて出征し、六月に凱旋したが、此の軍隊の中に帆船ニーウ・ホルランヂャ乘込みの四十二人とジーリクゼー乘込みの四十五人と、二隊の日本兵が參加し、此の中から希望に從つて選拔された十五人はオランダ兵三十四人と共に先陣を勸めて功を立てたので、日本兵の隊長は六十レアル、其の他は三十レアルの賞金を與へられた。而して全島平定後島に駐めた約五百の守備兵中には、日本人も其の數は明記してないが加はつてゐた。是の年八月のジャガタラ城の日本兵數が前年よりも減少してゐるのは之が爲めであらう。

一六一九年蘭英兩東印度會社が防守條約を結んで聯合艦隊を編成し、其の半數の十隻は平戶を根據地としてマカオ及びマニラ兩市の日本及び支那との通商を妨害する事となつた。元和六年七月（一六二〇年八月）聯合艦隊の諸船が平戶に入港し、同年十二月（一六二一年一月）マニラ方面に第一回の出動を試み、支那ジャンク船五艘を拿捕してマニラ通商の支那人を脅威し、七月初平戸に歸航した。ポルトガル人及びイスパニャ人は大に苦しみ、支那人と共同して長崎奉行に訴へ、保護を請願した結果であらう、元和七年七月(一六二一年九月)平戸の領主は蘭英兩商館長を招いて幕命を傳へ、[ホ]日本人男女を買ひ又は水夫として兩國の船で國外に連出す事を禁じた。日本人を傭兵とする事は是より前に禁ぜられたと見え、一六二一年五月六日附[ヘ]總督クーンから本社に送つた書翰中に、西葡支三國の商人の努力に依り皇帝が蘭英兩國人に對し日本人を戰爭に連出す事を禁じたと記してある。平戸商館長ジャックス・スペックスは一六二一年九月二十日附の辯明書中に、[ト]右の命令がポルトガル人前年來の運動に基いて發せられた事は明であるが、彼等の利益よりも寧ろ日本人が外國の戰爭に加つて危險を冒す事を防ぐ爲めであると說明し、總督が此の禁令の解け再び日本人を連出す事の出來る樣努力する事は南洋各地の平定上必要であると述べてゐるが、一六二二年九月六日附[チ]バタビヤ發總督の本社宛の書翰には、皇帝の命令が勵行され、窃に帆船ズワーン(一六二一年十月中旬平戸出帆)に乘つてジャガタラに渡らんとした日本人三人の十字架に懸けられた事が記してある。右の次第で後送が絶えた爲め一六二二年一月にはジ《リ》ャガタラ城内の日本兵は三十八に過ぎなかつた。

日本人海外輸送の禁令は日本船には及ばなかつた。而して當時日本船のジャバに直航するものはなかつたが、東京、交趾、柬埔寨、暹羅等に渡航するものは絶えず、又右各地とジャガタラとの間にはオランダ船が常に往復し、各地の船も時々ジャガタラに渡航した。殊に暹羅からは米を積んだ船が行き、山田長政も船を出した事は一六二九年五月二十八日附總督クーンから暹羅在住の日本人のオプラ Opra 郎ち長政に送つた書《ヌ》翰で立證される。從つて日本船に乘つて右各地に渡つた日本人の中にはジャガタラに移住した者もあつたらうと想像される。

ジャガタラには兵士以外にも會社員、自由市民等日本人が居住し、同所で結婚した者も少くなかつた。從つて子供も出來た。總督府評議會決議錄一六二四年七月二十六日の《ル》條に、ジャガタラ在住の自由市民日本人トーゾ Toso を會社員に採用し、月給十レアルを與へて暹羅に派遣する旨の記錄がある。此のトーゾは附錄第四號及び第五號にあるのと同一人であらう。又總督クーンから一六二〇年七月十二日附で日本人チ《ヲ》ョーゾー Tsiosoo に交付した、ジャガタラ其の他印度領内何地にも居住して漁業手工業及び各種公許の商業を營む許可證の控がある。附錄第三號の船夫中にチョーゾがある、多分同一人であらう。又バタビヤ市の地方文書館に在る婚姻簿二種に、一六一九年から一六三〇年までに結婚した日本の男子二十四人、女子九人の名が載せてあり、結婚の相手は多くは西洋人又は土人である。オランダ授洗名簿 Hollandsch Doopboek (一六一六年四月十七日至一六二〇年十二月十七日)には一六一七年四月二十三日學校兒童日本のヤン Jan に、又一六一八年四月二十三日同平戸の日本人ヨアン Joan に、洗禮を授けた事が記してある。又ハーグ文書館に在る別の授洗名簿に一六二二年四月三日日本人アンドレヤス・ロドリゴの奴隷二人に、又同年五月八日日本人ミンゲールの小兒に洗禮を授けたと記してある。右のアンドレヤスは元會社の事務員であつたが、此の頃は自由民としてジャガタラに居住してゐたのであらう。右の如く日本居留民の數が增し、一六三二年十一月には人口八〇五八人中八三人を算した。

一六三二年十一月一日現在のジャガタラの人口 ○ハーグ文書館所藏文書 Kol. Arch. 1017

	男	女	兒童	男女奴隷	計
會社使用のオランダ人	一、五六〇	一〇六	六四	一八二	一、九一二
ジャガタラ市民	二二九	二六〇	一四九	七三五	一、三七三
日本人	四八	二四	一一	二五	一〇八
支那人	一、七〇二	五五四	一三四	三四	二、四二四
會社所屬の百姓	六三一	四六〇	一六三		一、二五四
鎖に繋がれたる會社の奴隷					三四
マルダイケルと其の奴隷					六四九
土人其の他					三〇四
計					八、〇五八

右の表中にあるマルダイケル Mardijcker は奴隷の解放された者である。

イ Coen, Bescheiden II 727, 748.

ロ 附錄第五號

ハ ハーグ文書館所藏文書 Kol. Arch. 987. Rolle van alle het volck tegenwoordich op Jaccattra leggende. 20 Augusto 1621.

ニ Coen, Bescheiden III 683.

ホ　François Valentijn, Oud en Nieuw Oost-Indien. Amsterdam, 1726. Vijfde Deel, Japan, Derde Hoofdstuk.
Diary of Richard Cocks, vol II, 4 September, 1621.

ヘ　Coen, Bescheiden I 639.

ト　Valentijn, Japan. Derde Hoofdstuk.

チ　Coen, Bescheiden I 738.

リ　ハーグ文書館所藏文書　Kol. Arch. 987. Rolle van persoonen tegenwoordich opt Fort Batavia. 20 Januari 1622.

ヌ　Coen, Tescheiden V 523.

ル　附錄第六號

ヲ　附錄第七號

ワ　附錄第一號第二號

カ　附錄第八號

ヨ　附錄第九號

徳川幕府は基督敎撲滅の爲め漸次海外渡航の取締を嚴にし、寛永十二年五月(一六三五年七月)に至つて日本船の海外に出る事を全く禁じた。そこで日本から新にジャガタラに移住する途は絶えた。

一六三七年一月初司令官コルネリス・シモンス・ファン・デル・フェ、ール Cornelis Sy《イ》-mons van der Veer が、ビンタン島附近で拿捕したマカオのジャンク船の乘組員五十六人が捕虜として同月中旬ジャガタラに送り届けられた。其の中に日本人が十三人あつたが、在留日本人一同の請願に依り、ジャガタラに居住し豫め許可を得ずしては外に出ぬ事を條件として解放された。此の日本人は東埔寨國の傭兵で、マカオに派遣された使節に隨行し歸途マラッカを經て東埔寨に向け航海中に捕へられたのであつた。是までも同樣な事情で捕へられて奴隷となつた者、又後に解放されマルダイケルとなつてジャガタラに居住した者が他にも少くなかつたであらう。

寛永十六年五月(一六三九年六月)平戸の領主からオランダ商館長に對し、同年の便船で蘭英兩國人の子供と之を生んだ日本婦人とをジャガタラに輸送する事を命じた。次で豫て平戸領内及び長崎で調べ上げられた人達が、平戸から同年十月出帆の蘭船ブレダに乘込んで一六四〇年一月一日ジャガタラに着いた。其の名は附錄第十二號文書に掲げてあるが、其の中サントフォールトは、慶長五年(一六〇〇年)に始めて我が國に渡來した蘭船リーフデの乘組員で、慶長十三年以來貿易業を營み、此の頃は長崎に居住してゐた人、ロマインは元マニラ航路の新イスパニヤ船の乘組員であつたが、長崎に來てサントフォールトと同じく貿易に從事してゐた人、又フェルステーヘンは平戶商館の長崎駐在員、ミュルレルは平戶商館員で、フェルステーヘンの妻はサントフォールトの女であつた。右の人達は何れも日本人である妻を、後の二人は子供合はせて五人も連れてジャガタラに渡つたのである。其の他の追放者は臺灣に遺した小兒が二人、ジガタラに着いた者が男二人、女十人、小兒五人であつた。右の男二人の中ヤンセンは、蘭英聯合艦隊の司令官として、又ノイツ事件解決の特使として來朝した人、又サンテンは多年平戶商館に在勤し、寬永十年(一六三三年)商館長となつた人と同名であるから、多分彼等を父とする混血兒で平戶にゐた者であらう。

右の追放令の出る前にジャガタラに送られた混血兒の中には、寬永元年(一六二四年)に送られた元リーフデの船員の一人で多年平戶で通譯に從事したアドリヤーンの娘オマツ Omatt, があり、又寬永十三年(一六三六年)末に送られた、寬永元年から同九年(一六二四年至三二年)まで商館長であつたコルネリス・ファン・ナイエンローデ Cornelis van Neijenrode の妾トケシヨ Tockesio の子ヘステル Hester と、同スリシヨ Surisio の子コルネリヤ Cornelia がある。寬永十六年から十七年(一六三九年至四〇年)にかけて商館長であつたフランソア・カロン François Caron は其の妻と子ダニール Daniel トビャス Thobias フランソア François ペトロネルラ Petronella 及びマリヤ Maria の出發延期を許され、(ホ)寛永十八年一月(一六四一年二月十四日)河内浦出帆の船に一緒に便乘してジャガタラに渡り、其の妻の死亡後一六四三年九月總督の許を得て右の子供を入籍させた事が、バタビヤ市地方文書館所藏の總督府評議會決議錄一六四六年十二月二十九日の條に載せてある。

右のフランソア(ヘ)はオランダに於て敎育を受け、牧師となつてアンボイナに渡り、馬來語の說敎集を編纂出版したといふ事である。

イ　ハーグ文書館所藏文書　Kol. Arch. 1034.
ロ　Valentijn, Japan. Sevende Hoofdstuk, Japans Dagregister Anno 1639.
ハ　ハーグ文書館所藏文書　Kol. Arch. 11722, Brief van het Comptoir Firando aan Cornelis Reijersen, 12 Jan. 1624
ニ　Valentijn, Japan. Sevende Hoofdstuk, Japans Dagregister Anno 1636.
ホ　谷村友山覺書
ヘ　Oud Batavia, I 486.

三　鎖國後ジャガタラ在住の日本人

寛永十二年の禁令は日本人の海外に出る途を塞ぐと同時に、「異國ヘワタリ住宅仕有之日本人キタリ候ハヽ、死罪に可申付事」の一條を以て、既に海外に出てゐた者の歸國の途を絕つた。そこで當時ジャガタラにゐた者の大部分は、前に述べた如き特別な事情で新に加はつた者と共に引續いて在留したであらうが、其の數が幾許に上つたかは知る由がない。前出の婚姻簿二種には、一六三五年から一六五五年までの間に結婚した日本人の男子二十六人、女子十八人の名が揭げてある。再婚で名の重出してゐる者は右の數から除いてある。右の外に結婚を完了しなかつた男子が一人と、再婚の女の關係で其の名の揭げられてある男子が一人ある。又バタビヤ市地方文書館所藏の聖餐帳 Communion Boek に

一六四一年三月二十三日　日本のイサベラ・ファン・サントフォールト
一六四一年六月三十日　日本有馬のイサベラ・ロマイン
　日本長崎のスサンナ・フェルステーヘン
一六五〇年十月　平戸のマリヤ
一六五三年七月　モニカ・クロベー Monica Krobe

の自署記入がある。始めの四人は一六四〇年一月ジャガタラに着いた者で、五番目は九郎兵衛の娘モニカといふ意味で、日本人であらう。

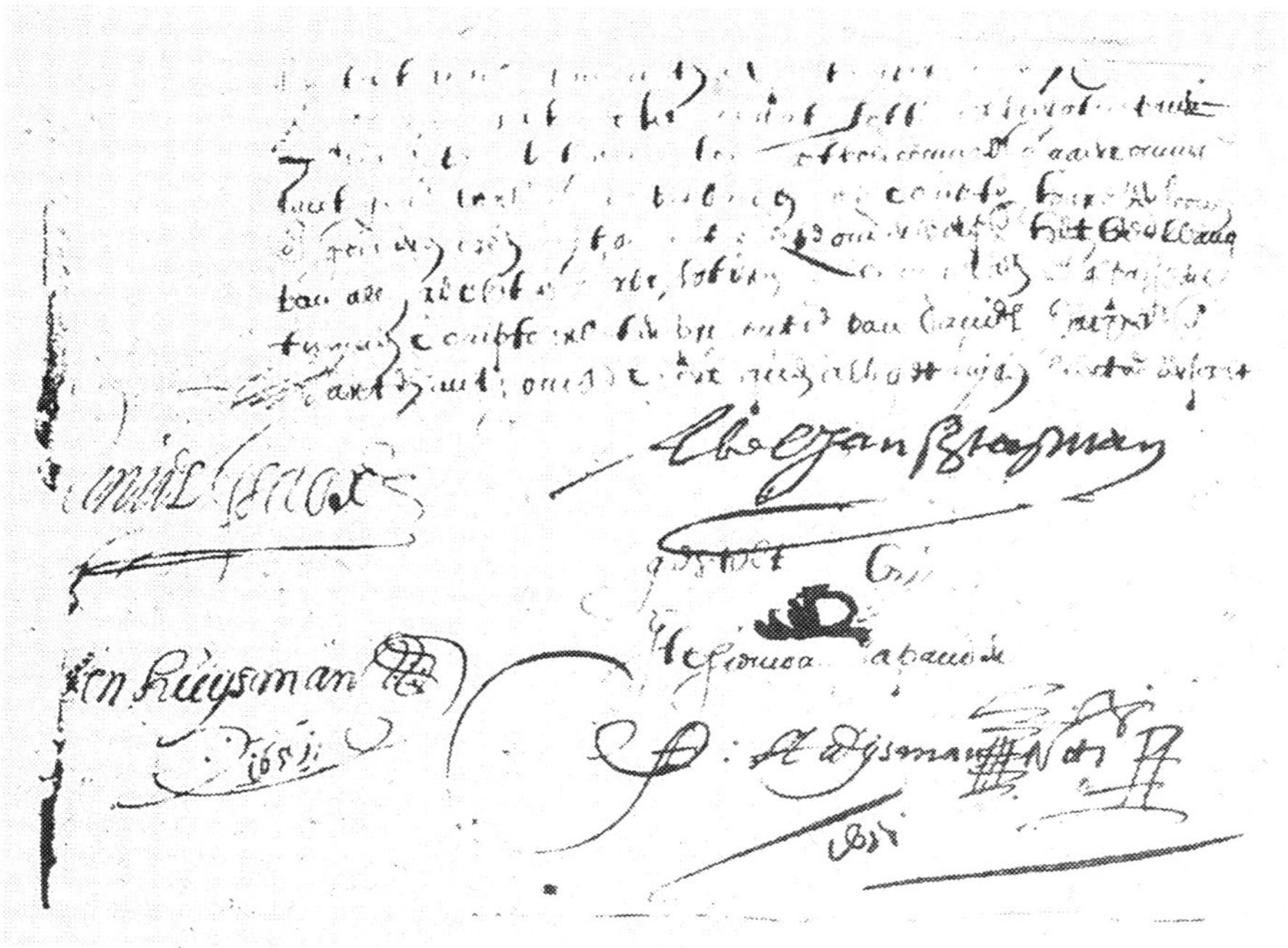

イチエモンの華押

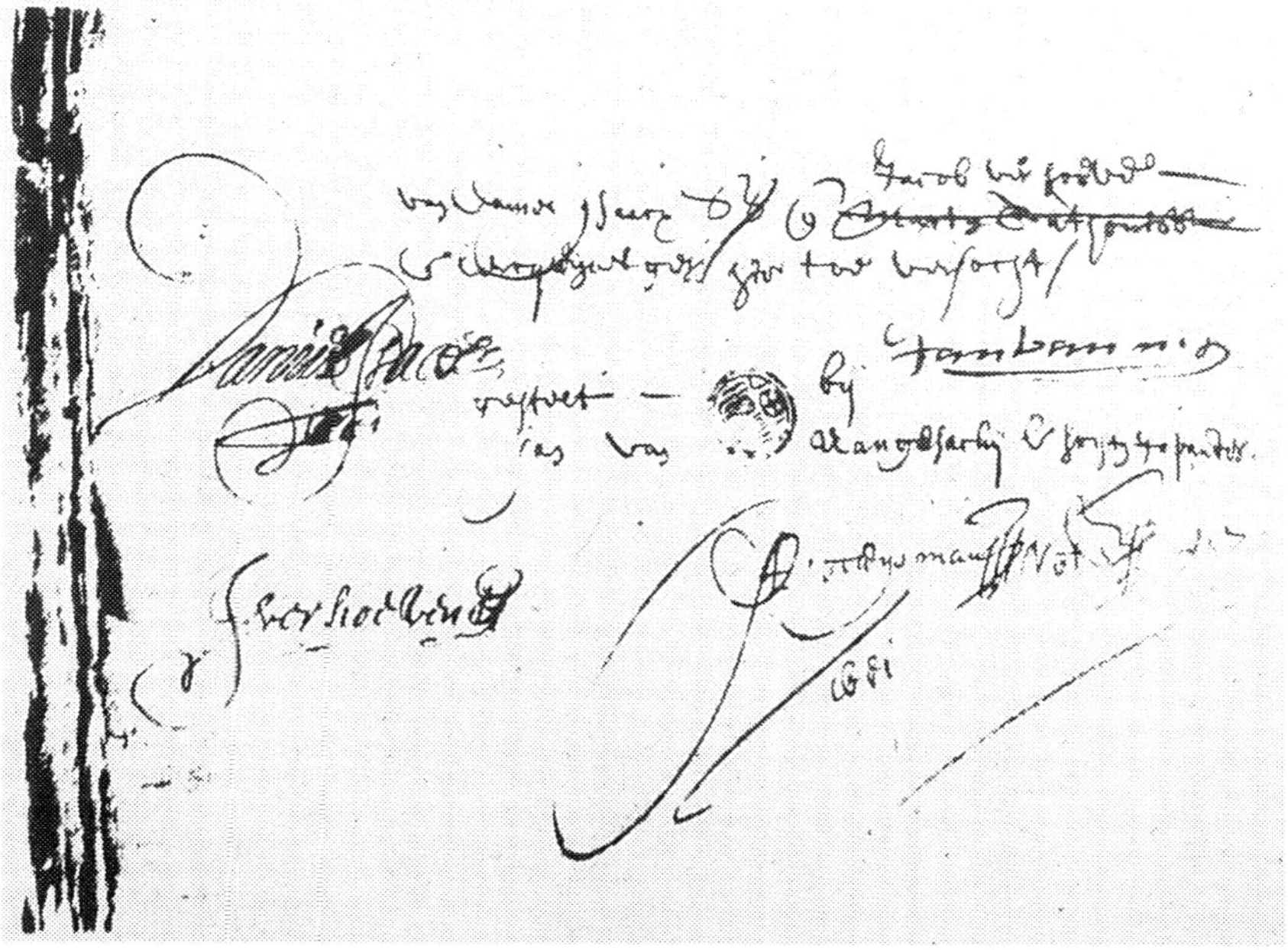

濱田助右衛門の印

バタビヤ市の地方文書館には又公證人アントニー・ハイスマンの公正證書簿が保存してあるが、其の中に一六五一年八月七日附、市内在住の日本人基督教徒イチエモン Itchiemon が司令官アベル・ヤンスゾーン・タスマン Abel Jansz Tasman から、市外約半哩の處に在る森を借受け、一六五一年七月一日より一六五二年六月末日に至る滿一箇年間、八人乃至十人を使用し、貸主の奴隷六人と共に伐木に從事し、森の賃借料二十レアル・ファン・アハテン、奴隷六人の傭賃三十レアル・ファン・アハテン、合計五十レアル・ファン・アハテンを毎月遲滯なく支拂ふべき旨の契約書に、タスマン外立會人二人竝に公證人の署名と、イチエモンの名と花押を附したものが綴り込んである。又同年九月六日附日本人基督教徒長崎のヤン Jan が印度評議會員へラルド・デンメル Gerard Demmer の代理人會社員ヤン・ファン・ネス Jan van Nes と結んだ、市内所在の石造ペダカ〇支那風小店舖か二十四軒を借受け、九月一日より向滿一箇年間毎月百六十五レアル・ファン・アハテンを遲滯なく支拂ふ契約の證書に、ファン・ネス外立會人二人竝に公證人の署名を附し、長崎のヤンの名を記入し、濱田の印を押したものが綴り込んである。此のイチエモンは婚姻登錄簿一六五一年二月二十二日の項にあるバルバラ・イチエモンといふ娘の父で、又居留日本人の甲比丹であつた人であらう。又ヤンは濱田の印に依り附錄第十五號寛文三年(一六三三年)のジャガタラ文に見ゆる濱田助右衛門であつて附錄第十七號寛文十一年(一六七一年)のジャガタラ文には濱田助右衛門後家と書いてある事に依つて、同人は其の以前に歿したものと想像される。

バタビヤ市に在る帝國總領事館の前庭に一基の石碑がある。是は元街路の敷石に用ひてあつたのを、英國人宣教師キングが一八八六年に發見し、他の石と交換して貰ひ受け、英國人の教會に保存を託したのを、後年現在の位置に移したのであるが、碑面にはオランダ語で「一六〇五年八月十五日長崎に於て生れ、一六六三年四月十九日死去したる尊敬すべき日本人基督教徒ミヒール・テーソーベ君此處に休めり」と記してある。此の碑の裏面には漢文が刻んであるが、ソーベとは關係がなく、表面の上部に在る安永の二字も亦後に刻み込んだものと思はれる。此の碑は今日までにジャバ島で發見された唯一の日本人關係の墓石であるが、テーソーベのTSは續けてツォーベと讀むのであるか、又は長崎通詞の間に行はれたやうに、苗字を略してTとしたものであるか判らぬ。婚姻帳に「一六四二年一月二十二日木曜日、當所の自由なる住民にして基督教徒なる日本人青年長崎のミハエル、基督敎徒なる日本の若き娘長崎のマグダレ·ナと」の記入があり、又婚姻[ヘ]登錄簿に「一六四六年三月八日、長崎のマグダレナの鰥夫長崎生れの日本人ミヒール、バタビヤの若き娘ヤンネ·ケンと」の登錄がある。ミヒールとミハエルは同じで、兩人共にマグダレナの夫であつたから同一人であつて、碑文のミヒール·テー·ンーベに該當するものと考へられる。マグダレナは一六四〇年一月ジャガタラに着いた追放者中にある亡イタリヤ人の娘であつて、長崎筑後町乙名の[ト]書上の娘まんに當る人であらう。

イ　附錄第十號
ロ　附錄第十一號
ハ　附錄等一號
ニ　Transactions of the Asiatic Society of Japan. Vol. XVII. Rev. A. F. King, A gravestone in Batavia to the memory of a Japanese Christian of the seventeenth century.
ホ　附錄第二號
ヘ　附錄第[illegible]號
ト　附錄第十三號

通航一覽卷百七十に延寶長崎記を引用し、延寶年中異國に住宅の日本人の項に、

咬嚁吧　男女八人、村上武右衛門、自注、長崎上町妙金爲に夫、同本後藤町原源左衛門爲に弟、今魚町森田喜兵衛爲に兄、ゑすてる、自注、長崎築町山崎甚左衛門爲に姉、濱田助右衛門後家、自注、長崎今魚町濱田長左衛門爲に母、平戸吉次久左衛門爲に姉、はる、自注、長崎築町小御理右衛門爲に養子、同酒屋町峰七兵衛爲に姪、同袋町本田與三郎爲に伯母、こるねりや、自注、平戸判田五右衛門女房之爲に娘、きく、自注、平戸善三郎爲に妹、同所三好庄左衛門女房之爲に妹、同所ふく自注、平戸谷村三藏、同五郎作譜代の下女、同所三吉爲に妹、みや、自注、平戸立石清之助爲に妹、同所森田傳右衛門女房之爲に姉、が擧げてある。

長崎夜話草所載のジャガタラ文イの差出人は「はる」といひ、長崎筑後町乙名書上ロの「娘はる年十五歳」は一六四〇年一月ハジャガタラに着いた亡イタリヤ人の娘エロニマ」十五歳と同一人で、右の手紙の差出人に當るものと考へられる。

イ　附錄第十四號

ロ　附錄第十三號

ハ　附錄第十二號

婚姻登錄簿に「一六四六年十一月二十九日會社勤務の試補平戸の青年シモン・シモンセン、長崎生れの若き娘ヒエロニマ・マリヌスと」の登錄がある。平戸の英國商館長リチャルド・コックスの日記の一六二一年八月十九日の條、及びハーグ文書館所藏一六三〇年八月二十六日より十月十六日に至るウイルレム・ヤンセンの

[イ]長崎旅行日記に、ポルトガル船の航海士イタリヤ人ニコラス・マリン Nicolas Marin, Nicolaes Marijn の名が見える。前出ヒエロニマの姓マリヌスはマリンを蘭化したもので、同女は右ニコラスの娘でエロニマ即ち「はる」と同一人と見るべきであらう。

平戸商館長ナイエンローデが一六二四年一月十二日附總督カルペンチールに送つた書翰[ロ]中には、平戸商館の試補シモン・シモンセンの貿易事務員補昇進方申請の一項があり、總督は後に之を承認して給料を月額四十グルデンとした。婚姻登錄簿のシモン・シモンセンは同名ではあるが、此の間に二十三年も經過し、身分も試補であるから、全く別人であつて、父子の關係で姓名を同じうしてをるものと考へられる。此のシモンセンは追々昇進して貿易事務長となり、一六六六年には[ハ]支那人遺産管理委員に、又一六六九年には孤兒財産管理委員に擧げられ、又教會の長老をも勤め、後には會社の職を辭して平市民となり、一六七三年[ニ]に歿したと傳へられる。長崎夜話草に「此女人年たけて後、唐人に嫁して子などありて、日本へたびたび文おこせたり、元祿九年の頃までながらへ七十六七歳にて死せしよし便りに聞え侍りぬ」とあるが夫は唐人ではなく、前述の通日蘭の混血兒であつた。又ジャガタラ文に「花の世界にうまれきて此身となれる年月をかぞふれば、十とせあまり四とせがほどとこそおぼへ候に、かくうらめしき遠き夷の島にながされつゝ、きのふけふとおもひながら、はや三とせの春もすぎ」とある。寛永十六年(一六三九年)の冬に流されて、三年の春が過ぎた時卽ち寛永十九年(一六四二年)に十四歳であつたとすれば、元祿九年(一六九六年)には六十八歳になるわけであるが、此の娘がエロニマ卽ち「はる」であれば、十五歳で流されたのであるから元祿九年には七十二歳で、夫シモンセンよりは二十三年も生き延びたのである。右死亡の年は正確でないとしても、延寶年間(一六七三年至一六八〇年)まで生存してゐたとすれば、五十を越えて死んだには違なからう。

イ　ハーグ文書館所藏文書　Kol. Arch. Aanwinsten 246 A.

ロ　同　Kol. Arch. 11722.

ハ　François Valentijn, Oud en Nieuw Oost-Indien, Amsterdam, 1726. Deel IV. Groot Java, Vijfde Boek, Batavia, Tiende Hoofdstuk

ニ　Oud Batavia, I 486.

寛文五年(一六六五年)のジャガタラ文の差出人六兵衛後家ふく、同十一年(一六七一年)のエストロ、コルネリヤ、濱田助衞門後家、村上ふさへもん等は通航一覽の延寶年間まで生存した人達と同一であらう。但し村上の名はジャガタラ文の武左衛門が正しく、通航一覽の武右衛門は誤であらう。

婚姻登錄簿一六五六年二月十日の項に日本人ミヒール・ボイゼモン Michiel Boysemon とあるはバタビヤ城日誌一六八二年六月二十二日の條に、其の死後に某アラビヤ商人から彼の未成年の嗣子に對して二千レアルの借金の返濟があつたといふボイゼモンと同じく村上武左衛門の事であらう。

附錄第十八號新ジャガタラ文其四は斷片で、差出人の氏名も日附もないが、其の中に「おみやどの」とあるは通航一覽にある平戸の立石清之助の妹みやの事であらう。又日本人基督敎徒甲比丹イッエモン Itsemon の子孫アブラハム・スケエモン Abraham Scheemon が一七三五年(享保二十年)に埋葬された事が記錄に存してゐるといふ事である。イッエモン、村上武左衛門、濱田助右衛門等は成功者であつた。又婚姻簿に就いても見える通ジャガタラに於て結婚した日本人は相當多數であつたから日本の血を承けた者の數も少くなかつたであらうが、年所を經てオランダ人士人等と混じた爲めか其の後は遺つてゐない。又ジャガタラの居住地に付いては、城内又は市内にゐた者と、郊外にゐた者とあつたやうであるが、別に日本町を構成してはゐなかつた。但し支那人と同様在留民取締の爲めに甲比丹が置いてあつた。

イ　Oud Batavia. I 485.

四　ジャガタラ文

ジャガタラ[イ]文は、ジャガタラに流された「はる」といふ少女が抑へ難き望郷の情を述べた手紙で、其の故郷に歸る事の出來ない境遇と、日本戀しの一心とが世人の同情を惹いて有名になつたものであるが、日附もなく名宛も漫然日本にておたつさまとあるに過ぎぬ、手紙としては實に整はぬものである。而も古歌や自詠等多く列ねた巧妙な文章で、僅か十四五歳で日本を出た西洋混血の女の書いたものとは思はれぬが、故郷を出た日を千早振る神無月としてあるのは、平戸を出帆した一六三九年十月下旬卽ち寛永十六年十月に相當し、又ジャガタラ港出帆を「三とせの春も過ぎ、けふは卯月朔日まだ東雲にあすは出船」としてある、其の明日を寛永十九年の四月二日とすれば、一六四二年四月三十日に當り、同年日本行の船ナッサウが出帆した五月四日に近いのである。此の點を考へれば、全然事實を離れた架空の文とも思はれぬ。夜話草の著者西川如見は慶安元年（一六四八年）生れであるから、當時ジャガタラから來た手紙を親しく見た事があつて、此の手紙も何人かの加筆修飾したものではあるが、採つて其の著書に載せたのであらう。

新ジャガタラ文其一以下は故佐藤獨嘯氏が平戸に於て發見し、明治四十三年八月發行の歴史地理第十六巻第二號に載せたものであるが、當時ジャガタラから來たものに違ないので、新ジャガタラ文と題して附錄に掲げたのである。

新ジャガタラ文其一[ロ]のエステル及びコルネリヤは、前に掲げた通り平戸商館長ナイエンローデの娘であつて、コルネリヤの母スリショは平戸の判田五右衛門に再嫁したものと見える。エステルの母はトケショである。又[ハ]コルネリヤの夫コノルはピーテル・クノル Pieter Knol で、バレンタインの新舊印度誌に依れば一六六三年より一六七二年まで城附首席貿易事務長で、一六七二年には次席貿易事務長であつた。

新ジャガタラ文其二[ニ]の差出人「ふく」は、一六四〇年一月一日ジャガタラに着いたオフケ[ホ] Offke で、婚姻簿には載せてないが其の後再嫁して六兵衛の妻となつたのであらう。而して其の進物先から推して通航一覽にある「ふく」と同一人である事は疑ない。

新ジャガタラ文其三に出てゐる人名に關しては既に述べたが、エストロはエスチルの訛であつて、コノルを大ペトルとしてあるのは日本で慣用のポルトガル語フェイトル feitor を襲用したので、首席事務長に當るのである。又織物の名の中さらんふりもめんはサランポラ Salampora サレンプーリス salempouris から出た語、ちつさらさはチッ chits から出た語で、何れも更紗の違つた種類である。

又新ジャガタラ文其一の日附寛文三年五月二十一日は一六六三年六月二十六日に當つてゐるが、一六六三年日本行の船はフェーネンブルホ、アムステルラント、ペーペルバール及びス・ホラーフェランデの四隻で、六月三十日にジャガタラを出帆した事、其二の日附寛文五年四月十三日は一六六五年五月二十七日に當つてゐるが、一六六五年日本行のアルフェンとクラーフェルスケルケンの二船は五月二十九日に出帆した事、其三の日附寛文十一年四月二十一日は一六七一年五月二十九日に當つてゐるが、一六七一年日本行のツルペンブルホ及びスヘルメルの二船は五月三十一日に出帆した事がバ《ト》タビヤ城日誌に載せてある。それで右三通の手紙は皆丁度便船の間に合ふやうに認めたものに違ない。

新ジャガタラ文其二に「甲辰ノ九月十六日之御ふミ幷音信物共同十一月十三日ニ到來」とあるが、甲辰は寛文四年で、其の九月十六日は一六六四年十一月三日に、同十一月十三日は一六六四年十二月三十日に當る。一六六四年日本から歸航のヤハト船アメロンゲンの前出島商館長フォルヘルWillem Volgerを載せて十二月十九日入港した事がバタビヤ城日誌同日の條に記してある。長崎出帆の日は出てゐないが、其の二日前に奉行Kioutarasammeの着任した事が見え、寛文四年田島久太郎の長崎着は九《チ》月十八日であつたから、船は同月二十日即ち一六六四年十一月七日に出帆し、平戸を三日に出した手紙は此の船に託されたのであらう。而して之を受取つた日は、船がジャガタラに着いて十二日目であるが、クノルの如き地位の人と違ひ日數を要するのは當然かと思はれる。

又新ジャガタラ文其三には「つちノへさるの九月十一日の御ふみならひにいんしん物ともちうもんノおもむき同十月廿七日ニうけとり」とあるが、戊申は寛文八年で其の九月十一日は一六六八年十月十六日に、同十月二十七日は一六六八年十二月一日に當るのである。バタビヤ城日誌に依れば一六六八年日本から歸航のフロイト船バイエンスケルケは、前商館長ランスト Constantyn Ranst を載せて十一月三十日夕刻ジャガタラに入港した。長崎出帆の日は記してないが、同船の齎した出島商館の書翰の最後の日附が十月二十五日であり、其の日が規定の出帆最終期日に當つてゐるから、同日出港したのであらうと思はれる。平戶から手紙を出した日附が右の日より九日前であるのは、長崎に屆けた上託送の手續を要するのであるから當然であらう。又受取の日は、船の入港の翌日に當つてゐる。此の如く手紙の內容を調査すれば、此のジャガタラ文が當時のものに違ない事が彌々明白になるのである。

イ　附錄第十四號
ロ　附錄第十五號
ハ　Valentijn, Groot Java, Batavia, Tiende Hoofdstuk
ニ　附錄第十六號
ホ　附錄第十二號
ヘ　附錄第十七號
ト　Dagh Register gehouden int Casteel Batavia. Haag, 1896 -
チ　長崎叢書三、長崎略史上卷五三七頁

後記　平戸のジャガタラ文は松浦伯爵の厚配に依つて寫眞を得、其の讀方に付いては渡邊博士と中村敎授の敎を受けた。一通は今所在不明の爲め歷史地理のを其の儘轉載した。濱田の印を押したバタビヤ文書は岩生助敎授所藏の寫眞に據つた。茲に謝意を表する。長崎夜話草のジャガタラ文は周知のものであるが比較研究の便宜上全文を揭げた。

「ジャガタラの日本人」

附録

附錄第一號

婚姻登錄簿　一六一六年至一六五七年

バタビヤ市地方文書館所藏文書

當バタビヤに於て基督教市民の爲め法の規定したる豫告に依り一六一六年以來結婚狀態に入りたる人々の名

希伯來書第十三章第四節

なんぢら婚姻の事を凡て貴め、又牀をも汚すこと勿れ。

哥林多前書第七章第一節第二節

男の女に近ざるを善とす。然とも淫行を免るゝ爲に人おのおの其妻をもち、女も各々其夫を有べし。

一六一九年五月九日

日本人ヨアン　ジヤバのマリヤと

一六一九年十二月二十二日

日本人ヂエゴ　パタニのリマと

一六二〇年一月十九日

平戸のバルトロメオ　アロンサ、ロドリゲスと

一六二〇年一月二十六日

兵卒アダム・ピーテルスゾーン・フアン・デツトマルス　日本のマリヤと

Trouw Register 1616-1657

('s Lands Archief, Batavia BS. 52)

Naemen der persoonen die alhier op Batavia naer wetteli jcke ondertrouw voor de Christelijcke gemeente in den huweli-jcken staet zijn bevesticht beginnende van den jaere 1616.

Hebr. 13 v. 4

Het huwelijck is bij allen eerlyck, ende een onbevleckt bed

I Cor. 7 v. 1,2

Het is den mensche goet aen geen wijff te comen. Nochtans der foererije wille. sal een ygelijck man zijn eygen wijff hebben, ende een ygelijck wijff haeren eygen man.

May 9, 1619

Joan Japan met Maria van Java

December 22, 1619

Diego Japonnees met Lyma van Patana

Januarij 19, 1620

Bartholomeo Firando met Alonza Rodrigues

Januarij 26, 1620

Adam Pieterssz. van Ditmars soldaet met Maria van Japan

一六二〇年二月十六日

ガスパルと稱する日本人トパッ〇藤八かバンタンのイサンナと

一六二〇年八月九日

日本人ヂャンチョク　バリのマリヤと

上記の名は故アドリヤーン・ヤコブスゾーン・ヒュルセボスの結婚帳の中に見えたるものなり。〇アー・エー・ヒュルセボスが印度に於て結婚させたる人々の名と題したる別の帳簿に右と同じ記入あり。但し名の綴方少しく相違せるものもあり。

一六二二年九月十八日

日本人トメー　バリのマリヤと

同　日

日本人パウロ　暹羅のマヨンと

一六二二年九月二十五日

日本人長崎のヨハン　バリのガニトレイと

一六二三年七月二日

日本人ヨアン・スワーレ

存生中自由なる市民たりしフランシスコ・ミランダの後家ヨアンナ・デ・リマと

一六二四年八月十一日

日本人マテウス

Februarij 16, 1620

Topats Japannees genaempt Gaspar met Ysanna van Bantam

Augustus 9, 1620

Djantsjok Japonnees met Maria van Balij

Bovengeschreven naemen zijn alle deghene die wij gevonden hebben in het trouwbouck van saliger Adriaen Jacobssoon Hulsebos.

Anno Domini 1622

18 September, 1622

Thome Japoneesch met Marija van Balij

Dijto

Paulo Japoneesch met Majon de Siam

25 September, 1622

Johan de Naggeseijck Japoneesch met Ganitreij de Balij

Anno Domini 1623

2 Julij, 1623

Joan Sware Japannees met

Joanna de Lima weduwe van Francisco Miranda in sijn leven geweest vrijborger

Anno Domini 1624

11 Augustus, 1624

Mathews Japannees met

パタニのセミュエン、今の名マリヤと

一六二五年一月五日

ミーセンの地より來れる青年アダム・クルーク

故シモン・トリイセン・ファン・ヒュリックの後家日本のスサンナと

一六二五年三月六日

スリンゴ○駿河のマンショ・ゴインツ○權市かバリのヤンネケンと

同　日

フィシイのコスメ・コルロ○婚姻帳にはフィシエン(肥前)のコスメ・コレオと記せり。バンタンのスサンナと

同　日

江戸のヂョゴ・ショウベ○庄兵衞　江戸のアールケンと

同　日

平戸のレウーン○婚姻帳にはルコンと記せり。　長崎のオルセラと

同　日

筑前のエンタ○源太か　バリのカタリナと

一六二六年九月二十四日

日本人の甲比丹大坂のミヒール　アドリヤーン・ファン・デル・ウェルフの後家バリのバルバラと

一六二七年七月八日

平戸の日本人ユー・ヨアン・ストリック　アドリヤーン・コルネリスセンの後家パタニのスサンナと

Semuen van Patania nu genaemt Maria

Den 5 Januarij, 1625

Adam Clouck jongman vijt het lant van Miessen met
Susanna van Japon weduwe wijlen Sijmon Trijssen van Gulick

Den 6 Maert, 1625

Mancio Goints van Sringo met
Janneken van Balij

Dito

Cosme Corlo van Visie met Susanna van Bantam

Dito

Diogo Sioube van Ijendo met Aelken van Ijendo

Dito

Leoen van Firando met Orsela van Langesacq

Dito

Jenta van Siouckousien met Catarina von Balij

24 September, 1626

Michiel van Osacka Capiteijn van de Japonders met
Barbara van Balij weduwe van Adrijaen van der Werff

Anno Domini 1627

8 Julij, 1627

Joe Joan Strick Japonneer van Ferando met
Susanna van Petanei weduwe ven Adriaen Cornelissen

一六二七年九月十六日

日本人ドミンゴス・フェルナンド　サン・トメーのアンヘラ・ピンタと

一六二九年

八月十六日　第　回目　○左の空所には卌と記しあり。三回の公告を了したることを示せるならん。

平戸のペドロ・ヤン・クレメンスゾーンの後家ビサイ○ビサイヤならん。のアンナと

一六三〇年

五月九日　第　回目　○前同樣の記號あり、以下同じ。

長崎の青年日本人ヨアン

ヒリス・ヘリッツゾーンの後家ソロルのスザンナと

七月十八日　第　回目

日本の都の青年トメー

ヘンドリック・ファン・チーレマンの後家ベンガラのユスタ・ズワレスと

日本の大村の青年アドリヤーン・レイス

ルイス・デ・シルバの後家コチンのウルセラ・デ・メスキテと

七月二十五日　第　回目

日本の長崎の青年ミハエル

ヤコブ・ヤンスゾーンの後家アンドラギリのマリヤと

一六三五年四月二十六日

第　回目

當市の市民なるアムステルダム生れの青年ヒューブレヒト・ファ

16 September, 1627

Domingos Fernando Japonnees met Angela Pinta van Sthome

Anno Domini 1629

Augustus 16, Voor de III reise

Pedro van Firando met Anna van Bysay weduwe van Jan Clemensz.

Anno Domini 1630

Maij 9, Voor de III reise

Joan Japonnees van Langesacke jonckgesel met Suzanna van Solor weduwe van Gillis Gerritsz.

Julij 18, Voor de III reise

Thomé jongman van Mijaco in Japan met Justa Zuares van Bengale weduwe van Hendrick van Tieleman

Adriaen Rijs jongman van Omera in Japon met Ursela de Mesquite van Cochin weduwe ven Louijs de [Sylva]

Julij 25, Voor de III reise

Michael jongman van Langesackije in Japon met Maria van Andragierij weduwe van Jacob Jansz.

Anno Domini 1635

Den 26 April Anno 1635

Voor de III Reijse

Hubrecht van den Broeck gheboortich van Amsterdam,

ン・デン・ブルーク

存生中當所の市民たりしアブラハム・マリスハルの後家日本平戸のフェンメチエと

一六三六年三月十三日

第　回目

日本の長崎生れの青年ヨワン元セビリヤのヤン・デ・フロリスの妻たりしベンガラのアンヘラと

一六三六年三月二十日

第　回目

日本の長崎の青年パウロ

日本人マテウスの後家パタニのマリヤと

一六三六年十一月二十日

第　回目

日本の長崎生れの青年ヨアン

亡日本人マテウスの後家パリ生れのヤンネチエと

一六三七年二月五日

第　回目

日本の長崎の青年ペドロ

ionghman burger deser stede met
Femmetie van Firando in Japan, weduwe van Abraham Marischal in sijn leven burgher alhier

Anno Domini 1636

Den 13 Martij Anno 1636

Voor de III Reijse

Joan gheboortich van Nangasacki in Japan ionghman met
Angella van Bengala, ghewesen huijsvrouw van Jan de Floris van Sevilien

Den 20 Martij Anno 1636

Voor de III Reijse

Paulo van Nangasacki in Japan ionghman met
Maria van Petani, weduwe van Matheus Japonder

Den 20 Novembris Anno 1636

Voor de III Reijse

Joan gheboortigh van Nangesaki in Japon, ionghman, met
Jannetie gheboortigh van Baly, weduwe van Matheus Japonder saliger

Anno Domini 1637

Den 5 Februarij Anno 1637

Voor de III Reijse

Pedro van Nangasaki in Japan iongman met

バタビヤ生れの若き娘アンネチエと

一六三七年二月二十六日

第　回目

日本の長崎生れの青年パウロ

自由なる婦人ボルネオのアンナと

一六三七年九月十日

第　回目

日本の長崎の青年ドミンゴス・ローケイ

若き娘モニカ・デ・コスタと

一六三七年九月二十四日

第　回目

日本の堺生れの青年ヨアン

自由なる婦人大ジャバのチェリボン生れのヤンネチエと

日本の長崎生れの青年ミヒール

故デルク・ヤンスゾーンの後家日本の長崎のウルセラと

一六三九年六月九日

第　回目

日本の長崎の青年ヨアン

故ユリヤン・ヤンスゾーンの後家バタビヤのデオニシヤ・デ・クラストと

Annetie [ ]ansdr geboortich van Batavia, ionge dochter

Den 26 Februarij Anno 1637

Voor de III Reijse

Paulo gheboortich van Nangasaki in Japan, iongman, met
Anna van Borneo vrije vrouw

Den 10 Septembris Anno 1637

Voor de III Reijse

Domingos Rookij van Nangasaki in Japan, iongman, met-
Monica de Costa ionghe dochter

Den 24 Septembris Anno 1637

Voor de III Reijse

Joan gheboortich van Sackaij in Japan, ionghman met
Jannetie gheboortich van Cerribon op Java Maior, vrije vrouwe

Michiel gheboortich van Nangasaki in Japan ionghman met
Vrsela van Nangasaki in Japan, weduwe van Dirck Jansz. saliger

Anno Domini 1639

Den 9 Junij Anno 1639

Voor de III Reijse

Joan van Nangasaki in Japan, ionghman met
Dionisia de Crasto van Batavia, weduwe van Juriaen Jansz. saliger

一六四二年一月九日 ○此項の左側に卌と記しあり、三回の豫告を了したるならん。

長崎生れの日本人基督敎徒フランシスコ

平戶の若き日本娘ヨハンナと

一六四二年二月二十七日 ○左方に卌の記號あり。

會社勤務の見習士官ブレーメンのハインドリック・ベーケ

ヒューブレフト・フェヌスの後家日本の平戶のスサンナと

一六四四年四月十四日 ○卌の記號あり。

會社勤務の青年少尉英國ファルミエンのミヒール・トレソイル

日本の平戶の若き娘エステル・ファン・ニウローデと

一六四六年三月八日 ○記號の下に結婚せりと記しあり。

長崎のマグダレナの鰥夫長崎生れの日本人ミヒール

バタビヤの若き娘ヤンネケと

一六四六年五月二十四日 ○同上

日本長崎の青年ヤン

パンパンガ人フランシスコ・アトカラスの後家コチンのマリヤ・バレラと

Den 9 Januarij, 1642

III Francisco Christen Japonder gheboortich van Langesackij met Johanna japonsche jonge dochter van Firanda

Den 27 Februarij, 1642

III Heindrick Beke van Bremen alderborst in dienst van de E. Compagnie met Susanna van Firanda in Japon weduwe van Hubrecht Venus

Den 14 April, 1644

III Michiel Tresoir van Valmijen in Engelant vaendrich in dienst der Compagnie jongman met Ester van Nieurode van Firande in Japan jonge dochter

Den 8 Martij Anno 1646

III getrowt Michiel Japon geboortich van Nangesacke, weduwenaer van Magdalena de Nangesackie met Janneke van Battauia jonge dochter

Den 24 Meij Anno 1646

III getrouwt Jan van Nangesaki in Japan jongman met Maria Parerа de Cochyn weduwe van Francisco Atcaras Papanger

一六四六年十月二十五日 ○同上

バンダのイサベラの鰥夫當バタビヤ城の門衛ドルニツクのジヤツクス・デ・ホクキン

船長アールツェンの後家日本人マグダレナと

一六四六年十一月二十九日 ○同上

會社勤務の試補平戸の青年シモン・シモンセン

長崎生れの若き娘ヒェロニマ・マリヌスと

一六四七年十月三十一日

○記號の下に十一月十七日結婚と記しあり。

會社勤務の青年伍長ストラスブルグのガリス・ホルストカツペル

日本生れの若き娘マグダレナ・グロベ ○五郎兵衛の娘ならん。 と

一六五〇年十一月十日

○記號の下に一六五〇年十二月十一日結婚と記しあり。

故アンナ・ガスパルの鰥夫當市の住民ロセルのルニール・ブリユートー　存生中會社勤務の軍曹たりし故ヒノス・フェルビューレンの後家長崎のアンナと

Den 25 October Anno 1646

III getrouwt — Jacques de Hocquin van Dornik portier deses casteels Batavia, weduwenaer van Jsabella van Banda met Magdalena Japan weduwe van schipper Aertsen

Den 29 November Anno 1646

III getrouwt — Simon Simonssen van Firande assistent in dienst van d' E. Compagnie jongman met Hieronima Marinus jonge dochter, geboortich van Nangesackie

Den 31 October, 1647

III getrouwt den 17 November — Gallis Holstcappel van Strassburg corporael in dienst der E. Compagnie jongman met Magdalena Grobe geboortigh van Jappan jonge dochter

Anno Domini 1650

Den 10e November, 1650

III getrout den 11e December 1650 — Renir Bleuteau van Rochelle, burger deser stede, weduwnaer van zaliger Anna Gaspar met Anna van Langesack van Amsterdam, weduwe van zaliger Gillis Verburen in sijn leben sergeant in dienst der E. Compagnie

一六五〇年十一月二十四日

〇記號の下に一六五〇年十二月十一日結婚とあり。

日本のマグダレナの鰥夫バタビヤ城の門衛ドルニックのジャックス・デ・ヨケヨ

存生中當市の住民たりしピーテル・ファン・サンテンの後家コロマンデル海岸のアンナと

一六五一年二月二十二日

〇扎の記號あり。

會社勤務の試補バタビヤの青年ヘルマン・クリストフェル

バタビヤの若き娘バルバラ・イチエモン〇市右衛門の娘と

一六五二年六月〇數字不明日開始の內地人婚姻帳

一六五五年七月二十二日

〇才の下に一六五五年八月八日結婚とあり。

故アントニカ・デ・コスタの鰥夫當地のマレヂーカス隊の中尉日本人アントニー　　　　バリの若き娘ルシヤと

一六五五年十二月九日

〇記號の下に一六五六年一月九日結婚と記しあり。

故ベンガラのアンニカの鰥夫當所居住長崎生れの日本人基督敎徒ヨハン・セーモン〇清右衛門か

Den 24e November, 1650

III getroud den 11e December 1650	Jacques de Joquejo van Dornick, portier des Casteels Batavia, weduwenaer van Magdalena van Jappon met Anna van de Cust Chormandel, weduwe van Pieter van Santen in sijn leven burger deses stede

Den 22e Februarij, 1651

II	Herman Christoffel van Batavia, assistent in dienst der E. Compagnie jongman met Barbara Itchiemen van Batavia jonge dochter

---

Inlandsche Trouboeck beginnende den [ ] Junij, 1652

Den 22e Julij, 1655

I getrouwd den 8en Augusti 1655	Antonij Japon, Lieutenant op de Compagnie maredijkas alhier weduwenaer wijlen Antonica de Costa met Lucia van Bali, jonge dochter

Den 9e December, 1655

III getrouwd den 9en Januarij 1656	Johan Sjemon, Christen Japander geboortig van Nangasaki, ingeseten alhier, weduwenaer wijlen Annica van Bengale met

存生中會社勤務の貿易事務員たりしアウヒュスチン・ミュルレル
の後家平戸のスサンナ・ミュルレルと

一六五六年二月十日

○記號の下に一六五六年三月十二日結婚と記しあり。

當市居住の青年バタビヤのヘンドリック・スヘルトーヘンラート
日本人ミヒール・ボイゼーモン（○武左衛門か）の棄てたる妻にして同じく
バタビヤ住居のアンネケンと

Susanna Muller van Firando, weduwe wijlen Augustijn Muller in sijn leben coopman in dienst der E. Compagnie

Den 10e Februarij, 1656

III getrouwd den 12en Martij 1656 — Hendrik 'sHertogenraed van Batavia, inegseten deser stede jongman met Anneken mede van Batavia, verlatene huijsvrouw van Michiel Boijsemon Japander

附録第二號

婚姻帳　一六二一年至一六四九年

バタビヤ市地方文書館所藏文書

婚姻をなさんと欲する者の名の告知の覺書。一六二一年十月二十四日より始む。

バタビヤに於て

一六二四年四月

同七　日　日本のペドロ・ゴンサロ
マラッカのアポロニヤと

同二十一日　ヤン・ヤンセ・ファン・ハインデ
日本より來りしオマンと

同　日　レウエルデンのヤコブ・ヘルリッツ・ファン・ヘルデイト
日本の田平のオッチソと

同　日　デルク・ハンスゾーン・ファン・セルダム
日本の長崎のヨハンナと

同　日　スヒーダムのハインドリック・ヘスペルセン
日本の平戸のマリヤと

一六二四年五月

同十二日　コーリノイールのヤン・ヘルリツェ
日本の江戸のオマツ、今ツーチーと稱する者と

Trouwboek 1621-1649

('s Lands Archief, Batavia BS. 53)

Notitie van d'afcondinghe der namen dergener die haer in houlijck willen begeven. Beginnende adij 24 October Anno 1621.

B. In Batavia.

[Getrout] April 1624

7 dyto Pedro Gonsallo van Japon met
Apolonia van Malacka

21 dyto Jan Janse van Heinde met
Oman wt Japon

dyto Jacob Gerrits van Heldijt van Lewerden met
Ottiso van Tabera in Japon

dyto Dirck Hansz. van Serdam met
Johanna van Langisackie in Japon

dyto Heindrick Hespersen van Schiedam met
Maria van Firando in Japon

Meij 1624

12 dijto Jan Gerritse van Coorinoir met
Omats van Jedou in Japon nu genamt Toetie

一六二五年三月六日　第　回　○空所には III と記しあり。

スリンゴ○駿河のマンショ・ゴインツ○檻市か　バリのヤンネチエと

肥前のコスメ・コレオ　バンタンのスサンナと

江戸のヂョゴ・ショウベー○庄兵衛　江戸のアールチエと

平戸のルコン○ルソンならん　長崎のウルセラと

筑前のエシタ○源太か　バリのカタリナと

一六二六年九月二十四日

第　回目　○空所に卅と記しあり、三回の告知を了したるならん。

日本人の甲比丹大坂のミヒール

アドリヤーン・ファン・デル・ウェルフの後家バリのバルバラと

一六二七年七月八日　○傍註に結婚せずとあり。

平戸の日本人ヨアン・ストリック

アドリヤーン・コルネリスセンの後家バタニのスサンナと

一六二七年九月十六日

第　回目　○空所に上のに似たる記號あり。

日本人ドミンゴス・フェルナンド

サン・トメーのアンヘラ・ピンタと

ジヤカトラ王國に在るバタビヤの會堂に於て結婚したる者。

1625 Maart 6　Voor de III reijse

Mancio Goints van Sringo met Jannetje van Baly

Cosme Coreo van Fisien ende Susanna van Bantam

Diogo Sioube van Ijendo　met　Aeltgi van Ijendo

Lucon van Firando　met Oursela van Langesacq

Ijenta van Sjoukousjen　met Catharina van Baly

1626 September 24

Voor de III reijse

Michiel van Osacka Capiteijn van de Japonders　met

Barbara van Balij, weduwe van Adriaen van der Werf

1627 Julij 8

ongetrout

Joan Strick Japonner van Firando　met

Susanna van Patane, weduwe van Adriaen Cornelissen

1627 September 16

Voor de III reijse

Domingos Fernando Japonnees　met

Angela Pinta van St.　Thome

Getroudt in de Kercke tot Batavia int Conincrijck van

Jacatra

一六二九年八月十六日

第　回目 ○同前

平戸のペドロ

ヤン・クレメンスゾーンの後家ビサヤのアンナと

一六三〇年五月九日

日本の長崎の青年ヨアン

ヒリス・ヘルリッツゾーンの後家ソロールのスサンナと

一六三〇年七月十八日

第回　目 ○同前

日本の都の青年トメー

ヘンドリック・チーレマンスの後家ベンガラのユスタ・ズワーレスと

日本の大村の青年アドリヤーン・レイス

ルイス・デ・シルバの後家コチンのウルセラ・デ・メスキタと

一六三〇年七月二十五日

第　回目 ○同前

日本の長崎の青年ミヒール

ヤコブ・ヤンスゾーンの後家アンドレギリのマリヤと

一六三三年十二月　日 ○日の所缺損あり。

○右側に卅と記しあり。

故シシリヤ・ピニエーロの鰥夫パルマのガスパル・ピニエー

II A 1629 Augustus 16

Voor de *III* reise

Pedro van Firando met

Anna van Bisay, weduwe van Jan Clemensz.

1630 Maij 9

Joan van Langasacci Japponecs jonckgesel met

Susanna van Soloor, weduwe van Gillis Gerritsz.

1630 Julij 18

Voor de III reijse

Thomé jongman van Meaco in Japon met

Justa Zuares van Bengale, weduwe van Hendrick Tielemans

Adriaen Rijs jongman van Omera in Japon met

Ursela de Mesquita van Cochin, weduwe van Louijs de Sylva

1630 Julij 25

Voot de III reijse

Michiel jongman van Langesacky in Japon met

Maria van Andregyry, weduwe van Jacob Jansz.

II B

〔 〕 December 1633 III

Gaspar Pinjeero van Barma, weduwenaer wijlen Sijsijlia

ロ

故ニコラース・ヘルリットの後家日本のマリヤ・デ・ファーレと

一六二三年

日本人ヨアン・スワーレ

存生中自由の市民なりし フランシスコ・ミランドの後家ヨアンナ・デ・リマと ○七月二日結婚と傍註あり。

一六三五年四月二十六日、木曜日 ○此項の左に𣎴にと記しあり。

當市の市民なるアムステルダム生れの青年ハイブレフト・ファン・デン・ブルーク

アブラハム・マリスハールの後家フェンメチエン・テン・ブルークと

一六三六年三月十三日木曜日 ○同上但し記號に多少の相違あり。

當所のマルダイケルなる日本の長崎生れの青年ユワン

元セビリヤのヤン・デ・フロレスの妻たりしベンガラのアンスヘラと

當所のマルダイケルなる日本の長崎生れの青年パウロ

日本人マテイスの後家パタニのマリヤと

一六三六年十一月二十日木曜日 ○同上

當所のマルダイケルなる日本の長崎生れの青年ユワン

Pinjeero met

Maria de Vale van Japon, weduwe wijlen Nicolaes Gerrit

A. D. 1623

1/2/3 getrout den 2 Julius

Joan Sware Japannees met

Joanna de Lima, weduwe van Francisco Mirando in siin leven geweest vrijborger

Donderdach adij 26e. April 1635

III Huijbrecht van den Broeck geboortich van Amsterdam jongman burger deser stede met

Femmetien ten Broeck, weduwe van Abraham Marischael

Donderdach adij 13 Martij Anno1636

III Juan geboortich van Nangesackje in Jappan jongman ende mardijcker alhier met

Ansgela de Bengala, geweesen huisvroue van Jan de Flores van Sevilljen

III Paulo geboortich van Nangesackje in Jappan jongman mardijcker alhier met

Marija van Petanij, weduwe van Mattijs Japander

Donderdach adij 20 November 1636

III Juan geboortich van Nangesacqje in Japan jongman

日本人マテウスの後家バリ生れのヤンネチエと

一六三七年二月五日　木曜日 ○同上

當所のマルダイケルなる日本の長崎生れの青年ペドロ

當所生れの若き娘アンネチエと

一六三七年二月二十六日　木曜日 ○同上

當市のマルダイケルなる日本の長崎生れの青年パウロ

自由なる婦人ボルネオのアンナと

一六三七年九月十日　木曜日 ○同上

當所のマルダイケルなる日本の長崎生れの青年ドミンゴス・ローケイ

若き娘モニカ・デ・コスタと

一六三七年九月二十四日　木曜日 ○同上

當所のマルダイケル日本の堺生れの青年ユワン

自由なる婦人チェリボン生れのヤンネチエと

當所のマルダイケルなる日本の長崎生れの青年ミヒール

存生中當所の自由なる市民なりしヂルク・ヤンスの後家長崎

ende mardijcker alhier met
Jannetje geboortich van Balij, weduwe van Mattheus Japander

Donderdach adij 5e Februarij Anno 1637

III Pedro geboortich van Nangasacque in Japan jongman ende mardijcker alhier met
Annetje geboortich alhier jonge dochter

Donderdach adij 26 February Anno 1637

III Paulo geboortich van Nangesacque in Japan jongman ende mardijcker deeser steede met
Anna van Borneo vrije vrouwe

Donderdach adij [10] September 1637

III Domingos Roockij geboortich van Nangesacke in Japan jongman ende mardijcker alhier met
Monica de Costa jonge [dochter]

Donderdach adij 24 September 1637

III Juan geboortich van Zackaij in Japan, jongman ende mardijcker alhier met
Jannetje geboortich van Cerribon vrije vrouwe

III Michiel geboortich van Nangesacque in Japan jongman en mardijcker alhier met
Ursela van Nangesacque, weduwe van Dirck Jans in

のウルセラと

一六三九年六月九日、木曜日 ○同上

長崎生れの日本人青年ズワーン

ユリヤーン・ヤンセンの後家バタビヤ生れのデニエ・デ・クラスと

一六四〇年一月二十七日、木曜日 ○同上

マルダイケルなる青年アントニー・デ・コスタ

日本人パウエルの後家バリのエッペラと

一六四〇年五月十七日、木曜日 ○同上

日本人基督教徒長崎の青年ヨアン

バタビヤ生れの若き娘アドリヤーンチエンと

一六四〇年七月十二日、木曜日

長崎の青年ピーテル ○同上

パタニの若き娘ルイシヤと

長崎の青年ミヒール ○同上

パタニの若き娘マリヤと

長崎生れの青年ペドロ ○同上

平戸生れの若き娘ルシヤと

一六四一年四月十一日、木曜日 ○同上

ベンガラのベロソール出のマルダイケルなるベンツーラ・デ・ロザイル

日本人ドミンゴ・ローケイの後家モニカ・デ・コスタと

sijn leven vrijburger alhier

Donderdach adij 9en Junij 1639

III Swaen Japander jongman geboortich van Langesackij met
Denije de Cras geboortich van Batavia, weduwe van
Juriaen Janssen

Donderdach den 27en Januarij 1640

III Antonij de Kosta mardijcker jonghman met
Jebbella van Balij, weduwe van Pouwel Japandar

Donderdach adij 17en Maij 1640

III Joan van Nangesacque Christen Japander jongman met
Adriaentjen geboortich van Batavia jonge dochter

Donderdach adij 12en Julij 1640

III Pieter van Nangesackij jongman met
Lowisia van Patanij jonge dochter

III Michiel Nangesackij jongman met
Maria van Petanij jonge dochter

III Pedro geboortich van Nangesackij jonghman met
Lusia geboortich van Firando jonge dochter

Donderdach adij 11e April Anno 1641

III Ventura de Roseijl van Bellosoor in Bengala mardijcker
met
Monica de Costa, weduwe van Domingo Roockij Japander

一六四一年十月二十四日、木曜日 〇同上

基督教徒なる支那人青年アントニー・ウイルレムス

日本人ヨハイ 〇與兵衛か。の後家チモールのスサンナと

一六四二年一月二十二日、木曜日 〇同上

當所の自由なる住民にして基督教徒なる日本人青年長崎のミハエル

基督教徒なる日本の若き娘長崎のマグダレナと

一六四二年五月一日、木曜日 〇同上

自由なる青年基督教徒平戸の日本人ヨハン

基督教徒にして自由なる若き娘平戸のアンナと

一六四二年十二月四日 〇同上

當市のマルダイケルなるスシーネ 〇伏見の誤ならん の日本人ヨハン

存生中當所の自由なる市民なりし故ヤコブ・ファン・ユトレヒトの後家マリヤ・デ・コスタと

一六四三年二月五日 〇同上

長崎の青年ペドロ

平戸の若き娘ヨハンナと

一六四三年六月十八日、木曜日 〇同上

鰥夫長崎のドミンゴス

マレー人ヘンドリックの後家バリのヤンネチエ・マルテンス

Donderdach den XXIIII October 1641

III Anthonij Willems Christen Chinees jonkman met
Susanna van Timoor, weduwe van Johai Japan

II D Donderdach den 22 Januarij 1642

III Michael van Langesackij Christen Japonder, vrij inwo-
onder'alhier, jongman met
Magdalena van Langesackij, Christene, Japonsche jonge
dochter

Donderdach den eersten Meij 1642

III Johan Japonder van Firanda vrij, Christen jongman met
Anna van Firanda, vrij Christene jonge dochter

Adij 4e December 1642

III Johan Japander van Susiene [Fusieme] mardijcker deser
stede met
Maria de Costa, weduwe van saliger Jacob van Wtrecht
in sijn leven vrij burger alhier

Den 5e Februarij 1643

III Pedro de Nangasackje jongman met
Johanna van Firando jonge dochter

Donderdach den XVIII Junij 1643

III Domingos van Nangasackje weduwenaer met
Jannetje Martens dr. van Balij, weduwe ven Hendrick

と

一六四三年十月十五日、木曜日

バリのスサンナの鰥夫サン・トメーのアントニー 〇左方に⊠と記しあり。

日本人パウルスの孤女マリヤ・バタニヤと

バタニの青年ピーテル 〇同上

日本人ウノン・ピーテルスの孤女カタリナと

一六四四年一月二十一日

長崎生れの日本人青年ミヒール・デエス

ヤン・デ・ロサの孤女アンナ・デ・ロサと

一六四四年三月三十一日 〇十と記しあり。

當市の住民にしてドミンガ・デエスの鰥夫なる長崎のトマス

トメー・デ・ビベロの後家ピュネヤ・デ・ロサと

此の結婚が法律上の理由に依りて中止せられたる事は、本月二十一日司法委員會に登錄せる當事者の請求及び其の適當なる處理に依りて明白なり。

一六四四年七月十四日 〇⊠と記しあり。

長崎の青年ルイス

Maleijer

Donderdach den 15e October 1643

II Anthonij de St. Thome weduwenaer van Susanna van Baly met

Maria Patania weise van Paulus Japander

II Pieter van Patania jongman met

Catarina waise van Ounon Pieterss. Japander

De 21e Januarij 1644

III Michiel Dies Japander geboortich van Nangesackje jongman met

Anna de Rosa weise van Jan de Rosa

Den 31 Martij 1644

Thomas van Nangasackje, weduwenaer van Dominga Dies burger deser stede met

Punea de Rosa, weduwe van Thome de Vivero

Dese geboden sijn door wettelijcke oorsaecken opgehouden als blijckt per request der partije op den 21 dito geregistreert in waerdige Collegie van Schepenen omme bij hetselve gedisponiert geworden naer behoren.

Den 14en Julij 1644

III Louwijs de Nangesackje jongman met

自由なる婦人平戸のカタリナと

一六四六年五月二十四日 〇同上

日本の長崎の青年ヤン

パンパンガ人フランシスコ・アトカラスの後家コチンのマリヤと

一六四八年十月二十二日 〇同上

當市の住民にして亡マラッカのアンヘラの鰥夫なる日本人基督敎徒長崎のヨアン　存生中會社勤務の兵卒たりし故バルトロメウス・アレントゾーンの後家アラカンのアンニカ・アレンツと

Catarina de Firando vrije vroue

Den 24 Meij 1646

III Jan van Nangasackj, in Japan jongman met

Maria de Cochijn, weduwe van Francisco Atcaras Papanger

Adij 22 October Anno 1648

III Joan Nangesacky Christen Japander en ingeseten deser stede, weduwenaer van den overleden Angela de Malacca met

Annika Arents van Arraccan, weduwe van wijlen Barthololomeus Arenthz. in zijn leven soldaet in dienst der E. Compagnie.

附錄第三號

ネーデルラント聯合東印度會社に三箇年の期限を以て傭入れ、スヒップ船エンクハイゼン及びジャンク船フォルタインにて日本を出で、バンタン又は他の地に着きたる後、用次第にて船夫兵卒其の他として使役に應ずる契約をしたる日本人の名簿○ハーグ文書館所藏文書。添付の契約書は元和元年十一月十一日附なり。

大阪のクスノキ・イツィエモン Kusnokij Itsiemon ○楠市右衞門

高等船員　一〇《一ケ月》レアル・ファン・アハテン

其の僕ローコゾー Roocksoo ○六藏　八マース

長崎のサッカナイ Saccaneij ○魚屋か　（舵工）タイコン. Thaicon 卽ち楫取　五テール

長崎のトメー Thome ○トメ　（亞班）アッパン Appan 卽ち檣に登る者　五テール

平戸のセエモン Cejemon ○清右衞門　（一仟）イテム Item 卽ち大檣の帆の第一の綱を扱ふ者四、四《テール》

長崎のイツィゾー Itsisoo ○市藏　（二仟）二チム Nitim 第二の綱　三、六《テール》

平戸のユキツィ Jukitsij ○勇吉　（三仟）三チム Samptim 第三の綱　三、六

長崎のユエゼロー Jueseroo ○勇次郎　ツコン Tu:on 大綱を扱ふ者　三、六

長崎のヨサッコ Josacko ○與作		同	三、六
ソエモン Soijemon ○宗右衞門	（頭掟）タウチム Tautim	碇を扱ふ者	四、四
スチエモン Stiemon ○七右衞門		同	三、六
スチビヨエ Stibioje ○七兵衞	（杉坂公）シャンパンコー Champankoo	船上の監督、兼ねて前帆を扱ふ者	三、六
マタイシ Mataisij ○又市		船大工	三、四
ソジンロー Sosinroo ○宗次郎		同	三、四
シンタロー Sintarro ○新太郎		家大工	三、二
マンゴビヨエ Mangobioje ○孫兵衞		同	三、二
ミゲル Miguel ○ミゲル		同	二、八
トジロー Tósiroo ○藤次郎		同	二、六
クビヨエ Kubioje ○九兵衞		船夫	二、四
クイゼロー Kuiseroo ○久次郎		同	二、四
アントニヨ Anthonio ○アントニヨ		同	二、四
ミクゲル Mickguel ○ミゲル		同	二、四

フィコファツィ Fikofatsij ○彦八	船夫	二、四
ショザ Sjosa ○庄左衛門	同	二、四
ゲインスチ Gejnstij ○源七	同	二、四
チョゾ Tsioso ○長藏	同	二、四
パウロ Paulo ○パウロ	同	二、四
ルイス Luys ○ルイス	同	二、四
マタビョエ Matabioije ○又兵衛	同	二、四
ユアン Juan ○ジョアン	同	二、四
トビヤス Tobias ○トビヤス	同	二、四
クロボ Crobo ○九郎兵衛	同	二、四
ファインスチ Faijnstij ○半七	同	二、四
シンゼロー Sijnseroo ○新次郎	同	二、四
シンザ Sinsa' ○新左衛門	同	二、四
キゾー Kisoo ○喜藏	同	二、四
キウケ Kiucke ○久吉	同	二、四

シロサッコ Sirosacco ○四郎作　同　二、四
ゴンゼモン Gonsemon ○權左衞門　同　二、四
キツィエモン Kitsiemon ○吉右衞門　同　二、四
キウスチ Kiustij ○久七　同　二、四
ミクゲル Mickguel ○ミゲル　同　二、四
ペドロ Pedro ○ペドロ　同　二、四
キウザブロ Kiusabroo ○久三郎　同　二、四
ファンザブロー Fansabro ○半三郎　同　二、四
キタロー Kitarro ○喜太郎　同　二、四
コ・ユアン Kojuan ○コー・ジョアン　同　二、四
キツゼモン Kitsémon ○吉左衞門　同　二、四
カフィヨエ Kafioje ○嘉兵衞　同　二、四
アマカワ・ユアン Amaccauwa Juan ○天川ジョアン　同　二、四
サクゾ Sakuso ○作藏　同　二、四
ションゲロー Siongeroo ○庄五郎　同　二、四

マチヤス Mathias 〇マチヤス　同　二、四
アンドレ Andre 〇アンドレヤ　同　二、四
サンキツイ Sankitsij 〇三吉　同　二、四
コインゼロー Coinseroo 〇金次郎　同　二、四
イツイノシン Itsinosin 〇市之進　シンゼロー Sienseroo 〇新次郎　馬丁　二、八
ファンザイモン Fansaijmon 〇半左衛門　同　二、四
アントニヨ Anthonio 〇アントニヨ　家大工　三、二

附錄第四號

ヤン・ピーテルスゾーン・クーンの決議錄の寫　一六一九年二月五日
至八月三日　〇ハーグ文書館所藏文書 Kol. Arch. 981

一六一九年七月十八日、木曜日、

次に掲ぐる日本人は彼等の期限滿了せるが、更に三年間陸上に於て會社に勤むる爲め再び採用され、左の給與を受くべし。

日本人トンベ Tombe 〇附錄第三號のトビヤスに當るか　スヒップ船
エンクハイゼン Enckhuijsen にて當地に來りし者　四、半《レアル》

スホイツ Schoijts 〇附錄第三號に此の名なし　帆船エンクハイゼンにて
日本より來りし者　四、半

イツイゾ Ittsiso 〇市藏　ローデンスタイン Lodensteijn の
ジャンク船 〇デ・フォルタイン にて來りし日本人軍曹　六、半

トゾー Thosoo 〇附錄第三號に此の名見えず　帆船エンクハイゼンにて日
本より來りし者　四、半

クロボー Crobóo 〇九郎兵衛　前記エンクハイゼンにて來りし者　四、半

ヨハン・ファンゾ Johan Fanso 〇半三郎又は半左衛門　前記の船にて
日本より來りし者　四、半

マカウ・ヨアン Maccau Joan 〇天川ジョアン　エンクハイゼンに
て來りし者　五、四分の三

日本人シセコ Siceco　レーウ・メット・パイレン Leeuw met Pijlen にて來りし者　　五、四《レアル》分の一

コスメ・コルレ Cosme Corre　アドミラル・ファン・デル・ハーヘン　がマラッカ海峽に於て捕虜としたる者、

自今一箇月下記の給與を受くべし　　三、

ジャカトラ城に於て議決 〇署名略

附錄第五號

一六二〇年一月二十二日現在員名簿 〇ハーグ文書館所藏文書 Kol. Arch. 982

ジャカトラの城中幷に城外の兵營に在る士官兵卒及び日本人の名簿 〇中略

日本人

イツイゾ Itsiso 〇市藏	一箇月所得	六、半《レアル》

クロンベヨ　Crombeo　○九郎兵衛　四、半

トンベ　Tombe　○藤兵衛　四、半

トゾー　Thosoo　○藤藏　四、半

マクカウ・ヨアン　Machcou Joan　○天川ジョアン　五、半

シセコ　Siceco　四、半

ゴザイモン　Gosaimon　○五左衛門　三、

サーンスケ　Saanske　○三助　三、

キヨザイモン　Quiosaimon　○久左衛門　三、

センガロ　Sengaro　○仙五郎　三、

キフイヨエ　Quifioye　○喜兵衛　三、

カクスケ　Kacxke　○角助　三、

リヤオン　Liaon　○レオン　三、

トウゼ　Thoese　○藤左衛門　三、

キツエルケ　Kijtceroeke　○吉六　三、

キスト　Quist　○喜七　三、

チウスケ Tschiusque ○忠助　三、
トロンゼ Thoronse ○太郎左衛門　三、
ヤン・ヤフエオエ Jan Jafeoije ○彌兵衛　三、
トンザ Thonsa ○藤左衛門　三、
ミギール Migier ○ミゲル　三、
スヘタ Scheta ○助太　三、
トイザ Thoisa ○藤三　三、
トンゼレ Thonsere ○藤次郎　三、
サイアモン Saijamon ○才右衛門　三、
ソフエオエ Sofeoije ○左兵衛　三、
トアイト Thoaijth ○藤市　三、
ハイヤモン Chaiamon ○兵右衛門　三、
シチゾー Sitisoo ○七藏　三、
サケアイモン Sacqueaimon ○作右衛門　三、
ケサブロー Quesabroo ○喜三郎　三、

サンケチ Sankẹtche ○三吉　三、
サーコゾエモン Saeckosoemon ○作左衞門　三、
キローフアウト Qiroofaut　三、
フイコセク Ficquoseeck ○彥作　三、
セーキチ Seekitche ○淸吉　三、
チヨスケ Tschosque ○長助　三、
キエモン Kiejemon ○喜右衞門　三、
トウズー Thousoe ○藤藏　三、
キースチエ Quiesttge ○久七　三、
キチゼオ Kitgeseo ○吉藏　三、
クスケ Koesque ○九助　三、
シーチエ Sietche ○七　三、
カウケイト Kouqeijto ○高吉　三、
ゼニモン Jenimon ○善右衞門　三、
チヨーゾー Tjoosoo ○長藏　三、

テコンターンデ Tekontaende　三、

チャウベー Tjoubee ○長兵衛　三、

ヤウザイエモン Jousaiemon ○與左衛門　三、

イチゼロー Ijtgeseroo ○市次郎　三、

キアイモン Quiaimon ○喜右衛門　三、

サーケスケ Saeckesque ○作助　三、

クサーク Koesaeck ○九作　三、

キースト Quiest ○久七　三、

サーンエモン Saenemon ○三右衛門　三、

スヒケロー Schickeroo ○助九郎　三、

ガセザイエモン Gassesaiemon ○安左衛門　三、

キンゲロー Quingeroo ○金五郎　三、

キサク Quisack ○喜作　三、

ヤイスト Jaijst ○矢七　三、

イセベル Jsebel ○イサベル　三、

マンゲロー Mangero ○萬五郎　三、
シンケツ Sinckets ○新吉　三、
ルーイス Louwijs ○ルイス　三、
ツイセロー Tuijsero ○忠次郎　三、
ミヒール Michiel ○ミヒール　三、
ユーファイツ Joefaicts ○勇八　三、
ヨフエセロ Jofgesceroo ○與八郎　三、
ヤン・ピーテルセン Jan Pietersen　三、
ユワン Jouan　三、
フランシスコ Francisco　三、

附録第六號

バタビヤに於ける決議録 ハーグ文書館所藏文書 Kol Arch. 994

一六二四年七月二十六日、バタビヤに於て

日本人トーゾ Toso 〇藤藏 は數年前暹羅航路のジャンク船デ・ホーペに於て、又日本平戸の商館に於て會社に勤め、現在は當所の自由なる市民なるが、再び會社に採用し、ヤハト船クレーン・ゼーラントにて暹羅に送り、同所に於て勤務せしむることとなし、本日以降勤續中一箇月十レアル・ファン・アハテンを支給すべし。

〇下略

附録第七號

議院の諸公、公爵閣下及び特許ネーデルラント聯合東印度會社重役諸君に代り、印度の諸城、町、商館、船舶及び貿易を管理する總督ヤン・ピーテルスゾーン・クーンは、本狀を見又は讀み聞かせらるゝ諸人に告知す。我等は最近デ・モルヘンステルレに乘りてバタニより當地に來りし日本人チョーゾー Tsiosoo の願に依り、其の會社勤務を解き、當所又は印度の他の町に於て議院の諸公、公爵閣下及び重役諸君の支配下に、我等の命令に服し、自由市民として住居を定め、漁業手工業其の他海陸の公許されたる一切の商業を行ひ、我が通行證を持ちて一所より他所に赴き、會社に損害を及ぼさず、重役及び我等幷に當該地方の城町及び商館の首長が貿易其の他に付きて定め又は今後定むべき法規を守りて適當と認むる一切の許容されたる手段を用ふる事を許可す。

一六二〇年七月十二日　ジャガトラ城に於て。

ヤン・ピーテルスゾーン・クーン(自署)

(Jan Pieterszoon Coen, Bescheiden omtrent zijn bedrijf in Indie IV 735)

附錄第八號

一六二二年一月二十三日以來バタビヤの教會に於て洗禮を授けられたる人々の名 〇ハーグ文書館所藏文書 Kol. Arch. 990

一六二二年四月三日

信仰箇條を適當に復誦したる後、ヘーレ街の日本人アンドレヤス Andreas とヤスペル、パニエール Jasper Panjeer の左の奴隷等に洗禮を授けたり。

スサンナ Susanna

男名親 ヤスパール・ピニエール Jaspaer Pinjeer

女名親 バンコの妻ヨアンナ Joanna huisvrouwe van Banco

小僕 フランシスコ Francisco

男名親 ペドロ・ロトリゴ Pedro Rodrigo

女名親 ハインドリック・ヤンスゾーンの妻

エスペランス Esperance huisvrou van Heyndrick Jansz.

右兩人はヤスペル・プニエール Jasper Punjeer の所有なり。

一六二二年四月三日バタビヤに於て。

前記の奴隷の外にアンドレヤス・ロトリゴ Andreas Rodrigo の所有する者に洗禮を授けたり。

イサベラ Isabella
男名親　ペドロ・バギ Pedro Pagi
女名親　サルバドールの妻グラシヤ・リベルレ Gracia Ribelle huisvrouwe van Salvadoor

アントニカ Antonica
男名親　アントニー・バルトロメウ Anthoni Bartholomeu
女名親　サン・トメーのアンナ Anna van S, Thome

五月八日
日本人ミンゲール Mingeer 幷にバリのマリヤ Maria の子なる小僕サルバドール Salvador に洗禮を授けたり。
男名親　日本人トバト〇藤八か Thobatho Japonnees

女名親　日本人ペドロ Pedro の妻パタニのカタリナ Catharina
一六二二年八月二十八日
又バリのマッカル Maccar に洗禮を授け、マグダレナ Magdalena と命名し、日本人パウロ Paulo と結婚せしめたり。
一六二二年九月二十五日
バリのガントリー Gantry に洗禮を授け（〇名の記入なし）と名附け、次で日本人長崎のヤン Jan と結婚せしめたり。（〇婚姻登錄簿一六二二年九月十八日同二十五日の條參照）

附錄第九號

バンタンに於ける決議錄（〇ハーグ文書館所藏文書 Kol. Arch. 975）

一六一六年十一月二十四日、木曜日、バンタンに於て。

長き間忠實に會社に勤めたる日本人アンドレヤス・ロトリゲス Andreas Rodrigues

を三年の期限を以て試補として採用し、一箇月二十グルデンにて會社に勤務せしむる事とす。

エー・ペー・クーン、ペー・デ・カルペンチール
等署名

附錄第十號

一六五一年八月七日、オランダ及び蘭領印度の法院に於て認められ、バタビヤ市に住居を有する公證人たる予アントニー・ハイスマンの前に、會社に職を有せる司令官アベル・ヤンスゾーン・タスマン Abel Jansz, Tasman 出頭し、下記の證人等立會の上、市内居住の日本人基督敎徒イチエモン Itchiemon に、市外約半哩の貸主所有田園の北に當るオーステルフェルト Oostervelt に在る森を貸付けたる事を承認し、イチエモンも亦出頭して、去る七月一日を以て始り一六五二年六

月末日を以て終る一年の期間之を借受け、八人乃至十人以内を使用し、同一期間貸主より借受けたる奴隷六人と協力して、借主の希望し又右の人數を以て成し得る限り多く伐木をなし、奴隷は右の森のみならず又借主の田園に於ても使用し、森の賃借料として二十、又奴隷六人の傭賃として三十レアル・ファン・アハテン、合計五十レアル・フン・アハテン、但し四十八ストイフェル換算を毎月遲滯なく確實に仕拂ひ、一箇年の終に至りて完了する約束をなしたる事を承認し、當事者は一身及び財產を以て前記の件實行を約す。書記ダニール・イザックス及びマルテン・アントニスゾーン證人として立會ひ、予が役場に於て本證書を作成す。

アベル・ヤンスゾーン・タスマン　(自署)

契約人　日本人オイチエモン　(花押)

ダニール・イザックス　(自署)

マルテン・ハイスマン　(自署)

公證人　アントニー・ハイスマン　(自署)

附錄第十一號

一六五一年九月六日、オランダ及び蘭領印度の法院に於て認められ、バタビヤ市に住居を有する公證人たる予アントニー・ハイスマン Anthonij Huijsman の前に、印度評議會員ヘラルド・デンメルの代理人、會社勤務の貿易事務員ジャン・ファン・ネス Jean van Nes 出頭し、下記の證人等立會の上、日本人基督教徒長崎のヤン Jan に對し、東は當市内のプリンス街 Princestraet に在り、又ヘーレ街 Heeres-traet の西側に在り、南はホルーネ・マルクス堀 Groenemarcx gracht に沿ひて存せる石造のペダカ三十四軒を貸付けたる事を承認し、右ヤンも亦出頭して、本月一日より向一箇年即ち十二箇月間之を借受け、百六十五レアル・ファン・アハテン、但し四十八ストイフェル換算を毎月遅滞なく仕拂ふ約束をなせる事を承認せり。但し貸主は右十二箇月の間前記のペダカを適當に維持修繕すべく、又借主は已又は其の家族の破壞したる所は悉く復舊すべき事を條件とす。尤も火災又は他の災厄(神之を禁じ給へ)に依りて生じたるものは之を除外す。當事者は一身及び財產を以て前記の件實行を約す。書記ダニール・イザックス及びヤコブ・フェルフーフニ証人として立會ひ、予が役場に於て本證書を作成す。

ヤン・ファン・ネス　（自署）

契約人　日本人基督教徒長崎のヤン　（印）

ダニール・イザックス　（自署）

ヤコプ・フェルフーフェン　（自署）

公證人　アントニー・ハイスマン　（自署）

附錄第十二號

一六四〇年一月一日帆船ブレダに依り日本よりバタビヤに來りし結婚したる者其の他と其の子供等の覺書　○ハーグ文書館所藏文書 Kol. Arch. 1041

メルヒヨール Melchior ｝

イサベルラ Isabella ｝ファン・サントフォールト van Sandtvoordt ｝自主

フインセント Vincendt ⎫
イサベルラ Isabella ⎭ ロマイン Romeijn の人

ウイルレム・フエルステーヘン Willem Versteghen 貿易事務員

スサンナ・ファン・サントフォールト Susanna van Sandvoort

ヘラールト・フエルステーヘン Geraardt Versteghen 二歳の小兒

アウグスチン・ミユルレル Augustijn Muller 貿易事務員補

スサンナ Susanna

其の子アンドリース Andries　十一歳

同　アンネケ Anneke　九歳

同　ニコラース Nicolaas　五歳

同　ラフエル Raphel　三歳

長崎のマリヤ Maria van Nangasacq 一イタリヤ人を夫としたるが死亡せり。

娘マダレナ Madalena　十八歳

メーステル・マルテン Mr. Marten と彼女との間の小兒は臺灣に留置きたり。

娘エロニモ Jeronimo 〇エロニマの誤寫ならん　十五歳

平戸のマリヤ Maria van Firando 一英國人を夫としたる者。

娘ジョアンナ S'Joanna　十八歳

メーステル・マルテンと彼女との間の小兒オフケ Offke は臺灣に留置きたり。

イサベルラ Ysabella 司令官カレル・リーフェンスゾーン Carel Lievensz の子の母

其の子ヘレナ Helena 船長ヤコブ・ハーウ Jacob Gaauw との間に生れたる者　年齢

七箇月

コミナ Comina

娘アリヤーントヘン Ariaantgien　五歳

當時フロイト船デ・ズワーン de Swaan 乘組の舵手アールト Aart との間に生れたる者。

フーケシヨ Fouckesio

娘スサンナ Susanna　四歳

東京のジャンク船に於て殺されたる貿易事務員補ハイブレフト・ヘムス Huijbrecht Hems との間に生れたる者

オフケ Offke

マダレナ Madalena　五歳

當時フェンロー Venlo 乗組の砲手チャボス・ヘンドリックス Tziabos Hendrix との間に生れたる者

フィケショ Fikesio

マチヤス・バール Mathias Baal　六歳

船長バール Baal との間に生れたる者

ウィルレム・ヤンセン Willem Janssen

ピーテル・ファン・サンテン Pieter Van Santen

附録第十三號

阿蘭陀
ヒセンテ　年七十歳　女房　年五十歳
エグレス
女房　年三十七歳　娘まん　年十九歳　同はる　年十五歳
孫萬吉　年三歳
右六人
筑後町乙名
寛永十六年卯九月十四日　久保十左衛門
阿蘭陀
メイス　年七十歳　女房　年五十歳　ウイ（リ）ワン　年二十九歳
女房　年十六歳　悴グ（ラ）ウル　年二歳
右五人

寛永十六年卯九月十四日

榎津町乙名
田仲莊左衛門

組合
西　次郎兵衛
宮崎仁兵衛

表書の男女（六人五人）當年戻候阿蘭船に慥に相渡可被申候

九月十七日

大河内善兵衛
馬場三郎左衛門

松浦肥前守殿
家老中

○菅沼貞風著大日本商業史引用、外國通信志所載

附錄第十四號

ジヤガタラ文

○長崎夜話草所載

千はやふる神無月とよ、うらめしの嵐や、まだ宵月の空も心もうちくもり、時雨とともにふる里を出しその日をかぎりとなし、又ふみも見じあし原の浦路はるかにへだゝれど、かよふ心のおくれねば、

おもひやる屋まとの道のはるけきも、

ゆめにまちかくこえぬ夜ぞなき、

御ゆかしさのまゝ、腰おれかき付〱、前業とは申ながら、かゝるうき世にかひなき命ながらへ申さむよりは、たゞ世になき身となり候はゞ、いかにうれしからましを、たま〱花の世界にむまれきて、此身となれるとし月をかぞふれば、十とせあまり四とせがほどとこそおぼへ候に、かくうらめしき遠き夷の島にながされつゝ、きのふけふとおもひながら、はや三とせの春もすぎ、けふは卯月朔日、まだ東雲に、あすは出船と人の聞えつるに、せめて筆の跡してもとぞんじ、なみだながら硯にむかひ〱、いまだ夜ふかきほどにて、いたふくらければ、ともし火すごすごとかゝげつゝ、おもひ出る事共かきつゝくるに、此文のうら山しくも古郷にかへるよと思へば、我文ながらありしよりげにものかなしくて、

水くきのあとはなみだにかきくれて、
　むかしをいかに人の見ましや、

はづかしながら筆にまかせまいらせ候、そこもとよりの御文、ことに御ゐんしんとゞきまいらせ候、まづ〳〵御つゝがなく御ざなされ候よしめでたくぞんじまいらせ候、さて〳〵そこもとの御文くりかへし見まいらせ候へば、ひとしほ〳〵御なつかしさ、御すいもじなされくださるべく候、わが身はいまにつれなきいのちにてながらへゐまいらせ候、いつのとき日にか日本を出まいらせ候や、いまはさだかにもわきまへがたふ、こなたのとし月にはなぞらへがたく、たゞよるひるとなく〳〵、ふるさとのこと、つかのまもわすれやらず、おもひなぐさむひまも御ざなく候、たま〳〵古郷にて見申たるにおなじものとては、月日のひかりばかりにて、そこもとにかはらず候ゆへ、ひるは日の出るかたをながめ、夜るは月の出るかたを打ながめ、袖のかはくまも御ざなく候、かゝる憂世にながらへて、かへらぬむかしをこひしやとのみおもはんより、たゞ此世になき身ともがなとこそいのりまいらせ候へ、さりながら又うちかへしおもひかへせば、世をも人をもうらむべきにては御ざなく候、幾萬つの人か、此世にむまれきたる中に、我身いかなれば、異國の人の子とむまれ出たる事も、前の世のむくひありてこそとおもひ候へ、しからば今さら世をも人をもうらみ申まじき事にて御ざ候、もにすむ蟲のわれからと、ねをこそなかめ世をば恨みじと、二條の后もつらねさせ給ひしと承はり候へば、いさゝか世をも人をも恨み申さず、われからとなくより外は御ざなく候、さりながら此まゝにてはてなんとは存申さず候、たゞ一たび神や佛の御あはれみにて日本へ歸申べしとこそ思ひ候へ、たとへ三日をすぐし侍らできへ果候共、いさゝかくるしからず候、とかくすへは日本のつちとなり候はんとぞんじ候へ、あはれ〳〵神や佛の御はからひにて、今一度御けんに入申たく候と、くれ〳〵念願にて御ざ候、もしも亦此世にて逢申さず候はゞ、わが身かね〴〵申たるごとく、友だちは七世の契と承り候へば、かならず〳〵來世にてはめぐりあひ申べく候、げに〳〵御かたみの短尺、又おし鳥の羽など、かた時も身をはなし申さず持候へ、必ず〳〵來世にては、これをしるしにてめぐりあひ申べく候、又ぞやわが身花だんのはなと仰せられて御みせなされ候こそ、しづこゝろなくきえかへり候へ、此花のさかりには、そもじさまとこそながめまいらせ候に、かれ〴〵になりはてゝ、ひとりながむる山ぶきの、とへどこたへぬいろなれば、そさまの花の袖の香に、おくれし夢の面影を見ることだにもまぼろしに、あふはあふかはもろ共に、つゐに消なん露の身の、われや先だつ、人やおくるゝ、うらめしやありし世にだに戀しきを、めがれなく契まいらせ候はで、今は何事も、みなあだごとゝなり行、むかし語と成まいらせ候事こそ、ふかきおもひのたねとあこがれまいらせ候、あらこひしのそさまや、しのばしの友人や、ひとへ二重の色のみか、やへ山吹をおくり給ふ情のいろくちはてずおもへとの御心のうちとこそおしはかられまいらせ候、

　山ぶきの花のちしほはかはるとも、
　　いはぬいろをばわれわすれめや、

われらこゝろの中、いさゝかかはりなふ、くれ〴〵おもひまいらせ候、

　もろともにうゑてながめし山ぶきの、
　　ちりてもはなのおもかげぞ見る、

なつかしや、こひしや、古郷を出しは、いつの時日にやとおもへば、袖のかはくまも御ざなく候、いやしき夷の島にすみまいらせ候とても、御おもひすてく

だされまじく候、わがみの露は秋の田の穂のうへてらすいなづまの光のまもわすれ申さず候、折から雨風のそよぐにつけても、御なつかしさおぼしめしやられくださるべく候、あまり日本のこひしくてやるかたなき折ふしは、あたりの海原をながめ候より外は御ざなく候、げにや古き歌に、大ぞらはこひしき人のかたみかは、ものおもふごとにながめこそすれ、と讀し人までも身のうへにおもひあはせまいらせ、又すぎにし彌生三日の日、家の内の女ばう達、みな／＼あそびに出られ候に、わが身もさそはれ候へ共參申さず候、それにつけてもそのもとの御事共思ひ出まいらせ、そもじさまへかやうにわかれ申事、かねてより存まいらせ候はゞ、よるひるとなくはなれ申さず、なれむつび候はん物を、いつまでもとおもふものから、有のすさびにもてなしまいらせ事、今さら／＼心にかゝりまいらせ、わするべき時しなければむば玉の、よるはすがらにゆめに見えつゝ、と古ことの葉におしはかりくださるべく候、細／＼申入たき事濱の眞砂のかず／＼に候へ共、あまり／＼心亂れ、あとさきわかちか（異善）ね候まゝ、あらまし申まいらせ、助右衛門様九郎様同じとに申まいらせ、又ぞやこうせん町おかたさまへ文まいらせたく候へ共、出船いそぎ候まゝそへ筆申まいらせ候、おたつさまへ申入候、何とて御文こま〱とあそばしくだされず候や、心もとなく存まいらせ候、かならず〱此船のかへさには、御文くはしくあそばし下さるべく候、まことに我身居申時とおぼしめし、きくを御見捨くだされまじく候、かならず〱秋の比は、こま〱との御文まち入まいらせ候、何ぞゐんしん申たく候へども、めづらしき物も御ざなく候まゝ、そのぎなく候、心ざしばかりにおび一すぢおくりしんじまいらせ候、もはや日本の花などは、みな〱わすれしに、あらましおぼへ候ものばかりぬいまいらせ候、もし人の笑申候はゞ繪そらごととおほせ被下候、又〱平吉様へ申まいらせ候、御無事のよしめでたくぞんじ候、ことに御文うれしくおもひまいらせ候、しかれば何とて毎年御文くだされず候や、それのみふしんに思ひまいらせ候、たとへそれがしかたへ文たまひ候はずとても御心がはりとは存申さず候、かまひて〱此便には御文こま〱まち入まいらせ候、かやうに申候もせめて御筆の跡成共とぞんじ、ながめまいらせ候はんまゝ、こま〱とあそばしくださるべく候、あらむかしこひしや〱。

一おたつさまへ申しまいらせ候、爰もとあつき國にて候ゆへ、それより少持わたりまいらせ候を、みな〳〵つかひきり候まゝ、ひやうぶきやう一かい、此便にたのみまいらせ候、細々申たく候へ共、筆にはつくしがたく候、下のうばへも申しまいらせ候、ずいぶん〳〵息才におはし候へ、わがみもやがて帰朝いたし、御けんもじにて申まいらせたく候、あら日本こひしや、ゆかしや、なつかしや、見たや〳〵、

一松かさ　この手がしわのたね　杉のたね　はうきぐさのたね　御ゐんしんたのみまいらせ候

かへす〳〵なみだにくれてかきまいらせ候へば、しどろもどろにてよめかね申べく候まゝ、はや〳〵夏のむしたのみ入候、我身事今までは異國の衣しやう一日もいたし申さず候、いこくにながされ候とも、何しにあらゑびすとは、なれ申べしや、あら日本戀しや、ゆかしや、見たや〳〵、

じやがたら
はるゟ

日本にて
おたつさま
參る

附錄第十五號

新ジヤガタタラ文　其一

○元平戸町藤川藤助所藏

毎年［長崎］御兩政所様ヨリ蒙御慈悲、壬寅（寛文二年）九月廿一日之書狀幷御音信物數々無相違請取恭令存候、互長久御左右可承候、

今度音信ニ指遣ス覺、

一から草［　　］壹端　姥さま御方へ

一上々龍腦貳斤

一きんかんとうふくしゆ　三端

一霜ふりさらさ　壹端

右三色半田五右衛門殿夫婦御方へ、

一キンカン［三四字］ゑすてる殿かゝさま御方へ

一霜ふりさらさ壹端こゆふりやちはゝ方へ

一濱田助右衛門女共申候、御そくさいニれはしまし、數々御音信慥請取られ

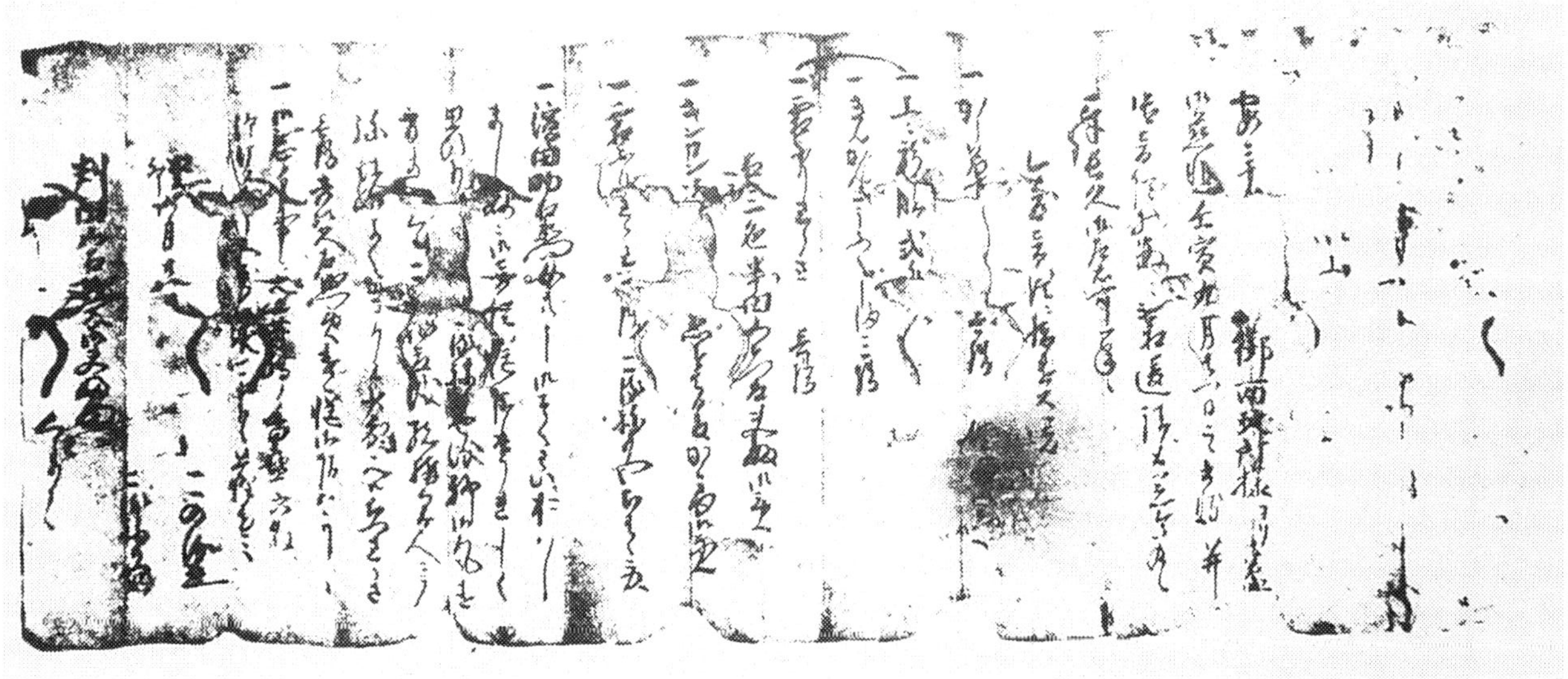

新ジャガタラ文　其一

しく思ひ[illegible][三四字]こるねりや儀聊御氣遣有ましく候、このる殿儀結構なる人ニテ、彌仕合よく御なり候、少分ニ候へ共ちつさらさ壹端吉次久左衛門方へ遣候、慥御請取可被下候、

一御無心ノ申事ニ候へ共、蒔繪ノ香盤六枚つけノ[く]し[二字]御求可被下候、恐惶謹言、

癸卯《（寛文三年）》[五]月廿一日

こ の る（花押）

こるねりや（印）

判田五右衛門殿御夫婦さまへ

人々申給へ

附錄第十六號

新ジヤガタラ文　其二

○元木田長十郎氏所藏

猶々御太儀な[から][二三字]しやかう入ノすみ一[三四字]か、御もとめ可給ハ、毎年[二字]すみはやくニたゝすハ[二三字]ニテ一[二三字]五年か又十年ニ[三四字]

毎年長崎御兩政所様ヨリ廣太之蒙御慈悲、甲辰（寛文四年）ノ九月十六日之御ふミ、幷御音信物共、同十一月十三日ニ到來、注文ノよく慥請取、うれしく思ひまいらせ候。

一五郎作殿内儀方御果ハよし[御]力落從是察思ひ[二三字][分]れとも前世ノ[五六字]さきだつならい[六七字]まゝ、御こゝろヲ慰められ[二三字]

今度少々音信物ノ覺

光明寺へ白木綿　壹端

一上々龍腦　正實貳斤九十め

菩提珠　正實百斤

新ジャガタラ文　其二

白砂糖　てか　壹ッ

右三色ハ五郎作殿三藏殿三吉殿

一ゆかた　壹ッ

小刀　貳本

れうつめノ帯　壹筋

右は五郎作殿へ

一ふとんさらさ　壹端

紫ちりめんノ帯　壹筋

右五郎作殿子そく平吉殿へ

[一ふとんさら]さ　壹端

[りんすノ]帯　壹筋

[糸少]はり　壹疋

[右五郎]作殿むすめおかめ方へ

[一ゆか]た　壹ッ　小刀　貳本

[二字]りん、すノ帯　壹筋

右ハ三藏殿へ

一ふとんさらざ　壹端

糸少　はり　壹疋

右三藏殿内儀方へ

一ふとんささら　壹端　伽羅貳きれ

紫ちりめん帯　壹筋　ふくさ物壹ツ

右三藏殿子そく勘八殿へ

一ゆかた壹ツ　小刀　貳本

れうつめノ帯　壹筋

右三吉殿へ

一ふとんさらさ　壹端

糸少　はり　壹疋

右は三吉殿内儀方へ

一ふとんさらさ　壹端

紫ちりめんノ帯　壹筋

右三吉殿子そくへ

一るりノ單物　壹ツ

ふとんさらさ　壹きれ

りんすノ帶　壹筋

右三吉殿むすめおもん方へ

右ノ通慥被相屆賴まいらせ候、いよ〱無事ノ御左右まちまいらせ候、目出度かしく。

寛文五年乙巳四月十三日

六兵衛後家

ふく

五郎作殿

三藏殿

附錄第十七號

新ジャガタラ文　其三

○元藤川藤助氏所藏

なお〳〵申あけ候、まつ申へきお、しうねんいたし候、おゝちゝさま、うはさま御兩人御かたへ、おらんたぬの二たん、これヲ大あに、そのいもと兩人はうゟしん上申候、たいせつノしるしまてに候。

一、白ちりめん二たんつゝき、ほんむらさきにそめたまわるへく候、めでたくかしく、

まいねんなかさき御兩まんところさまゟ、くわうたいの御しひおかうふり、つちノへさる(寛文八年)の九月十一日の御ふみ、ならひにいんしん物とも、ちうむんノおもむき、同十月廿七日ニうけとり、はう〳〵へあいとゝけ、いつれもよろこひ、くわぶんのよし申され候、こゝもと一入ふしニて、きよかのへいぬ(寛文十年)ノ四月ニむすめおもうけ、いまことも四人ともにそくさいにいまいらせ候まゝ、御こゝろやすかるへく候。

新ジャガタラ文　其三

こんどすこしいんしんしん物ノ覺

一上々さらんふりもめん　壹たん

一上々大かなきんもめん　壹たん

一上々小かなきんもめん　壹たん

一さらんふりもめん　廿五たん

一はくかくもめん　廿たん

一ちつさらさ　二たん

右ワはん田五へもんとの御ふうふへ

一四たんつゝき白もめん　壹たん　ゑすとろかゝさまへ

一はくかくもめん　壹たん　ちはゝへ

一つちノとのとり（寛文九年）、かのへいぬ（寛文十年）、此兩年こゝもとゟおとつれ申あけすしゆゆへ、御こゝろもとなく、おほしめされしゆたん、もッともにしゆ、しかれともいさゝかしさいこれなく、ふしにしゆあいた、御こゝろにかけらるましくしゆ、ワかみ事ことも十人のはゝニなりまいらせしゆつるか、六人ワうしない、いま四人さかんにおわしゆ、大あに十四さい、そのいもと十二さい、又此いもと六さい、此つき小いもと八か月になり、いつれもそくさいにいまいらせ候、なかんつくおゝちゝさま、うばさまへ、大あにと、つぎのいもとそへふて申あけまいらせ候、御そくさいにおわしまし候よし、かす／＼うれしく思ひまいらせ、そこもとかの御ふみノやうすうけたまわり、ひとへにけんさんノこゝちして、そておぬらしまいらせ候、

一はん田五へもんとの御ふうふへ、村上ふさへもん申候、まいねん御いんしんかきつけノことく、たしかにうけとり、かたしけなく候、ここもと大へとるこのるとのふうふ、ことも、いちたんそくさいにおわし候、それニつき、此兩年このるとのふうふか、ふみつかはさゝるによて、おほつかなくおほしめし候むね、ことわりとそんし候、此大へとるのやくしやうときニかすんかうにあたはす、かた／＼［十四五字］さてまたうり物なと、いつれもへとる一人ニてさばかれ候ゆへのことニ候、せうふんニ候へとも、白りんす壹たん、こゝろさしまてにしんせ候、

一、はま田助へもんこけ(後家)申候、まいねん御いんしんとも、かきつけノまゝたしかにうけとりうれしく思ひまいらせ候、こゝもとこのるとのふうふことも、

みな〳〵ふしにおわし候、くわしくワ村上ふさへもんとのはうゟ申こされ候
まゝ、つふさからす候、せうふん二候へとも、はくかく白もめん壹たん、そ
くさいノしるしにおくりまいらせ候、
一、うはさま御事さるノ(寛文八年)八月廿六日、御年七十五さいニてびやうしのよし、
さて〳〵御くわほうしやじゆんしとこそ思ひまいらせ候、なおかさねてふし
ノ御さうまちまいらせ候、めてたくかしく、

(寛文十一年)四月廿一日

このる
こるねりや(印)
しやかたらゟ

ひらとニて
はん田五右へ門との
ふうふ御かたへ

附錄第十八號

新ジヤガタラ文　其四

○元木田長十郎氏所藏

まいとしながさき御兩まんところさまより、くわうたいの御しひをかうむり、九月十七日の御文、御ゐんしんとして大すぎはらがみ一そくおくりたまはりなにともくわふんにぞんじまいらせ候、まづ〳〵そこもと御一もん中御ぶじにおわしまするよし一しほまんぞくいたし候、

一、きでんおば様事十四五にちほどふくちうわつらい、よろづりやうちいたし候へども、としの身にてかつはそのきとくなく、四月四日についに御はてなされ候、かす〳〵のこりおほき事にて候、そこもといつれも御ちからおとしこれ方さつしまいらせ候、われも一しをかなしくふてにもつくしかたく候、こまかく申こしたき事とも候へともわざとひかへ候、

そのはうおば様御はてのゝち、ひつのかぎをたつね候へは、まへひまとらせなされ候下女のてにかぎ御ざ候まゝ、おみやどの、あんちどの、われら三人

にてひつをあけ見候へば、きるものいで候、これかたみのため、こんど此舟ゟそこもときやうだい中御かたへつかはし候、ちうもんのごとく御みわけおの〳〵うけとらるべく候。

一たんのひとへ物　一ッ
一むらさきしほあわせ　一ッ
一もゑぎしほ同　一ッ
一むらさきちりめん同　一ッ
一あさぎりんす同　一ッ
一くろりんす同　一ッ
一むらさきりんす同　一ッ
一しろさやうらちりめん　一ッ
一ひちりめんわた入　一ッ
一しゆすのひとへ物　二ッ
一そめもののひとへ物　五ッ
一むらさきしまひとへ物　一ッ

一かなきんゆかた　六ツ
一ふるきく〻しかたひら　一ツ
一おび　三すじ
このぶんひつのうちより、いたみわつらいのうちにき申されし物は、ふとんよるのもの、あわせ、ひとへもの、みな〳〵よるひる、かいひやういたしたる、ひまの下女どもにとらせ、こんど。（以下缺ぐ）

長崎代官村山等安の臺灣遠征と遣明使

岩生成一

長崎代官 村山等安の臺灣遠征と遣明使

岩生成一

目次

緒　言

長崎代官の要職に在って、江戸時代初期の我が對外交渉に當り、重要なる役割を果した村山等安の事蹟に就いては、從來纔に彼と末次平藏との抗爭一件を傳へたのみで、頗る朦朧として未研究の儘殘されてゐたと言はねばならぬ。此は恐らく彼の活動に關する諸史料の我國に殘存せるもの極めて少く、主として之を諸外國の文書記錄に索めねばならぬ爲では無からうか。嘗て私は大正十五年の初一小篇を草して、閑却されたる彼の事蹟の闡明に努めたことがある。(註)爾來數年、彼の活躍に關する史料の所見に上るもの二三に止らず、當時の對外關係史上に於いて彼の占めた地位の、より明確なる把握のため、玆に舊稿の根本的補訂の必要に迫られて來た。然も、本稿起草に當り、立論の根據を構成する諸史料の多くは、其の後「大日本史料」の第十二編之二十五及び二十六に網羅されたが、同書にも未だ收錄されざる重要なる史料を、和漢洋既刊未刊の文獻中に索め、更に推考を新にして再び一文を草した次第である。

註　歷史地理。四七ノ二、長崎代官村山等安と其沒落。

第一章　村山等安の活躍

一　村山等安の命名

村山等安の名に就いては、從來諸書に、等安、東安、東庵、等庵、桃庵などと記し、區々として一定せず、彼の命名の由來に關して、田邊茂啓の「長崎實錄大成」に

文祿元壬辰年、秀吉公爲征伐朝鮮唐津名護屋ニ御在陣有之。其節長崎中爲惣代頭人ノ内爲窺御機嫌參上仕タキ旨、御内意窺ヒ奉リ、則御免有之。其頃村山安東ト云者、藝州ヨリ長崎ニ來リ、頭人方ニ心安ク出入セリ。此者才智辯舌諸人ニ超タル者ナル故、今度爲名代此安東ヲ名護屋ニ可差上ト談セシニ、安東其意ヲ得テ、彼表首尾宜シク相調來ルヘシト請合テ名護屋ニ到リ、長崎中爲惣代參上仕ルノ旨、執成ヲ賴ミ入、獻上物等ヲ差上ル。秀吉公御聞ニ達シ、首尾能御目見被仰付、其後秀吉公東安ト被召呼シカバ、名ヲ拜領仕難有仕合也トテ、是ヨリ東安ト相改ル。數日滯留ノ間ニ機ヲ窺ヒ、其身長崎頭人

タル様ニ申シ成シ、鄕地支配ノ御願申上シカバ、願之通長崎代官被仰付。仍テ向後御地子銀二十五貫目宛年々上納仕タキ旨願叶ヘテ歸宅セリ。(註一)

と言ふ傳聞を載せてゐるが、「崎陽襍記」「長崎記」「長崎雜記」や其の他長崎關係の諸史籍にも、殆ど此と大同小異の傳說を載せて、何れも文祿元年秀吉が朝鮮征伐のため肥前名護屋に本陣を進めた時、彼は長崎の町の使者として伺候し、頗る上首尾にして、此を機會として從來の名の呼稱と顚倒した様に記してゐる。唯「長崎拾芥」には

村山等安生國藝州ノ者、元ノ名アントウネフト云、是南蠻ノ名也。若年ニテ長崎ニ來リ、(註二)

とて、彼の名が外來の名なることを指適してゐる。此のアントウネは正しく「長崎拾芥」の傳ふる「是南蠻ノ名」にして、彼が嘗て受洗して受けた切支丹名の Anton を訛稱したものに他ならない。恰も此の頃呂宋島の Nueva Segovia の司敎として活動した Don Fray Diego Aduarte の大著「比島・日本及び支那布敎史」の中にも、

著名な Toan は有德な人にして、洗禮を受けて Anton と稱へたが、太閤様 (Taycosama) は特別な寵愛を以て彼の姓名の最後の文字を罷め、他の文字に改め

て彼にToanと稱へる樣に言つた。(註三)

と記してゐる。アドワルテは一五九五年卽ち我が文祿四年イスパニヤのZarago-za よりマニラに到著し、主としてフィリッピン諸島に布敎したが、彼の此の著書には、當時の日本の國情に關してもユニイクな遺聞が多い。等安が秀吉から其の名を得たと言ふ傳聞の如きも、遲くとも、一六三二年(寛永九年)アドワルテが其の任地ヌエバ・セゴビヤに病歿するまでに、日本より比島に傳はつてゐた極めてフレッシュな當時の傳聞を記したのである。Léon Pagés の「日本耶蘇敎史」に、其の憑據の出典を明記しないが、

大閤樣は彼の名の Anton を等安(Toan)に替へた。(註四)

と記してゐるのも、恐らくアドワルテの右の記事に基いたものと思はれる。故に彼の切支丹名 Anton を顚倒したトウアンに該當する一定の漢字はあり得ないが、彼が其の後長崎代官の要職に就き、公私の生活に華々しく活躍せる時、其の署名には必ずや便宜上一定の文字を充てゝ常用したことゝ思はれる。

長崎の沿革を述べる史籍が何れも後世の編著に係り、代官等安を記す文字に區々として一定せざるに反して、彼の生前彼と關係ありし文書は、齊しく一定

の文字を常用してゐた樣である。等安と時を同じうし長崎に在り、後長崎奉行になつた長谷川權六が、大阪夏陣の際長崎の町年寄に送つた書翰中に、「等安老」(註五)と記し、又林羅山は「有崎大賈村山等安」(註六)と云ひ、更に慶長十六年後藤光次に代つて阿媽港諸老に諭す書中に「今來書所云奉行長谷川左兵衛、及村山等安」(註七)と並記してゐる。尙「異國渡海御朱印帳」には元和元年高砂行朱印狀下附の次第を記して「等安に被下候、長谷川左兵衛狀アリ」(註八)とて、當時の我が文獻には何れも村山等安と明記してゐる。

然るに當時明末の文獻に就いて見るに、先づ張燮の「東西洋考」には「倭酋村山等安」(註九)或は「肥前州島酋村山等安」(註一〇)とあり、董應擧の「崇相集」にも「長崎島倭酋等安」(註一一)と見ゆるなど、等安なる文字を使用せざるものは無いと言つてよい。殊に明の董伯起が長崎より歸つて、萬曆四十五年五月廿九日(元和三年)福建より彼に送つた書翰の書出には、

福建海道中軍官董伯起、致書日本長岐監市官村山等安執事、(註一二)

と記してゐる程である。更に明末外交事務を執掌せし茅瑞徵の「皇明象胥錄」には「長岐之酋、曰等安卽桃員」(註一三)とあり、「皇明實錄」にも「其長岐一島彼名爲肥前州、島

會村山等安、我呼爲桃員」(註一四)とて、彼の姓名を文字にて村山等安と書き、其の發音は桃員なりとて明瞭に區別して書き別けてゐる。されば切支丹名 Anton を顚倒して訛稱したトウアン(Toan)に對し、當時一般に等安なる文字を充てゝ常用し、恐らく彼自身も此の署名を用ひたに相違ひない。

註一　田邊茂啓、長崎志。正編、長崎實錄大成、第一卷、村山東安長崎代官相願之事(長崎文庫刊行會本、九頁)

註二　松浦陶、長崎古今集覽、卷之三、長崎御奉行之事、丞村山等安、所收

註三　Aduarte, Diego. Tomo primero de la Historia de la Provincia del Santo Rosario de Filipinas, Iapon, y China, de la Sagrada Orden de Predicadores. Zaragoça. 1693. Libro segvndo. Capitvlo XXIX. *p. 557.* 本書の初版は一六四〇年マニラにて刊行さる。

註四　Pagès, Léon. Histoire de la Religion Chretienne au Iapon. Paris. 1869. Tome I. *p. 415. note* (2).

註五　大阪夏陣ノ際長谷川權六ヨリ長崎町年寄へ送ニタル書。(縣立長崎圖書館所管、一般寄託)

註六　羅山林先生文集。卷第七。(京都史蹟會本、卷一、九五頁)

註七　同書。卷第十二、外國書上、諭阿媽港諸老、代後藤光次。(京本、卷一、一三五頁)

註八　異國渡海御朱印帳。十八、高砂國。(增訂異國日記抄」附錄、三三四頁)

註九　張燮、東西洋考。卷之六、外紀考。日本。

註一〇　同書。卷之十二、逸事考。

註一一　黃應埰、崇相集。中丞黃公倭切始末。(山本信有、日本外志卷十五、所收)

註一二　武田文書。(東京帝國大學史料編纂所所藏影寫本、2S/5)

註一三　茅瑞徵、皇明象胥錄。卷二、日本、
註一四　明、神宗顯皇帝實錄。卷五百七十六卷、萬曆四十五年八月癸巳、

二　代官等安と外人との交渉

長崎代官就任以前の等安の半生に關して、長崎關係の史書は頗る傳說的な筆を弄してゐる。そうして、秀吉に面謁した彼の出世物語を傳へたる以外には、既に其の名の充字さえ區々として一定せざると同樣に、益々曖昧と言はざるを得ぬ。前揭の「長崎實錄大成」には、

村山安東ト云者、藝州ヨリ長崎に來り、頭人方に心安ク出入セリ(註一)

とあり、「崎陽略緣起」には、

本名ハ伊藤小七郞、生國尾張名古屋住人、元來武士也。藝州ニ至リ、後長崎ニ來リ金屋町ノ邊ニ借宅シテ居タリシ、(註二)

とて、一は藝州產とし、他は尾州生れと記してゐる。恐らく微賤の一靑年が轉々として長崎に流れ込み、其の機智によつて次第に町內にて重せられ、斯くて終に町の使として秀吉に伺候し、此の謁見の上首尾に乘じて彼の地位に關し有

利なる保證を得たに相違ない。されば後年平戸の英國商館長 Richard Cocks も此の等安 (Towan) は日本に於いて最も富裕な人と思はれてゐるが、彼の賢明にして老巧な機智によつて、微賤から身を起したのである。(註三)

と言つてゐる。そうして彼が一切支丹宗徒として、當時我が切支丹宗の策源地にして且つ諸外國商船の出入繁き貿易港長崎に蟠居したことは、聽て彼の活動をして、特に宗教的な色彩と、對外交渉方面の兩者に關聯せしめる所が少くなかつたのに疑ない。今宗教的方面に於ける彼の活動を暫く措きて、外人交渉方面に於ける彼の活躍の跡を辿つて見やう。

等安が長崎代官の職に就き、町の行政に參劃し始めたことに關しては、確實なる記載を缺いでゐる。「長崎實錄大成」などの諸書には既に述べし如く、文祿元年名護屋に到つて秀吉に面謁せし際のことゝしてゐる。併し「長崎緣起略」に、

寺澤志摩守廣高……長崎預ノ儀ハ慶長七年迄凡十一年ノ間也。代官佐野惣左衞門ト云者ヲ被差越タリ。(註四)

とあり、「五本長崎記」には、

寺澤志摩守廣高長崎預リ、文祿元壬辰年より慶長七壬寅年迄十一年勤、家人

谷山源藏・岡田權平長崎に在住也。（註五）

とあり、其他「記」「鑑」「拾芥」「夜話草」など、何れも慶長七年迄、寺澤廣高の下臣が長崎管理に關與してゐたことを傳へてゐる。されば等安の町政參與も、此等の制肘によりて未だ十分なものではなかつたらしく、此の寺澤家下臣の撤退卽ち慶長七年以後になつて漸く活動の鋒鋩を顯はして來た樣である。バジェスの「日本耶蘇敎史」には、

一六〇四年正月に、公方樣は伴天連 Rodoriguez に謁を賜つた。然るに、京《ミヤコ》の異端者なる商人共が、商品の品質の事に就いてポルトガル人を告發したので、公方樣は先づ怒り、係りの者を遣はして調査を命じた。……伴天連ジャン・ロドリグスは、長崎の主だつた切支丹の一人アントニオ・村山(Antonio Mourayama)を伴つて伏見に君主を訪問し、ポルトガル人並に市の名に於いて種々なるヨーロッパから來た贈物を獻上した。君主は好意ある態度を示し、又調査の結果を聞いて滿足し、寺澤を罷免して長崎の統治を村山其人に任せ、顧問として有力な切支丹四人を添へた。斯くて寺澤の苛政は顚覆し、全町擧げて切支丹にして、且つ異國人の要港なる此の町は、切支丹なる代官によつて治めら

れ、君主の直轄地となつた。(註六)と記してゐる。ロドリゲスは頗る日本語に熟達し、從來屢々ポルトガル貿易商等の通事として活躍し、曾て秀吉にも謁して方物を獻上したこともある。日葡商人間の紛爭に關し、ロドリゲスは、恰も關ケ原の役終りて事實上日本の主權者の地位に立つた家康に謁して敬意を表し、兼ねて之が解決を計らんとして、其の斡旋のため等安を同行したのである。そうして等安も此の機會に於いて、從來秀吉に認められた地位を更に確保することに努めたのであらう。長崎關係の我が諸書は多く、寺澤の家臣が長崎管理より手を引き町の統治に變動を生じた時を、慶長七年のことゝせるに、パジェスは一六〇四年正月、即ち慶長八年十二月のことゝしてゐる。手近な Crasset の「日本教會史」には一六〇二年即慶長七年とし(註七) Charlevoix の「日本史」には翌一六〇三年のことゝしてゐる。(註八) 何れにしても、此の謁見によつて長崎代官の地位が保證せられて、寺澤氏の撤退後は、等安の獨占的活動が著しくなつたのであらう。そして「顧問として有力な切支丹四人を添へた」のは、「故家ノ舊記」に

村山東安長崎代官トナル、高木、高島、後藤、町田四人始メテ年寄號御免。(註九)

とある四人の町年寄を指摘したもので、即ち高木勘右衛門、高島了悦、後藤惣太郎、町田宗賀等の四人である。

斯くの如く等安はポルトガル貿易商等の名代となつて家康に謁するなど、着々其の地位を利用して、長崎に來集する外人と巧に交渉をつけたが、「大平雑記」にも、

先年肥前國長崎の町人桃庵と云者、駿府に參候し異國の物語を申上る序に、大御所の上意に外國の者の年久しく渡海して日本の言語に能く通じたる者あらば召連來れよかし、珍しき物語させて聞召。御慰の伽に遊れんとなり。桃庵畏て翌年に及で南蕃國の商人耶揚子を件て參る。此者を御前に召されて、種々御物語を申し御機嫌に相叶ふ。(註一〇)

とある。肥前國長崎の町人桃庵とは、村山等安のことにして、南蕃國の商人耶揚子とはオランダ人 Jan Joosten van Lodenstein のことである。言ふ迄もなく、彼は William Adams 即ち三浦按針と共に Liefde 號にて日本に來り、引續いて滯在せし有力なる貿易商で、數次海外渡航朱印狀を得てゐる。等安が彼と關係を結んだのも、彼としては極めて有り得べき消息を傳へたものである。又林羅山が

後藤光次に代つて阿媽港の諸老に諭した書中には、

長崎者是　吾邦西海道中之一良津、而諸市之所二輻輳一也。然今來書所レ云、奉行長谷川左兵衛及村山等安、耽二構レ利之貪心一。且口宣、此二人、使下貴港人作中賂銀之債券上云云、風聞事也。眞僞不レ可レ知レ之。邇日召二二人一至二于此一、兩辭具考、而得レ當其法一。蓋片言叵レ折レ獄之故也。彼此甲乙相對、而后白二于我君一。及二其時一也、我國法必有レ所レ置。然則來歲黑船至二長崎一時、吾輩愈勸二諫二人一者、不下令三爲二貴港一作二阻隔一、莫中使三爲二黑船一成二拘滯一、無上使三爲二諸市一做二煩擾一。宜レ安二貴慮一。(註一一)

と記してゐるが、此は長崎奉行の長谷川左兵衛と代官等安の兩人が貿易の要衝に在つて、ポルトガル商人より賄賂、言はゞ一種の關税を强要したことを訴へられたのである。平戸に商館を維持したイギリス人も此の有力者と力めて好關係を保つことに手を盡してゐる。館長コックスは其の日記の中に、

長崎の等安の息子の一人が、陰に英商館見物にやつて來たが、我等の召使の一人から其の人が何人であるかを報らせられたので、出來る限り彼を饗應した。(註一二)

と記してゐる程である。又當時平戸に在住して東亞の貿易に絕大なる勢力を有

してゐた支那甲必丹李旦、即ち英人の所謂 China Capt. Andrea Dittis も代官等安の子に金員を贈る爲め、一時英商館に立替を依賴してゐるが、其の消息も亦コックスの日記に、

支那甲必丹アンドレア・ディッチスに、更に五百五十匁を貸したが、此は等安殿の子息に贈るために、彼の弟 Whaw の許に屆けるのである。（註一三）

と記してある。即ち代官等安と其の一家は、平戸長崎の港に來集する英、蘭、葡の西歐商人より支那人等の諸外人に亙つて其の關係淺からず、此等外國商人が等安の斡旋によつて、彼等の商取引に何等かの便宜を得んため贈獻する所は、蓋し些少なものでは無かつたであらうと推測せられる。

等安が其の對外人關係上の好地位を利用して家富の增大を來すと共に、長崎の町の支配者としての收入も亦莫大であつた。「長崎緣起略」等の諸書は均しく、彼が秀吉に謁した時、爾後每歲二十五貫文を上納するのみにて、年々發展膨張する貿易港長崎の地子銀年貢等の課稅を、悉く彼の懷に收めるに至つたと傳へてゐるが、月洲の「長谷川藤廣傳」にも、

等安長崎人也。長崎田租舊額三千石、互市以來廢」田成」街、市戸四千八百七十

六。等安請レ官自辦二田租一、因徴二戸銀六十五貫八百八十五匁一、而納二折糧銀二十五貫于官一、餘銀沒二入己家一、其他私收二山海網罟等雜税又百貫匁一。以レ是富擬二王侯一、奢侈尤甚。（註一四）

とて、彼が內外の收入を積みて、豪富を極めた消息を窺知し得る。されば林羅山も「長崎の大賈村山等安」と云ひコックスも「此の等安は日本に於いて最も富裕な人と思はれてゐる」と記し、伴天連 Francisco de Morales も等安の遺產を十萬デュカートと算へてゐる程である。（註一五） 斯くの如く等安は長崎代官の好地位に在つて內は富裕なる貿易都市の諸收入を取り立て、外は諸外國商人よりの贈獻を積んで、以て天下の富豪と唱へられる樣になつたが、彼の活動の主要なる部分を構成する此の對外人交涉に於いて、茲に特筆すべきは、彼の臺灣遠征と遣明使特派にして、而も此の二事は彼の生涯に於ける掉尾の活躍であつたのである。

註一　長崎志。正編、九頁

註二　長崎古今集覽。卷之三、長崎御奉行之事。丞村山東安、所收

註三　Cocks, Richard: Diary of Richard Cocks. Tokyo. 1899. Vol. I. p. *251*

註四　長崎古今集覽。卷之三、長崎御奉行之事。所收

註五　通航一覽。卷之百三十九、長崎港異國通商總括部二、○奉行、所收（國書刊行會本、第四、四十七頁）

註六　Pagès, Tome. I. *pp.* 96—97.
吉田小五郎氏譯、日本吉利支丹宗門史。（史學、十ノ四、一二二頁）
註七　Crasset, Histoire de l' Egilse du Japon. Paris 1689. Tom. II. *p.p. 119—120.*
註八　Charlevoix. Histoire et Description Generale du Japon Paris. 1736. Tom. II. *p. 84.*
註九　長崎古今集。覽卷之、三長崎御奉行之事、所收
註一〇　大平雜記。（大日本史料第、十二編之七、二四七頁）
註一一　羅山林先生文集。卷第十二（京本卷一、一三五頁
註一二　Cocks. Vol, I. *p. 251.*
註一三　*ibid. p. 124.*
註一四　事實文編。次編四、月洲　〇長谷川藤廣傳、（國書刊行會本、第四、四四二頁）
註一五　Pagés, Tom II. Annex 66. *Lettre du P. Frncisco de Morales au P. Miguel Ruiz. Prieur de Manille. Nangasaki. le 9 Mars* 1621. *p. 237.*

第二章　等安の臺灣遠征と遣明使

一　朱印狀下附と遠征準備

「異國渡海御朱印帳」に
十八　高《タカ》砂《サ》國《グン》　始而被レ遣候也

一、自日本到高砂國舟也

右

元和元年卯九月九日

等安ニ被レ下候。長谷川左兵衛狀アリ、元和元七月廿四日南禪ニテ書レ之。高砂國ト書之由左兵狀來、功不レ成後ニ來ル。（註一）

とあり、長崎奉行長谷川藤廣の紹介によつて始めて高砂國渡航船朱印狀の下附を得た等安とは、疑もなく長崎代官村山等安其の人である。彼はこゝに家康より高砂國卽ち臺灣渡航船の御朱印狀を受けたのである。

此より先臺灣の地は、我が國民の南洋航海盛なるに連れ、其の船舶の寄船給水の地となつて、其の名を訛つたタカサグンと云ふ稱呼は、當時の我が貿易商・航海家の耳に熟してゐた樣である。かの秀吉が文祿二年に發した高山國招致の書狀の充名高山國は、タカサグンに宛てた文字である。慶長十四年に至つて家康も亦有馬晴信に命じて士卒をタカサグンに遣し、此が招致を計らしめ、兼ねて日支商人出合貿易地の撰擇、地理土產の調查を託したが、土人曚昧にして所期の目的を達し得ず、一行は辛うじて歸國したことがある。家康は此の時捕虜の蠻人の欲する儘にして懷柔せんとしたが、（註二）此は亦他日を期する所置とも考へられる。對岸明に在つては嚮に文祿慶長の役により對日感情頗る惡化せしが、此の年島津氏の琉球征伐、引續いて此の擧あるを聞き、益〻其の警戒を固うした樣である。(註三)然るに慶長十七年には、京都の商人津田紹意に澎湖島渡航船の御朱印狀下附され、(註四)次いで元和年間に入りてはコックスの日記書翰によれば、長崎タカサンゴ間に貿易船が來往するなど(註五)日臺交通漸く頻繁となり、臺灣の我が對外貿易特に對支貿易上に於ける重要なる地位は、當時此の方面に關係せる人々の等しく認めた所であらう。此の秋に當つて、等安に臺灣渡航船許可の御朱印狀が始めて下賜されたのである。然れども臺灣渡航船許可は、單に御朱印狀文面の表面的記載に過ぎずして、其の背後には、更に重大なる彼の臺灣遠征の使命が伏在せしことは、茲に到底見逃す能はざる所であらう。

御朱印狀の下附は、元和元年七月廿四日のことであるが、此の日を去ること僅か月餘、即ち一六一五年十月十一日、我が八月二十九日には、早や平戶なる英商館長コックスは、

予は Eaton 君に、等安が支那に對して戰爭の準備をなしてゐることの實否を尋ね、その返答を得るために、他に書狀一通を認めた。(註六)

と記して、等安が容易ならざる企圖の準備をしてゐることの實否を問ひ合はせ

てゐる。此は全く、臺灣渡航朱印狀下附に關聯して、引續いて彼が此の種の準備に着手したことが、坊間にかく訛傳したのに相違ない。果せる哉同じ月の三十日、卽ち我が九月十八日には、愈々臺灣に向けて兵員輸送の準備が進められてゐることが判明した。コックスは此の噂を長崎の支那人から傳聞して

支那甲必丹の語る所に依れば、今夜先刻彼の弟が、彼に陸路飛脚を寄せて、(長谷川藤正)槌六殿が長崎に小型ソモ船一隻卽ちジャンク船を停めてゐるが、我等の用務のため支那に派遣するものと思ひしに、今や其は、支那に近い高砂(Tacca Sanga)と云ふ一島に兵員を輸送する由である。併し予は寧ろ其は、秀頼樣(Fidaia Samme)が潜伏してゐると皇帝が考へてゐる琉球のことならんと思ふ。(註七)

と記してゐる。年が明けて翌元和二年の正月中旬には、等安は臺灣に派遣する士卒兵船の準備、必需品の積込などに忙殺されてゐるが、時人は此を以て、大坂落城後南國に逃竄したと云ふ噂がある秀頼搜索のためと解してゐる。コックスは一六一六年二月二十五日、卽ち元和二年正月十九日平戶より東印度會社に送つた書記中に、此の間の消息を認めて、

又皇帝は、長崎の富豪等安殿に命ずるに、自ら費用を負擔して、支那の沿海

にあるフェルモサと稱する島に赴き、戰ひて之を取ることを以てした。其の爲め彼は今や船其の他の必需品を準備をしてゐる。然るに或者は、逃亡せる君秀頼樣を、琉球其の他見出され得べき所に於いて搜し出さんとするなりと云ふ。(註八)

と報じてゐる。

此より先元和元年五月八日大坂城中に於いて秀頼、淀君等自殺し、大野治長以下の諸將卒之に殉じて落城したが、秀頼は自殺せずして薩摩琉球方面に落延びたと云ふ噂が一般に流布した。コックスも偶々此の事變に際會して、此の流言を傳聞し、日記の七月廿七日卽我が閏六月十二日の條に、

秀頼樣は薩摩或は琉球に逃れたとの報がある。然れども予は依然として、其の眞僞を疑ふ。(註九)

と記してゐる。此の頃大阪方の落人の、琉球に逃げ延びたものもあつたらしく、ウイリアム・アダムスが Sea Adventure 號に乘りて暴風に遭ひ、那覇に避難した時、其の航海記中一六一五年一月二十日、我が元和元年一月三日の條に、

二十一日木曜日。大坂の戰から逃げて來た一貴族が首里に着いた。彼の名は

「　　」である。本日予は皇帝勝利の報に接し喜びに堪えず。(註一〇)、
と記してゐる。又琉球に於いても、大坂方の敗竄人捜索の通牒が廻つてゐる程である。即ち

掟

一、今度大坂より落人諸國の隱居之間、男女わらはべによらず、則からめとり、可差出由、上方より御觸狀到來之條、不輕儀候。

若不審なるもの其島中に押入來者、早速からめとり可致披露事。

慶長二十年八月二十日

高橋大炊助

那多駿河

豐見城

池城

名護　(註一一)

とある。當時の混亂せし世情に於いては、秀頼一黨の琉球逃入説も穴勝荒唐無稽の風説として一笑に附することが出來なかつたのである。そうして等安の遠

征準備が此と結び着いて喧傳されたに相違ない。或は遠征の効果を期するため、其の目的を秘して、名を秀頼捜索に借つて出帆準備を進めたのではあるまいか。然るに等安の臺灣遠征準備の噂は忽ち傳播して琉球にも聞えたらしく、中山王尚寧は通事蔡慶を明朝に遣はして、日本にて近く大擧臺灣を征せんとの計畫があることを報じて、其の注意を促してゐる。「皇明世法錄」には、

萬暦四十四年(元和二年)五月、中山王尚寧、遣通事蔡慶、報倭造戰艦五百餘、脅取雞籠山島夷、雞籠淡水一名東番云。(註一二)

と見えてゐるが、此の警報に接した明に在りては、福建巡撫黃承玄が、長文の疏を認め、臺灣が福建防備上極めて重要なる地位に在り、此度の遠征の決して輕視すべからざる所以を述べて、直に何等かの對策を講ずべきことを縷々力說してゐる。(註一三) 明の朝廷も此等に促されて福建沿海の防備を固めしめたらしく、「明史藁」に

萬暦四十四年、日本有取雞籠山之謀。其地名臺灣密邇福建。尚寧遣使以聞。詔海上警備。(註一四)

とあり、此頃黃承玄が、後日等安の遠征軍の一船と應對した部將沈有容を擧げ

て福建の水師を督せしめたのも、（註一五）全く此の遠征隊の福建來襲に備へたものに相違ない。

註一　異國渡海御朱印帳。十八（增訂異國日記抄。附錄、三三四頁）

註二　Lettera Annva del Giappone del 1609 e 1610.（大日本史料、第十二編之六、一三七―一三九頁所收） Pagés, Vol. I. *p.169.*

註三　皇明象胥錄。二、日本。　萬曆三大征考。倭、下

註四　諸牒餘錄。三六、京都金座突抜下松屋町、津田源右衞門、　通航一覽。卷二百十一、唐國福建省臺灣府兒耶宇島部七、（刊本、第五、三八四頁）

註五　Cocks, Vol. II. *p. 266. pp. 23, 56, 298, 338.*

註六　*ibid.* Vol. I. *p. 71.*

註七　*ibid.* Vol I. *p. 80.*

註八　Foster, William. Leteers received by the East India Company from its Servants **in the East. London. 1896—1902.** Vol IV. *No.* 342. 拙譯、慶元イギリス書翰。五三〇頁

註九　Cocks. Vol. I. *p. 26.*

註一〇　Purnell. C. J. The Log Book of William Adams. 1614—1619. London: 1915. ***p.10.***

註一一　御狀寫。

註一二　陳仁錫、皇明世法錄、卷八十、琉球

註一三　皇明經世文編、卷之四百五十五、黃中丞奏疏

村山等安の臺灣遠征と遣明使（岩生）

疏　黃承玄

題琉球咨報倭情疏

夙得倭酋狡謀非一日矣。服中山以爲役、餌吾民以爲用、市吾舟以爲資。包藏禍心、由來有漸、而蠶食上國、羽翼既成。故臣自入閩受事以來、夙夜拮据、無不計算定而申儆之。蓋逆知豺狼之不可邇、而宴安之不可懷也。今果以取鷄籠見告矣。夫倭豈眞有利于鷄籠哉。其地荒落、其人鹿豕。夫寧有子女玉帛可中倭之欲也者。而顧耽耽何之也。蓋往者倭雖深入、然主客勞逸之勢、與我不敵也。今鷄籠實逼我東鄙、距汛地僅數更水程。雞籠在琉球之南。東番諸山在雞籠之南。倭若得此、而益旁收東番諸山、以固其巢穴、然後蹈瑕伺間、惟所欲爲、指臺礵以犯福寧、則閩之上游危。越東湧以趋五虎、則閩之門戶危。薄彭湖以闚泉漳、則閩之右臂危。卽吾幸有備無可乘也。○○○倭○慮○入○犯○非其得已、其本意不欲通市。彼且挾互市、以求我、或介吾瀕海奸民、以耳目我。彼爲主而我爲客。彼反逸而我反勞。彼進可以攻、退可以守。而我無處非受敵之地。無日非防之時。此豈惟八閩患之、兩浙之間、恐未得安枕而臥也。及查倭之入閩、必借徑水于南麂、而後分綜南發。西北風、則徑指鷄籠諸島。東北風、則直右突福寧。故南麂實上游之要衝。前撫臣金學曾、會請改設副總兵于此、如南灣故事、誠見及此也。若過南麂、直下獵外洋、以趋鷄籠、則我臺礵東湧之哨、或遠不及偵。卽偵及之、而一哨船兵勢、難望寨遊蹤。又不敢輕撤火、寨堡諸哨舍門戶、而預逆之藩籬也。聞警之後、臣業檄南中二路、各借調十舟、協防北路、而復移咨浙撫亟督溫處將領、設備南麂但隔省望援、一時未能使臂、而千里徵發、往返未必如期。容再伺其緩急、以爲之備耳。若夫琉球之告、謂借以相恐嚇者。有謂假以測貢道者。又有謂中山不能自專直狡倭、遣以窺我虛實者。臣不能逆睹、抑不必深求總之、倭必不能一日忘我。毋問屬夷之告也。我必不可一日忘備。毋問倭夷之來不來也。

註一四　王鴻緒。明史稿。百九十七、外國傳・四、列傳、琉球

註一五　同書。百四十四、列傳、沈有容、崇相集。中丞黃公倭功始末

二　村山秋安臺灣遠征の經過

長崎代官村山等安が、奉行長谷川藤廣の紹介によつて高砂國渡航船の御朱印狀を得たのは、元和元年七月廿四日のことであつた。等安は、此の朱印狀下賜を機緣として、爾後約半歲に亙つて臺灣遠征のため、兵船の準備、軍需品の積込みに忙殺されてゐたが、愈翌元和二年三月末日遠征艦隊は長崎より南海を目指して解纜したのである。扨て全軍の總指揮官、遠征艦隊構成船隻數、艦隊出帆の日時に就いて、アドワルテは

亦內府は同島の占領を命じて、此を、Iuan Chuan と云ふ等安の息子に囑した。此男は最も有德な人にして、サント・ドミンゴ派の特別なる善人である。……

……ジュアン・チューアンは艦隊の司令官として、大船三隻、及び船《フネア》(Funea) と稱して船底に二十五乃至三十挺の櫓を備へた帆船數艘を引連れて出征し、一六一年五月四日長崎を出帆した。(註一)

と記してゐる。司令官チューアンの名に冠する Iuan とは、言ふまでもなく、彼がサント・ドミンゴ派の一信徒として洗禮を受けた際に得た切支丹名である。然

るに「皇明象胥錄」に此の遠征のことを記して

萬曆四十四年三月、………始家康擱焉窺南鄙。而長岐之酋、曰等安即桃員者、得罪家康、懼爲所滅、請取東番自贖、遂令次子秋安、連犯閩之東湧大金。尋家康死、局中變。(註二)

とあり、「崇相集」にも亦

在萬曆乙卯(元和元年)丙辰(同二年)間、長崎島酋等安與雞籠番搆難。其子秋安未歸、遣船尋覓。(註三)

とありて、等安の子にして遠征隊の司令官となりし人を秋安と記してゐる。即ちアドワルテの Chuan にして、而も「象胥錄」には等安の次子なることを明記してゐるが、恐らく父の等安の名に因んで、安を通じて秋安と稱したのに相違ない。

秋安指揮の遠征艦隊は前述の如く一六一六年五月四日、即ち新曆五月十四日、我が元和二年三月二十九日に長崎を解纜して征臺の途に上つたのであるが、コックスも日記の翌五月五日、即ち三月三十日の條に

長崎の等安殿の子息は、兵士を乘せた船十三隻を率ゐて、高砂島(Taccasange)占領のため出帆した。彼等が斯くの如く稱する島を、我等は Isla Fermosa と呼ぶ。又彼は五島に留つて、京から來るべき援兵を待つて、秀賴樣搜索のため、琉

球に赴かんとしてゐるとの噂がある(註四)。

とあるから、遠征艦隊は、大船小船合せて十三隻、三月二十九日には、舳艫相銜んで長崎港を出帆し、翌三十日には五島に到つて寄泊したのである。

然るに艦隊の長崎出帆後僅か二ヶ月にして、其の三船は早くも遠征失敗の報を齎らして長崎に歸還してゐる。コックスは長崎在住支那人より此の通知を受けて、日記の七月七日、即ち六月四日の條に、

予は長崎の甲必丹ホウから書狀を受取つたが、書中彼は贈物に對する謝意を述べて、尙予に次の件を通知した。即ち等安の船の中三隻は歸還したが、同船は高砂即ちフェルモサ島に赴く筈なりしが、同地に行かずして、支那沿岸にて掠奪を行ひ、小船或はジャク船十一隻を捕獲し、其の船員が抗爭したので彼等を悉く殺戮したと。……………………………

等安の部下の乘つた一隻の小船は、フェルモサ島の某灣に入り、更に內地深く探險せんとしたが、土民のために不意に襲はれて、逃れ難きことを悟り、敵手に落ちざらんため切腹したとの報がある。(註五)

と。コックスは、此の報に接して直に其の十二日、即六月九日附平戶から、京

阪駐在員 Richard Wickham に書翰を送つて、

等安がフォルモサ島を征服するために遣はした小船は、其の目的を達せず（其企圖が到着前に發覺したため）唯一隻の小船と、之に在つた者を悉く失つた。彼等は島人に圍まれて逃るゝ途なきを見、自ら切腹したので、爾餘の者は敢て入らず、支那の海岸に赴き、同地にて支那人一千二百餘人を殺害し、邂逅した小舟又はジャンク船を悉く捕獲して乘組員を海に投じた。之がため、今年支那ジャンク船は、一隻も日本に來航せざるべしと思はる。依つて長崎にゐる支那人等は、此の件に就き皇帝に訴へんと決心してゐる。或は等安が其の生命と其の財產の一切を失ふ動機となり得べしと考へらる。（註六）

とて、遠征の不成功に就いて、支那人の報道を若干敷衍し、更に之に對する彼自身の見解を附加してゐるが、遠征艦隊中臺灣に到達せしは、其の中辛うじて一隻に過ぎずして、而も乘組員は土民に襲はれて、切腹難に死するの不幸に遭遇し、其の三隻は支那沿岸に廻航して掠奪を恣にしたと傳へてゐる。

然るに此の一隊が支那沿岸に於ける行動に關して、幸ひ明末の二書に、當事者の見聞を收錄せしを以て、此に依つて當時の實情を、極めて其の詳細に亙るまで知悉することが出來る。即ち二書とは董應擧の「崇相集」と、朱國禎の「湧幢小品」にして、前者は其の「中丞黃公倭功始末」後者は其の「東湧偵倭」の條に於いて此を記載してゐる。即ち「崇相集」に依れば、

在萬曆乙卯丙辰間、長崎島酋等安與雞籠番搆難。其子秋安未歸、遣船尋覓。而通番喜亂者遂講張。倭遣蔡欽所陳思蘭子、督船三百隻來報仇。以某疏禁通倭、海道石公置二人於法也。此語一煽、人人震駭。

至丙辰五月、明石道友船停泊東湧僅二隻耳。內地不知多寡、大家爭奔入省城。城門盡閉、無一敢出偵者。軍門黃公以厚賞募人遠偵、而董伯起應命。時某方在海上、率人守龍塘堡。伯起持紅票來。時賊報急、無船爲討。館頭施七船、同李五等往。十六夜駕出、十八早始至東湧。上山西望、因二倭船泊在南風澳、布袋澳、蓬檣俱缺。一白艕藏在南碇伺船。伯起不見也、以爲無倭矣。已而南碇船張帆逐來、問汝何船。衆誑以討海船。遂令上山運水。道友見伯起面目疑之、持力(カカ)詰問。衆皆詭對。伯起知不免、大呼、我說亦死、不說亦死。我軍門聞汝來侵、已造五百隻船以待、令我出偵。今日殺我繇汝、不殺繇汝。我兵船卽至矣。倭皆拍手喃々。通事曰、他是長崎島等安來(マヽ)十一船。今二隻在此。彼國法

重、去早去遲皆殺。欲倩汝首軍一人去、報國王免罪。八月即盜歸、無恐也。首軍者彼處頭目之稱。遂挾伯起過船。施七船歸。伯起據船傍寫書、歸報有誓死之言。此十八晚事、十九亭午、倭猶不去。伯起同(明カ)通事、曰、彼待十一隻有跡。伯起念、二隻倭船者城驚惶如此。若十一隻俱到、豈不到了□墻。遂詣通事、教他題番字石上。後船至自然歸矣。通事以語倭。遂十九午時開洋去。廿二伯起報書始到省城、乃解嚴。(註七)

と詳記してある。「湧幢小品」の「東湧偵倭」の記事も殆ど右と出入がない。既ち遠征艦隊十一隻中南支沿岸に廻航したのは、等安の配下明石道友の率ゆる二船にして、長崎出帆後一ヶ月餘にして、五月中旬、或は其の十六七日頃閩の東湧に寄泊したのであつた。倭船來の報に接して「大家爭奔入省城、城門晝閉、無一人敢出偵者」とあるから、閩の官民の驚惶震駭の程察するに餘ありと言はねばならぬ。道友は福建廻航の證として偵探に出でし董伯起なる者を捕へ、寄泊三日の後、十九日正午頃出帆したが、此の二船の事を「湧幢小品」に、

倭船大可丈八、內有馬四疋、銅鐵滿艙、皮箱甚多。(註八)

と記してゐるから、道友等は遠征に當り、十三間餘に及ぶ相當な大船を使用し、

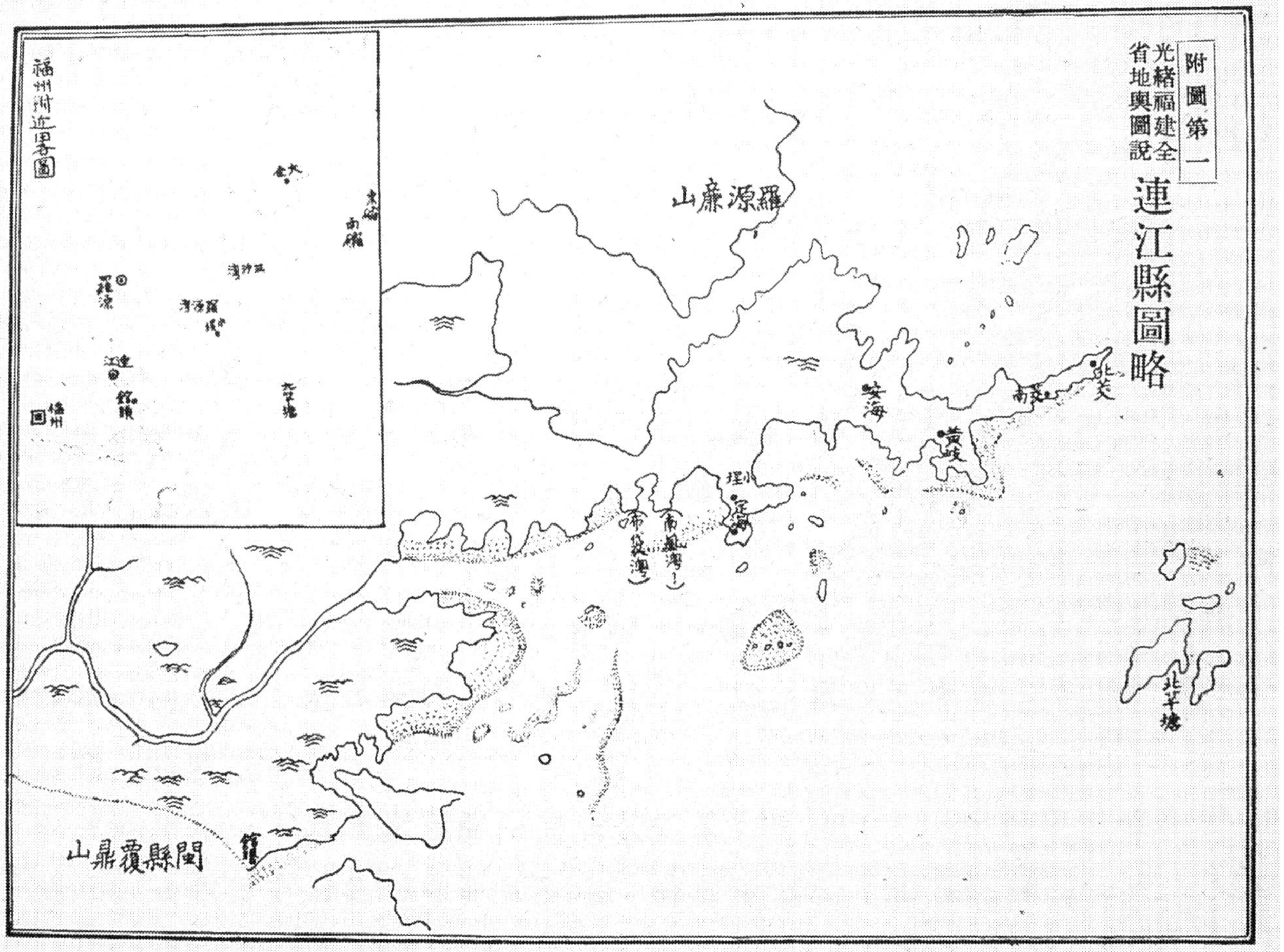
附圖第一
光緒福建全省地輿圖說
連江縣圖略
福州附近略圖
閩縣覆鼎山
安海
黃岐
北茭
小埕
定海
北竿塘

銅鐵などの外、馬匹をも搭載して船備を充實したのである。

扨てコックスの得た情報によれば、支那沿岸に廻航歸還した一隊は三隻にして六月四日のことであるが、道友の引率せしは二隻にして、五月十九日東涌を出帆してゐるから、兩者日時の經過は極めて自然なるも、船數の一致を缺いでゐる。或は彼の傳聞の誤に基くものであらうか。此の二船の事に關して、翌年四月道友が再び同地を訪れた時、明の官憲より董伯起を連行せしことを詰られて、此れが辯解に、

上年彼國發商船十一隻。阻風失綜。其二船係島酋父子、至今未還。其七船與浙兵纏住廝殺。惟道友二船先到東涌、遇小漁船、渙代樵汲。(註九)

と述べてゐるから、道友の一隊は矢張二船にして、而も遠征隊合計十一隻なれば、再びコックスの傳聞十三隻と衝突する樣である。更にコックスは翌一六一七年七月十二日、卽ち元和三年六月二十日に長崎より臺灣遠征艦隊の他の一隊が歸還した通知を得て、

予は昨夜遲く、長崎發新曆七月十六日附 Jor. Durois の書翰を八右衛門（Fachemon）から受取つたが、書中ゴア發、媽港經由の一帆船が長崎に入港したこと

を予に報じた外には、別に何の報道もなかつた。何等安の船三隻歸着したが、同船は高砂(卽ちイスラ・フェルモサ)を占領するため派遣せられたるも、何等成すこと無く、交趾支那に寄港し、同地に於いて出帆準備中のキャプテン・アダムスのジャク船其の他に會つたが、恐らく十分の積荷を得て歸航しないだらうと言ふことであると。此れ彼の書中記す所である。(註一〇)

と記してゐる。卽ち長崎出帆後一年三ヶ月を經て交趾支那に寄航して歸還したのであるが、此は必ずや、同年四月道友が「其二船係島侖親子、至今未還」と答へた所の當時消息不明なりし村山の船を指したのに違ひない。若し其の二船を以て元和三年六月中旬交趾支那より歸還した一隊とすれば、其の船數に關して三度衝突して來る。

然るにアドワルテは、秋安の遠征艦隊が、一六一六年五月四日に長崎を出帆して後、

暴風雨に遭つて薩摩の殿の治下に在る琉球に到著して同地に於いて冬を過し、殘餘の船は已むなく長崎に歸還した。次の十一月に出帆して再び前航海を續け、荒天暴風に會し多大なる困難の後、艦船の大部分は支那の沿岸に、

司令官は交趾支那に航して、艦隊は悉く四散して、戰爭は全く不成功に終つた。（註一二）

と述べてゐる。彼が前段遠征艦隊の構成、出帆の日時に就いて極めてユニイクにして正確なる筆を用ゐしに反し、後段の此の記述は時間に關して甚しき誤謬に陷つてゐる、併し艦隊は琉球沖にて暴風雨に遭ひて後、秋安直屬の一隊が交趾支那に向つたと述べてゐるのは、先にコックスが傳聞せし六月中旬同地より歸還せし三隻、從つて又道友が言ひし行末不明の村山の船二隻を指したものと斷せざるを得ない。そうして秋安配下の一隊は主船二隻と、此に隨ひし一隻から成つてゐたのではなからうか。果して然らば、遠征艦隊の船數に關して、彼我記錄の衝突は全く解決して來ることになる。

即ち秋安の統率せし臺灣遠征艦隊十三隻は、元和二年三月二十九日長崎を出帆して南航したが、不幸にして琉球沖を過ぐる頃暴風雨に遭ひて四散し、一船のみ辛うじて目的地に到着したれども、土民に襲はれて切腹し、部將明石道友の率ゆる二隻は五月十七日頃閩の東涌に達し、碇泊二日、董伯起を捕へて十九日正午頃出帆して六月四日に長崎に歸還し、他の七隻は其の行動明瞭を缺くも、浙江の沿岸を經て同年内に歸國し、秋安直屬の一隊三隻は交趾支那に到つて、翌年六月中旬非常に遲れて漸く歸國したのであつた。

此の遠征の進行中、丁度平戸のオランダ商館長の任に在つた Jacqnes Specx は後年蘭領東印度總督に昇任して、一六二九年十二月十五日、卽ち我が寛永六年十一月一日 Batsvia から Amsterdam の東印度會社理事に送つた　東印度事情一般報告中の一節に、秋安遠征の經過を搜入して

臺灣(Teijouhan)は、一六一五年及び一六年中に、日本人三四千人乘組みたる特派艦隊に依り征服せられたが、此の冒險は、皇帝の寵を回復せんために、某私人の企畫せし所なるを以て、物資の供給續かず、島は再び拋棄せられた。

(註一二)

と報告してゐる。事件後十數年を經たる追記にして、遠征の經過に關して多少眞相を誤り傳へて、臺灣島が一時日本軍に占領せられたと逃べてゐる。併しスペックスが、當時平戸在任中傳聞の追想に基く報告なれば、遠征艦隊全兵員三四千人と云へるは稍〻多數の觀が無いでもないが、此の遠征に當り兎に角艦船十三隻、兵員二三千人位の大仕懸の兵船が動員せられて、遙か南溟指して出征

したのである。

秀吉の征韓役後、徳川氏は專ら平和の外交を標榜して、力めて外國と事を構へることを僻けた。外征の計畫されしは、決して一二に止らざれども、斯く多數の兵員艦船を實際に遠く出動せしめたのは、等安の臺灣遠征を以て異例とすべきである。

註一 Aduarte, Libro segvndo. Capitvlo. XXIX. *p. 557.*

註二 皇明象胥錄。二、日本。

註三 崇相集。中丞黃公倭功始末。

註四 Cocks, Vol.I. *p.131.*

註五 *ibid.* Vol.I. *p.149.*

註六 Foster, Vol.IV. No *375.*

註七 崇相集。中丞黃公倭功始末。

註八 朱國禎、湧幢小品。卷三十、日本、東湧偵倭。

註九 東西洋考。十二、逸事考。

註一〇 Cocks, Vol.I. *p 277.*

註一一 Aduarte, Libro segvndo. Capitvlo XXIX. *p.557.* Pagés, Tom.I. *p.415. note.* (3).

註一二 Originele Generaele Missive van Gouverneur Genersael ende Raden van Indie aen den Camer Amsterdam uyt Battavia in dato Dec. 15, 1629. [*Koloniael Archief. 1006. fol. 9. so.*]

Hoetink, B. Verhael van het Vergaen van het Jacht De Sperwer door Hendrik Hamel, 1653–1666. 's-Gravenhage. 1920. *p. 123.* Bylagen. V. Personalia. C. Iquan.
Riess, Ludwig. Geschichte der Insel Formosa. *pp. 416–20.* 吉國藤吉氏譯本、五七—五八頁。

三　遣明使明石道友の特派

等安の臺灣遠征は不幸にして脆くも失敗に歸した。併しながら、等安が此の遠征を契機として企てた對外交渉は、此れを以て全く終局を告げたのではなかつた。遠征失敗の翌年の春、英商館長コックスは、長崎在住支那人より遣明使・節一行出帆の狀況の詳細なる報告に接してゐるが、日記の一六一七年四月十三日即ち我が三月十八日の條に、

支那甲必丹が來て、長崎弟ホッの書狀を受取つたが、書中に、日本皇帝が、百人餘乘組んだ一船を支那海岸に差遣せし由が記載してある。同船にて、三十人の武士が支那皇帝に贈る書翰一通と、黃金造の柄や其の他の附屬品を着けた立派な刀十振、同樣の手槍多數、及び丁銀二十貫目等の高價な贈物を携へて渡航した由である。諸人は此の事に就いて判斷を下すことが出來ないが

日支人間憎惡の念大なれば、支那皇帝は、恐らく彼等の贈物を受納せざるべしと思ふと予に語つた。(註一)

と記してゐる。然るに等安配下の明石道友は前年秋安に從つて臺灣に出征し、次いで福建に廻航して董伯起なる者を捕へて歸國したが、此の頃等安は再び一舟を支立てゝ、伯起を送還して彼地に赴きて、土地の官憲に贈物を獻じ、書を上つて、貿易開始を要求せしめてゐる。「東西洋考」には月日を缺くも、此の伯起送還を傳へて、

其明年(元和三年)倭酋村山等安命小舟、送伯起來歸。幷獻方物、上章求市。當事以章表不中式、拒不納、厚犒之遣還、(註二)

と記してゐる。そうして此の等安の使船に乘つて伯起を送還したのは、前年彼を捕へて歸國したる明石道友其の人に他ならなかつた。「皇明實錄」に依れば、

萬暦四十五年(元和三年)八月癸己朔、巡撫福建監察御史李凌雲奏稱。本年四月十九日、有臺山遊兵船一隻、送回董伯起。隨爲官兵阻于黄岐。海道副使韓仲雍馳至小埕、召倭目明石道友、通事高子美等、譯審之。其長岐一島、彼名爲肥前州島酋村山等安、我呼爲桃員者、近受武藏總攝之命、監主市易交關唐人者也。

實等安親隨典計之僕。其一人明石道友、乃其領㆓倭出販率㆒(?)。而正木失(マヽ)次衛門、紫(マヽ)田勝左衛左(マヽ)門、則船中頭目也。(註三)

とあるから、此度伯起を送還して彼地に赴きしは、等安の配下にありて貿易事務を管掌せる前記の道友以外に、等安隨親の僕正木矢次衛門、船長柴田勝左衛門、及び通事高子美等であつた。而も、彼等が長崎を出帆して福建に着航したのは、四月十九日のことであるが、先にコックスの傳聞した遣明使出帆の三月十八日を去ること、正に一ヶ月にして、時日の經過より見るも、其の使命、贈物のこと、兩使全く相一致せる點より見るも、コックスが實に道友一行の出帆を指したることに毫も疑なき所である。

斯くて道友等の使節船が福建の沿岸に到るや、上下の驚惶云はん方なく、巡撫黃承玄は參將沈有容をして、出でゝ一行を應待せしめた。「崇相集」の「中丞黃公倭功始末」には再び此の時のことを

(萬曆四十五年、元和三年)次年四月、明石道友果送㆓伯起歸㆒、泊㆓船三崎澚㆒。上下又驚惶、莫㆑測㆓倭意㆒。黃公命㆑沈出撫。伯起同明石道友三人來叩頭、不㆑佩㆑刀。道友曰、不㆑敢。沈公取㆓一長倭刀㆒與佩。道友感激欲㆑死。蓋彼國以㆓佩刀㆒爲㆑飾也。又以㆓虓頭㆒坐㆓三頭目㆒、駕至㆓定

海㆒。實分㆓其勢㆒看㆓其意何如㆒。道友等又大感。沈公遂帶㆓伯起㆒見㆓軍門㆒。予恐或挾㆓伯起㆒、爲㆓互市計㆒、請㆓御解㆒輕㆓其所㆒㆑挾。黃公然㆑之。乃命㆓海道水標㆒、出㆓定海㆒撫賞。七十餘倭、皆跪㆑道左迎、及㆓順行㆓賞賜。皆叩㆑首言、伯起不㆑受㆓我物㆒、我亦不㆓敢受㆒。二公曰、天朝賜㆑汝、如何不㆑受。乃各叩頭受訖。（註四）

と記してゐる。卽ち彼等の所謂三頭目道友・矢次右衞門・勝左衞門等三人は、通事高子美及び伯起等一行と共に、沈有容に伴はれて三崎澳より定海に至つたが、有容が更に出でゝ殘餘の乘組員を撫賞した時、「七十餘倭皆跪道左迎」してゐるから、道友一行の全員は、先にコックスの傳聞せる百人と、其の記載に餘りの懸隔は無い。此の時海道副使韓仲雍は馳せて海上に至り道友等を召して其の來航の情實を審問したが、此の問答折衝の始終は悉く「東西洋考」に引く「欽倭詳文」中に擧げられてゐる。道友一行差遣の理由、又前年等安が臺灣遠征の動機、此れに應ずる明の官憲の對策、彼の地に於ける官民の感情など、極めて精細なる筆を以て敍述し、等安の遠征及び遣使を中心とする日明交渉の經過を示す貴重なる文字である。韓仲雍が彼等に審問せし事項を整理して見れば、

一、何故侵㆓擾雞籠淡水㆒。

二、何故謀據北港。
三、渠外海商販、何故劫掠內地。
四、渠何故挾去伯起。
五、渠今又何故送還伯起。
六、渠何故侵奪琉球、使吏治其土宇。
七、渠來意何求。

の七ヶ條であつて、此に對して道友等の應答辯明せしは、

一、自平（秀吉）會物故國甚厭兵。惟常年發遣十數船、挾帶資本、通販諸國、經過鷄籠。頻有遭風破船之患、不相救援、反掠我財。乘便欲報舊怨。非有隔遠吞占之志也。

二、通販船經由駐泊、收買鹿皮則有之、並無登山久住之意。或漁捕唐人見影妄猜、或仇忌別島、生端唆害。

三、國王嚴禁、不許犯天朝一草一粒。緣各商趁風飄入浙閩、不得已沿途汲取山泉、官兵既劫賊相待。因而格鬪、未免殺傷、且各商去國遠、不必謹守國法。有信附舟唐人恐嚇起釁者、有被劫海唐人敎誘取利者、國王寔不知

聞。聞則必根査之、而種誅之。董伯起親見舊年同道友來、擄去漁人張士春歐達老船衆五十餘輩、今盡監禁、待回報、行戮是也。

四、上年彼國發商船十一隻、阻風失踪。其二船係島會親子、至今未還。其七船與浙兵纏住厮殺。惟道友二船先到東湧、遇小漁船、浼代樵汲、幷作眼目。詢知軍門黄都爺多撥船兵火器、係是韓海道新行訓練、十分精利於漁船。叢中覺察、伯起有異。質問係是海道中軍官人。禮請過船同到日本。一則欲待官兵追及央其分剖、一則藉此歸報國主。明非逗留、寔不敢輕慢。

五、(秀忠)總攝嗣立未久、每念四夷皆得自通天朝、而彼獨隔絶。先世亦常列名職貢、而後乃棄捐。心中時常以爲恥憤。今因送到伯起。辭氣耿介、愈仰中華人物。始悟每年經舟越販、峩冠進謁、或爲衙門差官、以來供饋、或領互市價、値竟至脱騙。皆骫法奸民、使小國慕化之心有負、而天朝字小之恩不沾。今幸撥雲見日、自願輸忱。春信風柔。始差道友等、整船送回、至恭進表文。經沈參將諭以不合體式。願帶繳回矣。

六、係薩摩會陸奥守恃强擅兵、稍役屬之。今歲輸我王、不過銀米三千。收利幾何、而不忍割出。但須轉責該島耳。

七、送還華官、得一公文回報、圖好體面、傳好名聲、別無他求。但願自後鑒我、倭人船衆、止是通販、不是行劫。官兵相遇、莫輙鬪殺。

と。即ち、第一第二條は、等安の臺灣遠征の事に係り、其の第四、第五及び第七條は道友等の兩度の渡來と其の來意に關し、第三條は此頃浙江を犯した倭寇のことにして、第六條は島津氏の琉球征服に就いてゞある。等安の遠征に關しては、固より呑占久住の意志はなく、曾て商船が資本を携帶して諸國に通販し過ゝ雞籠を過ぐる頃暴風雨に遭ひ、難を僻けて駐泊し鹿皮を購買せんとして、劫て士民に襲はれた舊怨を報せんためであると辯じてゐる。浙江の倭寇に關しては、將軍之を嚴禁すれども、不逞の徒國外に於いて之を犯し、敢て彼の聞知する所に非ず、若し歸國の後發覺すれば之を刑戮すと述べ、島津氏の琉球征服は、義弘自ら强を恃んで、兵を擅にしたと說いてゐる。最後に前年道友等の寄港して伯起を捕去りしは、暴風雨のため已むなく寄港し、一は官兵の來襲を僻け、一は等安に歸報せんがためなりとなし、更に此の度伯起を送還して到りし本意は、秀忠嗣立して未だ久しからず、日支國交貿易の杜絶せることを大いに憂ひて、道友等を差遣し恭進の表文を上り、互市を乞ひ、兼ねて、今後倭船の寄港通販するものは、之を許じて鬪殺する勿んことを歎願せしめてゐる。然るに明の官憲は、道友等の辨疏歎願にも係らず、日本を疑ひ、近くは等安の臺灣遠征のこと、古くは、胡惟庸、宋素卿の事件、汪五峯の入寇、或は秀吉の高麗侵擾の事などを列擧して、頑强に此を退け「汝若戀二住東番一、則我寸板不レ許二下海一、寸絲難レ望レ過レ番。兵交之利鈍未レ分。市販之得喪可レ睹矣。歸示二汝主一、自擇二處之一」とて、飽くまで日本人の臺灣占住を拒絕し、且つ「章表不レ中レ式」とて之を受理しなかつたのである。(註五)

偶〻桃烟門なる者あり、浙江を犯して、兵船を破り、兵十八名を殺し、千餘人を捕へ、轉じて閩に入り、漁船鄭居等二十餘人を捕へたが、舟が岩礁に觸れて破碎した。沈有容は誘ひて之を擒にせんと王居華なる者を遣して說かしめた。居華は伯起と共に送還せられた者で、頗る日本語に通じて、明石道友已に撫を受けしことを告ぐるや、桃烟門の心動いて、道友の書有らば從はんと答へて、道友の書を得て手交するに及び、彼は直に降つたのである。(註六) 桃烟門とは恐らく藤右衛門に充てた漢字であらう。

此に於て道友等一行は、福建當局より、

賞二花紅布絲一、復椎二牛釃酒一大饗レ之。仍頒二布旗一、大二書　福建發回日本効順夷目一、
俾レ懸二桅上一、給レ糧遣回。(註七)

とて、大いなる歡待饗應を受けしのみにて、使命を果し得ずして空しく歸國したのであつた。出發に臨んで董伯起は等安に謝禮の書狀を認めて道友に託送してゐる。卽ち

福建海道中軍官董伯起致二書日本長岐監市官村山
等安執事一。蒙二
將軍令一送レ起歸レ閩、蒙下
執事レ治レ船遣二道友一護中送我上。
天朝官府皆嘉二效順一、自二海道一　督府
參府皆出、燕勞從厚錫貺、分レ船居□(處カ)
選レ船將送、所二以報答一。
(此間數行闕)……………………………
人啓レ釁自受二惡名一。
執事今日富己極矣。譬如二累レ棋極高

必隊一・此雖二於レ起無レ與、然蒙レ恩送歸、（莫）廿レ
盡其忠言一也。謹頓首拜
謝
萬暦肆拾伍年伍月廿九日書印印（註八）

と。本書は如何なる經路に依りてか、但馬國朝來郡山口村八幡神社祠官の家に傳はつてゐる。伯起が道友の歸帆に差迫つて認めたのであらう。明の官民永年の反日感は容易に結んで解けず、道友等の所有努力にも係らず、其の堅き扉は叩けども開かれざるかの樣に思はれた。

註一　Cochs, Vol.I, *p.249.*
註二　東西洋考。卷六、日本、外紀考。
註三　明神宗顯皇帝實錄。卷五百七十六卷、萬曆四十五年八月癸巳。
註四　崇相集。中丞黃公倭功始末。
註五　欵倭詳文。（東西洋考、卷十二、逸事考　所收）
註六　崇相集。中丞黃公倭功始末。
註七　欵倭詳文。
註八　武田文書。

第三章　遠征及び遣使の効果

一　遠征及び遣使の動機

扨て等安が斯くも多大なる犠牲を拂ひて兵員二三千、軍船十三隻を動員して遙かに臺灣を遠征せしめた動機に關して、當時既に種々なる臆說を生んでゐたが、今其の一々を吟味して以て遠征の意義と價値を檢討して見やう。

先づ其の動機に就いては、凡そ次の如き觀察が下されてゐた樣である。

一　秀賴搜索の爲め。
二　通商貿易の爲め。
三　土民の劫掠に對する復讐の爲め。
四　家康の恩寵恢復の爲め。
五　對支貿易仲介地占據の爲め。

(I)　遠征が秀賴搜索のためと言ふ臆測は、コックスの日記一六一五年十月三十

日の條に、

支那甲必丹の語る所に依れば…………權六殿が…………支那に近い高砂と云ふ一島に兵員を輸送する由である。併し予は寧ろ其は秀頼様が潜伏してゐると皇帝が考へてゐる琉球のことならんと思ふ。(註一)

と記し、翌一六年五月五日の條にも、

長崎の等安殿の子息は、兵士を乘せた船十三隻を率ゐて高砂島占領のため出帆した。…………秀頼様捜索のため、琉球に赴かんとしてゐるとの噂がある。(註二)

とあるが、此より先同年二月廿五日彼が東印度會社に送つた書翰中にも略ゝ同様の報道を記して、最後に之を秀頼捜索のためとしてゐる。當時大坂落城後幾許もなく、秀頼の南方逃竄の風説が盛に流布した際なれば、一應は世人の考ふべき事でもあつた。又此の遠征が計畫されるや其の噂は琉球に傳り、支那に通ぜられ、此の年七月十二日コックスが上方地方にありしウィッカムに送つた書翰中には特に、

等安がフェルモサ島を征服するために遣はした小船は、其の目的を達せず(其

企圖が到着前に發覺したいため唯一隻の小船と、之に在つた者を悉く失つた。

(註三)

と報じしゐる程のことがあつたから、遠征準備中には、殊更に其の目的地を秘して、故意に斯くの如き風說を流布したとも考へられる。併し此の秀頼搜索說は全く遠征の動機ではなかつたのである。

(II) 次に遠征の動機を以て、通商貿易の爲めに企てし所となすは、遠征の翌年明石道友が福建に使した際に辯明してゐる所である。即ち

通販船經由駐泊、收買鹿皮則有之、並無登山久住之意、或捕漁唐人、見影妄猜、或仇忌別島、生端唆害。(註四)

とて、臺灣を占領久住するの意なく、專ら鹿皮を購買せんためにして、之を遠征と見るは、唐人漁夫の疑惑に基く幻影と言つてゐる。道友が明の官憲に對する辯明なれば、到底遠征の事實を肯定して、其の眞意を告げ得る筈はない。併し此を以て遠征の從屬的な一動機と認め得るであらう。

(III) 遠征を以て土民に對する復讐に歸するも、亦道友の辯明せし所である。暫く彼の語を聞くに、

白平齎物故、國甚厭兵。惟常年發遣十數船。挾帶資本通販諸國、經過雞籠。頻有遭風破船之患。不相救援、反掠我財。乘使欲報舊怨。非有隔遠呑占之志也。(註五)

と言つてゐる。此は遠征の經過の事實より見れば、全く動機と結果を顚倒せし辯明にして、虚構の辯と云はざるを得ん。

(IV) 更に遠征の動機を以て、等安が家康の恩寵を恢復せんがため企圖せし所となすは、最も一般的な觀察であつた。「皇明象胥錄」に

長崎之酋卽桃員者、得罪家康。懼爲所滅、請取東番自贖。遂令次子秋安、連犯閩之東湧大金。尋家康死、局中變。(註六)

とあり、東印度總督スペックス等の通信文中にも、此の動機に就いて、

此の冒險は皇帝の寵を回復せんために、某私人の企畫せし所なるを以て、物資の供給續かず島は再び拋棄せられた。(註七)

と記してゐる。此の頃幕府の切支丹取締は漸く峻嚴となり、爲めに一族擧つて切支丹信徒なる等安の背後には、何等かの脅威が次第に迫りつゝあつたであらう。斯くて等安は身邊の辯明、地位確保の運動の爲め、元和元年五六月頃上洛

してゐる。(註八) そうして、遠征の最初の機縁をなす所の、高砂國渡航船朱印狀下附の日は、彼の上洛後約一ヶ月の七月廿四日のことであつた。即ち等安は、其の時自發的に遠征のことを提言して幕府の諒解を求めて、以て彼の地位を維持保證せんと計つたのでは無からうか。臺灣遠征と云ふ重大事を決行するに當り、幕府の諒解を求めなかつたとは思はれず、寧ろ奉行藤廣の紹介に依つて朱印狀を得しは、幕府の諒解せし一證左と言ふべきである。否、等安が自發的に遠征を願ひしよりも、或は此の時家康は等安の地位保證の代償として、命ずるに遠征の重大事を以てしたのではなからうか。平戸のオランダ商館長 Cornelis van Neijenroode は一六二七年十月一日即ち寛永四年八月二十二日附平戸より、東印度總督 Pieter de Carpentier に送つた報告の一節にも、

> 長崎の等安 (Touban) は、嘗て、前皇帝權現樣 (Gosensamma) の命令によりフォルモサに不幸なる遠征を企てた。(註九)

とて、此の遠征の傳聞を挿入してゐるが、當時コックスは、一六一六年二月二十五日附東印度會社に書面を送り、

> 又皇帝は長崎の等安殿に命ずるに、自ら費用を負擔して、支那の沿岸にあ

るフェルモサと稱する島に赴き、戰ひて之を取ることを以てした。(註一〇)

と言つて、幕府は遠征の大事を、彼の私費にて決行する様に命じてゐる。而して、此の遠征が幕命であるにせよ、或は等安の自發的企圖であるにせよ、未だ臺灣を以て、特に遠征の目的地とせし理由は明かでない。

(V) 最後に遠征を以て、對支貿易仲介地占據のためとなすは、等安の遠征に當り、明に在りて絶えず此が對策に腐心奔走した福建巡撫黄承玄の下したる觀察にして、動機の眞相に觸れた意見と言つて宜い。卽ち

今果以協取鷄籠見告矣。夫倭豈眞有利于鷄籠哉。其地荒落、其人鹿豕。夫寧有子女玉帛可中倭之欲者、而顧耽耽何之也。蓋往者倭雖深入、然主客勞逸之勢、與我不敵也。今鷄籠實逼我東鄙、距汛地僅數更水程。倭若得此而益旁收東番諸山、以固其巢穴。然後蹈瑕伺間、惟所欲爲、指臺礵以犯福寧、則閩之上游危。越東湧以趨五虎、則閩之門戶危。薄彭湖以瞷泉漳、則閩之右臂危。卽吾幸有備無可乘也。彼且挾互市以要我。或介吾瀕海奸民以耳目我。彼爲主而我爲客。彼反逸而我反勞。彼進可以攻、退可以守。而我無處非受敵之地。無日非防汛之時。此豈惟八閩患之。兩浙之間、恐未得安枕而臥也。(註一一)

と云つてゐる。卽ち臺灣は經濟的には此を占領する價値なきに係らず、日本人が占據せんとするは、一は此の地より對岸程近ぎ福建地方通商劫掠の足場となさんとするに在り、一は此の地を以て日支密商の仲介互市場と爲さんとするにありと觀察してゐる。

曾て文祿二年秀吉は臺灣を招諭し、家康は慶長十四年有馬晴信に命じて臺灣を視察せしめ、今又等安をして此が遠征を決行せしむ。三事何れも、澎湃たる我が國民南方發展の勢の然らしむる所にして、而も臺灣は我が南洋發展の途上に橫はる最初の足場であつた。等安の遠征は、斯くの如き我が傳統的南方發展の連鎖の一輪として始めて理解が出來る。併しながら當時我が國民が特に臺灣に向ひ、進んでは更に南洋に着目發展せし眞因は、未だその深奧を明確に把握したものとは言へない。此より先き、明の勘合貿易杜絕以來、我が國民に殘されたる道は、暴力に訴へて此れを强行するか、轉じて第三地に明人を誘ひて隱に之を密行するか、或は第三國民を通じて之を行ふかの三途あるのみであつた。然るに明に於ける對倭寇策の完成に伴ひ、我が國民の進むべきは、第三地に於ける日支人出合仲介貿易であつた。そうして我が國土に最も接近せる臺灣が、

此の目的の爲めに先づ選擇せられたのである。家康が晴信に命じて臺灣を視察せしめた時にも此の點を明示して、

一　無事に成候上にて、大明日本之船、たかさくんえ出合、商賣仕候樣に可致才覺事。(註一二)

と命じてゐる。黃承玄も此の一件中に於いて、實に能く這般の情勢を洞察してゐたと言はねばならぬ。更に明末の海外通として有名な徐光啓は、其の長文の對外意見「海防迂說制倭」の中に於いて、

家康代吉爲政、令行諸國。亦如秀吉時。然志在休息。獨其嗜利殖貨異甚。故求市愈益切。度從朝鮮既不可得。則轉而之琉球。辛亥遣將虜其王。…………而令之代貢陳辭。我又幷琉球拒之。于是爲嫚書以怵我。所設三事、猶昔年朝鮮之五事也。昔之五事、貢市居其第五。今之三事、亦貢市居其第三。蓋其本意所重在于是耳。年來新例甚嚴。至用重典。當法立之初、奉行者少。私市之商、方舟連艦、舡隻硝硝、精鐵袪服、無不販鬻。丙丁以來持法稍峻。至于內海交易、多亡其貲。去者稍稍絕迹。倭始不可堪。則北又求之朝鮮。而南又圖之雞籠淡水。…………求從對馬通市釜山矣。無已則寧從于南。資貨所出皆在南方。

道里且近。雖能淡水又獲勝算。故兩求不可得、必將先聲于北、以牽制我、而收實于南也。(註一三)

と斷じてゐる。誠に此れ、我が對支政策を喝破したる好文章と謂つ可きである。家康は先に朝鮮との修交再開するや、之を介して、日明國交貿易開始を要請して容れられず、轉じて琉球をして之が斡旋に努力せしめんとして拒絶せらるゝや、島津氏をして之を征せしめて以て、更に之を求めしめしも未だ成功せず、加之、來航明人を介しての直接交渉も、再三反響なかりし際なれば、再轉して南方政策と併行したのであつた。等安の臺灣遠征は、暫く彼自身の個人的動機を除外すれば、斯くの如き客觀的情勢の中に、其の眞の動機と原因を求む可きである。

翻つて等安遣使の動機目的如何を檢討するに、固より勘合貿易杜絶以來、此が再開は、我が官民を通じての熾烈なる要望であつたが、江戸幕府の治世に入りても、朝鮮琉球を介して之を斡旋せしめる傍ら、數次來航支那人を優遇して再開の素地を作り、進んで本多正純、長谷川藤廣をして書を福建總督に致して之を乞はしめたことがある。今遣明使道友自身の語る所を聞くに、

（秀忠）總攝嗣立未久。每念四夷皆得自通天朝、而彼獨隔絕。先世亦常列名職貢、而後乃棄捐。心中時常以爲恥憤。今因送到伯起、辭氣耿介、愈仰中華人物。始悟每年輕舟越販、㝡冠進謁。或爲衙門差官、以求供饋。或傾互市價値、竟至脫騙。皆犯法奸民、使小國慕化之心有負、而天朝字小之恩不洽。今幸撥雲見日、自願輸忱。春信風柔、始差道友等、整船送回、至恭進表文。…………願自後鑒我、倭人船衆、止是通販、不是行劫。官兵相遇、莫輙鬭殺。（註一四）

と述べて、幕府當局が貿易開始の衷情を披瀝してゐる。等安の遣使は、正に此の對支關係の大勢に順應したりと謂ふべきである。但し等安一身一家の成敗が匹迫せし際、多大なる犧牲を拂ひて決行せし遠征がみじめなる結果に終るや、彼が直ちに引續いて多額の經費を投じて此の遣使を企てし動機を以て、先の不名譽を恢復して、ひし〳〵と迫る暗雲を一掃するための最後の奪鬪となすも、穴勝穿ち過ぎたる推察ではあるまい。

註一　Cocks. vol.I. p.80.

註二　Cocks. Vol.I. p 121.

註三　Foster. Vol IV. No.375.

註四　欵倭詳文。

註五　同上。

註六　皇明象胥錄。二、日本。

註七　Originele Generaele Missive. Dec. 15, 1629. 〔*Kol. Arch. 1006*〕

註八　吉川廣家自筆書狀。慶長廿年五月晦日、(大日本古文書、吉川家文書別集　四二九―四三〇頁)

註九　Copie drie Missive van Cornelis van Neijenroode aen den Gouverneur-Generael Pieter de Carpentier, uÿt Firando in dato 1 Oct. 1627. 〔*Kol. Arch. 1004. ongefol.*〕

Nachod, Oskar. Die Beziehungen der Niederländischen Ostindischen Kompagnie zu Japan in siebzehnten Jahrhundert. Leipzig. 1897. Beilage 28. *Seite 78.*

註一〇　Foster, Vol. IV. *No. 342.*

註一一　皇明經世文編。卷之四百五十五、黃中丞奏疏、題琉球咨報倭情疏。

註一二　有馬家代々譜付寫。四、從公儀被仰出條々、幷心得之事、(大日本史料、第十二編之六、一三三頁)

註一三　皇明經世文編。卷之四百七十。徐文定公集　卷之四、議、海防迂說、

註一四　敗倭詳文。

二　遠征及び遣使の効果

最後に此の遠征及び遣使の効果と影響に就いては、先づ等安の一身一家に關する個人的な方面と、當時の對外交渉、就中日支關係に及ぼす一般的な方面と

の兩者に就いて考察する必要があらう。

既に等安が、不安になつた彼の地位擁護のために、此の大事を決行したとすれば、遠征遣使のみじめなる失敗は、必然的に彼及一家の沒落の時機を早めたものと云はねばならぬ。コックスも現に、

或は等安が、其の生命と其の財産の一切を失ふ動機となり得べしと考へらる。（註一）

と述べ、「皇明象胥錄」にも、

得罪家康、懼爲所滅、請取東番自贖、（註二）

とありて、等安は遠征か遣使か何れかの一方に於いて、是非とも成功せざるべからざる境涯にあつた。然も兩事とも不幸にして失敗し、幾許もなくして彼は失脚し、元和五年の暮には一家を擧げて刑戮せらるゝの悲運に遭ひしを見ば、遠征遣使の不成功は、彼の一家に取つて全く致命的であつたのである。

次に遠征が對支關係に與へた影響を見るに、既に遠征計畫の報琉球より漏れるや、福建巡撫黄承玄は、長文の疏を認め此れが對策を練り、警戒を嚴にした。愈ゝ此が實行せらるゝや、明の官民の對日感情は俄に惡化した樣に察せらる。

道友が遣使として福建に赴きし際、明の當局は、

上年琉球來報、汝欲窺古東番北港。傳豈謚妄天朝。因汝先年有交通胡惟庸之事、有擒遣宋素卿在驛關殺之事。有誤信汪五峯、頻年入寇之事。近年有平秀吉侵擾高麗之事。疑汝嫌汝。懸示通倭禁例益嚴。其實遠嶼窮棍、挾微貲、涉大洋、走死地、利于汝地者、弘綱濶目、尚未盡絕。汝若戀住東番、則寸板不許下海、寸絲難望過番。兵交之利鈍未分、市販之得喪可視矣。歸示汝主、自擇處之。（註三）

と云つて、胡惟庸、宋素卿事件や、汪五峯入寇に硬化せる明の對日反感は、文祿慶長の役、續いて琉球征伐、今又彼の遠征により著しく激發されて、未だ俄かに解く能はざるかに見えた。斯く臺灣遠征が、明の官民の極力警戒憎惡せるに係らず、敢て此を冒して、然も直に使を遣して明の門戸を開かんとするの矛盾が、既に遣使の不成功を約束してゐたと云はねばならぬ。されば コックスも遣使の効果を危んで、

日支人間憎惡の念大なれば、支那皇帝は、恐らく彼等の贈物を受納せざるべし。（註四）

と記せる如く、一行は果して使命を全うし得ずして空しく歸國した。

併し此の遣使の企圖は全然反響がなかつたとも斷じ得ない。明の官憲の道友一行を待遇するに「厚犒之遣還」とあるは、其の間一脈の期すべき所の存して居た事を語るものではあるまいか。卽ち浙直總兵官は、使節單鳳翔等五十餘人を遣はして、嚮に道友が董伯起を送還して以來、海禁緩みて商舶の來往漸く興りし事を述べ、更に商舶と海盜との區別を明にして、通商を行はんとの希望を將軍に陳ずるの國書を捧げしめた。其の書に曰く、

欽差總鎭浙直地方總兵官中軍都督府僉事王、爲靖盜安邊、以杜商患事、照得丁巳(元和三年)年間、據福建軍門海道申報、貴邦送回中軍官董伯起等情、具表申奏朝廷。乃知、北轅南返、忠臣無故國之悲。去珠復返、壯士沐歸士之慶。甚盛心也。于是海禁從寬、來往商船得以通行。迨今年肆月間、福建軍門差官報府、沿海奸徒、聚黨刧掠商船貨物、以致殺傷。官兵知會本府、連兵合捕。因思此輩刧逃、必假過洋客船、混至貴邦交易、商名盜行眞僞難分。虎攘狐藏、憲典莫及。倘非察覈、是養奸貽患。皆有國者之耻也。爲此本府特差標下中軍官、賫文前往將軍樣麾下投、遞乞行令各郡、將所到商船、逐一查理、及一切經年、流落

商人、或賭博棍徒、皆易爲盜者、悉宜細勘。俾人臟得實、即嚴刑懲治。庶上仲三尺之王章、而商利允洽。下杜兩邦之盜患、而邊疆永靖。益信昔日惡、歸我人之非虛矣。伏惟將軍樣照允施行、須致文者。

大明萬曆肆拾柒年陸月　　日

承行典吏張文相照　會一判。(註五)

と。勘合貿易杜絶以來、あらゆる方法に於いて、此が再開を計らんとせし我が國民の切なる希望を、常に素氣なく拒絶し來つた支那官憲の態度は、此に至つて頗る緩和したと謂ふ可く、假令そこには海盜禁壓てふ主因があつたとは云へ、此は既に明朝を通じての我に對する不斷の希望にして、今や此の遣使を劃期として、從來の排擊的なるは、こゝに協商的に變じ來り、然も共が實に等安の遣明使を契機として起つたのである。そうして此の時明使單鳳翔等一行の鄉導に當りしは、先年明に使した明石道友其の人であつた。(註六)

註一　Foster, Vol. IV. No. 375.

註二　皇明象胥錄。二、日本、

註三　獄倭詳文。

註四　Cocks. Vol. I, p 247.

註五　異國日記。卷三、

近藤守重、外蕃通書。第九册、明國書二、〇明浙直總兵官王某上書、（國書刊行會本、第一、五七—五八頁）

羅山先生詩集。卷第四十七、外國贈答上、和二大明人陳元贇沈茂人詩一　幷序。（京刊本、卷四、八九頁）

羅山林先生文集。書三、答二大明人單鳳翔一　代レ人〇元和七年、與二大明人沈茂人一代レ人（京刊本、第一、四四頁）

註六　羅山林先生文集。同上、「明石道友爲二鳳翔鄕導一」とある。

第四章　村山家の沒落

一　村山一家の信仰態度

以上蕪雜なる記述によつて、長崎代官村山等安と諸外國民との交渉、引續いて彼の決行したる臺灣遠征と遣明使とに關して私の意圖した論考を終つた。併しながら等安をして、此の二大事の決行を餘儀なくせしめし私的な事情と、此が等安一家に及ぼしたる致命的な結果に就いても、筆を省くことは出來まい。そうして村山氏一家の運命の消長と、極めて緊密なる關係ありし彼等一家の信仰態度は、先づ究明すべき問題であらう。

等安は早く洗禮を受け、かのAntonなる切支丹名を得、曾ては最も熱心なる信徒の一人と認められ、伴天連ロドリゲースを伴つて上洛した事があり、其の長子德安（Tocouan）も長崎に生れ、幼にして耶蘇會の伴天連から洗禮を受けてAndreと云ひ常に修道士を接待して、彼の家には伴天連の止宿するもの絕えたる事なしと傳へられ（註一）、彼の妻は長崎奉行の姪にして、Mariaと云ひ、共に最も篤信なる切支丹宗徒にして（註二）、一六一四年四月（慶長十九年）頃長崎で催された信徒の行列には、等安は德安等全家族と共に相携へて之に參加してゐる。（註三）殊に、一六一七年六月一日（元和三年四月廿八日）伴天連Hesnand de Saint-Iosch等四人が刑せられ遺骸が高島近海に沈められるや、宗敎諸團體の信徒は、長崎代官の長男アンドレ·德安指揮の下に二ケ月間之が搜索發見に力めたが、遂に徒勞に終つたと傳へられてゐるから（註四）、德安は當時長崎にありて切支丹宗徒間に重きを爲してゐたに違ひない。

次子秋安は、Juanなる切支丹名を得、「最も有德の人にしてサニト·ドミンゴ派の特別なる善人である」が、前述の如く父等安の名代として臺灣遠征に上つて失敗してゐる。

三男のFrancisco Toan(等安?)は實に伴天連にして慶長十九年一旦國外に放逐せられんとしたが、密に船中に忍んで歸還し、後大坂城に入つて落城の際陣歿してゐる(註五)。長崎關係の諸書にも朧げながら此の傳聞を記してゐる。例へば「長崎實錄大成」にも、

先年東安嫡子邪宗門に歸服セシ事露顯ニ付、蠻國ニ流刑被仰付ノ處、東安密ニ船ヲ仕立沖中ニテ彼嫡子ヲ奪ヒ取リ、自宅ニ隱シ置、剩へ大坂御陣ノ時、件ノ嫡子ヲ城內ニ籠置、玉藥ヲ差上、(註六)

と記してゐる。但し、此より先長崎奉行長谷川左兵衛が家康の旨を承けて信徒の取締を嚴重にするや、信徒も此に對して結束を固くせんと誓つたが、此の時等安の取りし態度をパジェスの「日本耶蘇教史」には、

從來煮え切らざりし代官自身は、殆ど熱意を示さず、最も遲く彼の生命を捧げることを誓つた。(註七)

と記して、等安の信仰は可也動搖してゐた樣である。併し何れにしても斯くの如き村山一門の切支丹「信徒としての活動は、當時日を逐ふて益〻取締を嚴重にしつゝあつた幕府乃至長崎奉行所の方針と到底相容る能はざる所にして、彼れ

の一家に對しても、其晩何等かの機會に於いて手が下さるべき事態に在つたと言はねばならぬ。

加之、等安が巨富を擁して榮華を極めたるは、時人の嫉視反感の焦點たりしなるべく、月洲の「長谷川藤廣傳」に

等安………以是富擬王侯、奢侈尤甚。藤廣既見公、面陳西海利害、因及之。等安獲罪職此之由云。(註八)

と傳へ、身親しく長崎の地を踏み等安に會した明人董伯起も、彼に送つた書翰中に、

人啓釁自受惡名。執事今日富已極矣。譬如累棋極高必墮。此雖於起無與、然蒙恩迭歸。莫盡其忠言也。(註九)

と述べて、等安の富已に極り、世人の惡評の的となり、身邊頗る危きことを以て其の反省を促してゐる。蓋し斯くも等安の地位の不安定を將來せし所以は、彼が今や幕府の對外政策に對しても、言はゞ一の障碍となりしなる可く、即ち嚮に奉行長谷川氏等をして之が目付役に當らしめ、更に年々夥しき物貨を呑吐する極めて有利なる貿易港を、完全に直轄領として幕府の掌中に收めるには、

宛も自由市の市長格として、秀吉以來久しく其の職を守つて巨富を擁し、威權を恣にしてゐる舊勢力代官等安は、茲に必然排除せらるべき運命に置かれたのではあるまいか。

果せる哉、慶十九年幕府が長崎に於ける切支丹の穿鑿を行ふや、早くも等安は糾明の槍玉に上げられてゐる。翌年五月末日吉川廣家が、其の家臣に送つた書翰中に、

小笠原宗中手前之儀付而覺之事、

一　彼宗門去年御究之時。長崎衆惣樣御宥免にて、其衆なみ之進にて候。(長谷川)左(藤廣)兵衛殿、駿河殿、長崎方御上之刻も、御暇乞ニ罷出候由候。御究之中も左兵衛殿へは切々罷出、如前々之ニ候つる由候事。

一　(長谷川藤正)權六殿と申ハ、左兵衛殿おいにて候か、不斷長崎ニ被居候。其人い弓法方之弟子にて候。別而懇之由候事。

一　宗中事、長崎ニ于今ニ屋敷如前々被抱候。勿論女房衆も長崎ニ在之事。

一　以來又宗門之御せんさく被成儀候者、長崎衆なみに御法度可承との事候事。

一　長崎之とうあん(等安)儀者、勿論きりしたんの宗旨にて候故、去年之御究ニあひ候由候。然者於二予今一ハ京へ參上候て、御前へ御めみえ申たる由候事。

右之前ハ、宗中口上ニ候。又爰許ニハ親類共候故、さんし被二龍居一候。弓法之弟子なとニ付。少之合力をも可レ請との內證候。此条々自然越州御尋之事候者、此昏面可レ申候。爲レ其如レ此候也。

(慶長廿年)
五月晦日　　廣家(花押)

宗尤(香川春継)
勘左(吉川経茂)
下野(今田春政)
九右衛(祖式長好)
安右(松岡長佳)
左京(香川家景)

(註一〇)

とある。そうして等安は、此の辯明の上洛中、七月廿四日藤廣の斡旋にて高砂國渡航船御朱印狀の下附を受けたのであつた。

註一　Pagés, Tom. I. *pp.* *375, 402. Note*(1)

註二　*Ibid.* Tom. II. Annex. No. 66-3 *Lettre de P. Francisco de Morales au P. Miguel Ruiz, Prieur de Manille. le 9 Mars 1921* pp. 237-238.

註三　*Ibid.* Tom I. p. 275. Tom. II. Annex. 125. *Tratanse otras Cosas, que sucedieron por este tiempo, y las penitencias publicas, y procesiones, que hizeron en Nangasaqui.* pp. 430-437.

註四　*Ibid.* Tom. I, pp. 364-366.

註五　*Ibid.* Tom. I. pp. 279, 312, 315, 386.

註六　長崎志。前編、一〇―一一頁

註七　Pagès, Tom. I. p. 375,

註八　事實文編。次編四、四四二頁、

註九　武田文書。

註一〇　吉川家文書、別集。五九三、

二　村山末次兩氏の抗爭

等安が家運を賭して決行したる臺灣遠征の結果面白からず、而も遠征隊の一隊が支那沿岸を劫掠したる報傳はるや、コックスは等安の運命を危んで、或は等安が、其の生命と其の財産の一切を失ふ動機となり得べしとも考へらる。(註一)

と豫測せし程、等安の身邊を圍繞する不安の空氣は愈々濃厚になつて來たらしく、コックスの日記同年十二月十一日、我が元和二年十一月十三日の條には、

George Durois は將に長崎に向つて出發せんとしたが、同地の長官嫌疑を受けて捕縛せられたとの報があつたから、更に後報を得るまで、出發を見合せた…………長崎よりの報道によれば、人々は同市に入ることを得れども、再び出ることを許されず、今後如何に成り行くか、我々の俄に逆睹し能はざる所である、(註二)

と傳へ、等安處斷の手は早や背後に迫つて來てゐる。末次平藏は此の機に乘じて等安の失脚を劃策したのであつた。

當時末次氏も長崎に在つて、廣く南洋方面の貿易に手を染め、長崎に於ける一勢力と成つてゐたから、茲に同市に於ける兩勢力の抗爭激化するは、極めて自然な情勢と言はねばならぬ。バジェスも

長崎に於いて、左兵衛の死後、本年(一六一八年 元和四年)の初不幸な事件が勃發した。左兵衛は背敎者として最も苦痛なる死を遂げた。彼の血は腐れて堪え難き苦痛が起り、病毒は彼の家族に迄も傳染した。彼は發作的に痛み苦吟して死んだ。斯くて

權力はアントニオ村山等安と其の下役平藏なる二人の背教者の手に歸した。アントニオ等安は二人の優れた切支丹の父にして、即ち其の一人なるフランシスコ等安は伴天連にして、秀頼の軍に參加して戰歿し、他のアンドレは修道僧の宿主にして、殉教者の聖油を受くるに至つた。耶蘇會の伴天連から育てられた等安は、元來敬虔な切支丹であつたが、迫害を氣遣つて洗禮を拒んだ。彼は此の皇帝領の一代官となつたが、彼の行動を眺め、若し彼が仲間程の惡事を爲してゐないならば、其は妨げられた爲めであるのみ。左兵衞は、實に、臨終の際迄、事務は大小となく總て自ら處理し、些々たる雜事と主なる刑罰の外、決して兩人に委ねなかつた。勢力爭のため、二人の代官は相敵視する樣になつた。平藏は等安を失脚せしめん爲め、等安の息子二人の行動を利用せんとし、斯くて彼が法廷に出た時、同僚等安が、當時町の教會の牧師にして等安の子なるフランシスコ等安を、一六一四年來隱匿せることを告發し、然も其の牧師は秀頼に加擔せりと起訴した。(註三)

と言つてゐるが、此の平藏の訴訟提起は、元和四年正月のことにして、コックスの日記一六一八年一月二十九日、我が正月十三日の條に、權六殿の不在中、長崎の代官（平藏）當地を通過して、彼の弟が予に充て丶認めた挨拶の書狀を寄せて、昨年彼が當地を通過して受けた好遇を謝した。此の男は（世人の言ふ）長崎の分限者等安殿を訴へ、等安殿に對して不利な判決を得て之を失脚せしめんと皇帝の宮廷に赴いた。（註四）

と記してゐる。そうして此の訴訟裁判の經過に關して「崎陽略緣起」に、

末次平藏東庵ガ職ヲ奪ンガ爲、種々ノ難ヲ云掛ケ、於江戶對決スル處ニ、東庵ノ勝トナル。平藏已ニ罪ニ沈ム處、大坂陣ノ節內通セシ叓ヲ言上シテ平藏勝トナル。秀賴卿大坂籠城夏陣ノ時也。大野氏下知ニ依テ、東庵ヨリ其子共又ハ牢人者幷石火矢・玉藥等ヲ大坂ノ城ニ遣セシコト分明也。依之東庵密謀露顯シテ、江戶ニテ死罪行ハル。一族十三人ハ長崎常盤崎ニテ磔ニカケラル。是東庵家來料理人ニテ三太郞ト云者ノ娘ヲ、殺害セシ遺恨ニ依テ、末次氏ニ右ノ趣ヲ云聞セシヲ、平藏是ヲ言上スルニ依テ也。抑々東庵ハ是耶蘇ノ殘黨也。終ニ正法ニ返ラズ。文祿元年ヨリ長サキヲ支配シテ、榮花身ニ餘リテ、二十四年間僞ヲ以テ當地ノ頭トナル。威勢ニ誇リテケルガ、果シテ其身ハ云ニ及ハズ一族門葉マテ亡タル叓淺マシ。……………

東庵茂木村ニ屋敷ヲ構シテ堀ヲホリ、砦ノ如ク有㕝。又ハ渡唐ノ船ヲ送リ其荷ヲ渡セシ㕝。其子伴天連ニ成シ㕝。其子ヲ呂宋ニ追放ナサレシヲ、沖ニテ密ニ取返シ隱シ置事。是等ハ皆對御當家不忠不義ニ非スヤ。此ワケヲ不知者共、今時在テ、我ハ東庵ガ末葉トテ村山ノ名字ヲ名乘ル。東庵當地ノ大役ナレバ眷屬多シ。其ノ中ノ者ナラバ一族門葉十三人ハ内三歳ノ子迄モ殺レタリ

……………………東庵カ滅亡ハ元和元年也。(註五)

とて、等安平藏の訴訟、等安一家滅亡に關する傳說を詳細に記してゐるが、當時コックスが親しく傳へ聞き、日記の一六一八年六月四日、即ち我が元和四年四月二十二日の條に、

予はJor. Duroisから新曆本月十二日附長崎發の書翰を受取つたが、書中彼は左の件を報じた。平藏殿は等安殿が、法律や裁判に依らずして日本人十七八人を殺害した事、就中一家族は、其の兩親が彼に娘を渡すことをに同意せず娘自身も拒みしを以て殺害したる事を訴へた。併し裁判官は、彼等が等安に死者に非して生者の事件を取扱はしめてゐる旨を平藏に告げた。そこで平藏は、等安と其の子を切支丹にして、國家の公敵なる耶蘇會士と托鉢僧の庇護

者として訴へ、尙罪條の取る可きもの十八乃至二十ヶ條を提起した。依つて大迫害が起るだらうと思はる。(註六)

と記して「略緣起」と略〻訴訟經過の骨子に於いて一致してゐる。卽ち平藏は、等安の遣明使の不成功の後、元和四年正月彼を告訴したが、料理人三太郎が娘の殺害などを以てしては、未だ訟訴の理由薄弱にして、却つて敗訴に頻して來た。此に於いて平藏は同年四月の審理に當つて、等安等一家が、幕府の最も嫌惡せる切支丹信徒なるが、殊に三男フランシスコ等安は伴天連にして、大坂城に入り、秀賴に加擔せしことを曝露するに及んで、終に最後の運命に逢着したのであつた。

斯くて同年七月頃に彼が愈〻失脚したことは、コックスの日記八月十九日卽ち元和四年七月十日の條に、

等安殿は裁判に敗れて、全財産は沒收され、其の生命は皇帝の意の儘に委ねられた。(註七)

と記してゐるが、此等の訴訟及び失脚に關して、我が諸書の年次の記載明かならず、殊に其の處刑を以て、元和元年又は二年のことゝなし、最も後くとも「

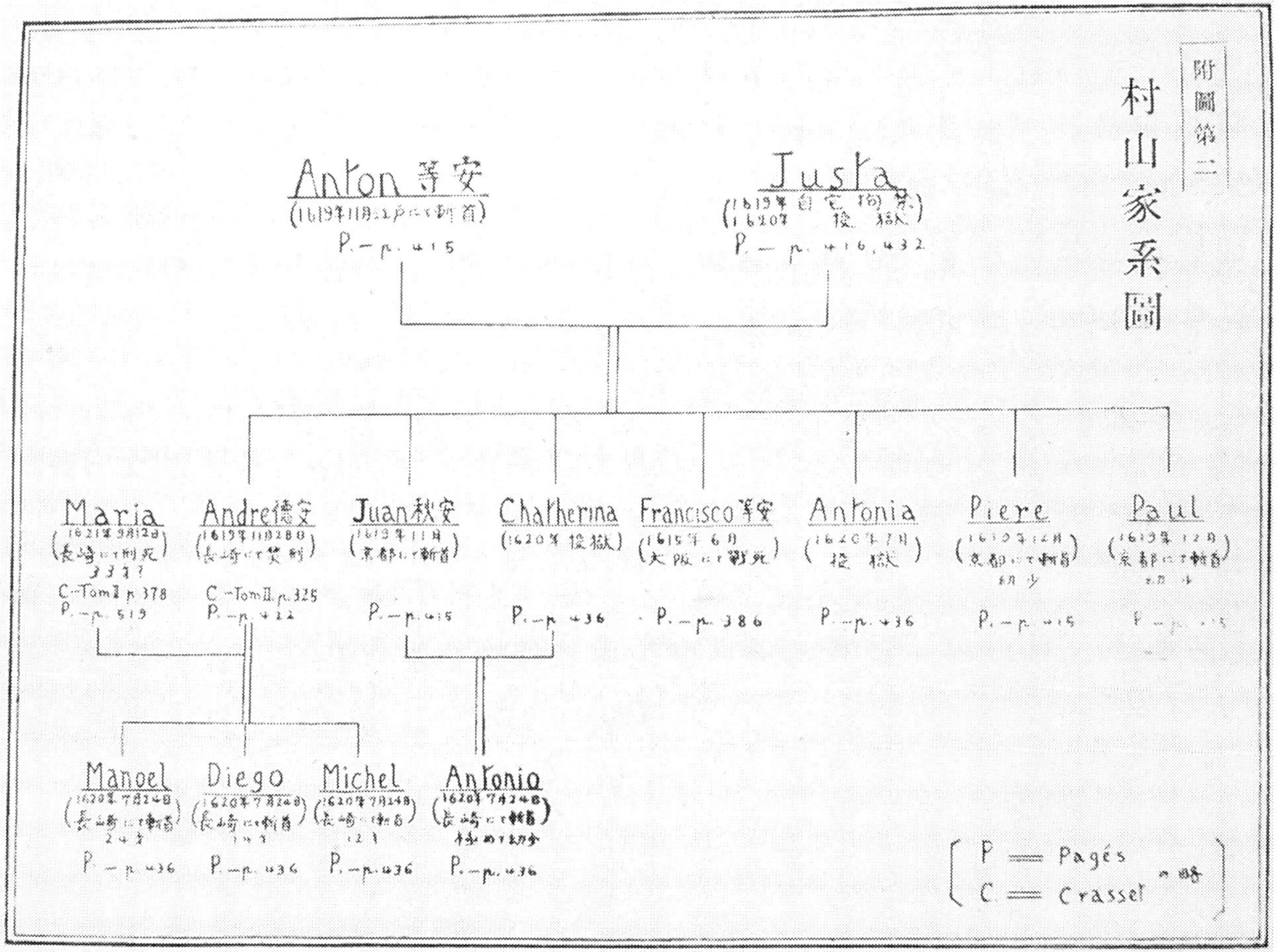
附圖第二
村山家系圖
Anton 等安
(1619年11月江戸にて斬首)
P.—p. 415
Justa
(1619年 自宅拘禁)
(1620年 投獄)
P.—p. 416, 432
Maria
(1621年9月12日 長崎にて刑死)
C—Tom II p. 378
P.—p. 519
Andre 徳安
(1619年11月28日 長崎にて焚刑)
C—Tom II p. 325
P.—p. 422
Juan 秋安
(1619年11月 京都にて斬首)
P.—p. 415
Chatherina
(1620年 投獄)
P.—p. 436
Francisco 等安
(1615年6月 大阪にて戦死)
P.—p. 386
Antonia
(1620年7月 投獄)
P.—p. 436
Piere
(1619年12月 京都にて斬首)
P.—p. 415
Paul
(1619年12月 京都にて斬首)
Manoel
(1620年7月24日 長崎にて斬首)
P.—p. 436
Diego
(1620年7月24日 長崎にて斬首)
P.—p. 436
Michel
(1620年7月24日 長崎にて斬首)
P.—p. 436
Antonio
(1620年7月24日 長崎にて斬首)
P.—p. 436
P = Pagés
C = Crassel
の略

崎日記」に「又説に元和三年とも云へり」(註八)とあるが、彼の處刑は如何に早くても此の判決下りて愈〻失脚した元和四年夏以後のことであらねばならぬ。手近なバジェス、シャールボア、クラッセ等の諸史によりて村山一家沒落の跡を辿れば、先づ一六一九年十一月(元和五年十月)等安は江戸に於いて、次子秋安は京都の郊外に於いて、次いで幼兒 Piere 及び Paul も十二月京都に於いて斬首され(註九)長子德安は同十一月二十八日(十月十三日)四人の有力なる敎徒と共に長崎にて殉敎し(註一〇)、その妻 Maria も後れて一六二二年九月十二日(八月七日)處刑せられた。(註一一)　然るに「崎陽略縁起」等の諸書には、此の處刑を簡單に

東庵密謀露顯シテ江戸ニテ死罪行ハル。

一族十三人ハ長崎常盤崎ニテ磔ニカケラル。…………一門族葉十三人ノ内三歳ノ子迄モ殺サレタリ。(註一二)

と傳へてゐるが、村山一家の處刑は各人時と處を異にしてゐる。今等安一家の沒落の過程を左に列記すれば、(圖版第二參照)

處刑年月	人名	口數	處刑地
一六一九年一一月	等安	一	江戸
一六一九年一一月	秋安	一	京都
一六一九年一一月二八日	德安	一	長崎
一六一九年一二月	幼兒	二	京都
一六二〇年七月二四日	孫兒	四	長崎
一六二一年九月一二日	德安妻	一	長崎
一六二〇年（投獄）	女兒	一	長崎
一六二〇年（投獄）	等安妻	一	長崎
一六二〇年（投獄）	秋安妻	一	長崎
一六一五年六月（戰歿）	等（三男）安	一	大坂

即ち村山一家十四人は、

刑死　男　九人　投獄　女　三人

同　女　一人　戰死　男　一人

となるが、其の中投獄後の行末分明ならざる女三人を、刑死又は獄死と見れば其の口數は我が傳説の「一門族葉十三人ノ内三歳ノ子迄モ殺サレタリ」と一致して來て、代官村山家は實に慘憺たる末路を遂げたと言はねばならぬ。

註一　Foster. Vol.IV. No. *343.*
註二　Cocks, Vol I. *p 218.*
註三　Pagès, Tom I. *p.386.*
註四　Cocks, Vol.II. *pp.10—11.*
註五　長崎古今集覽。卷之三、長崎御奉行之事、丞　村山東安、
註六　Cocks, Vol.II. *p.36,*
註七　*ibid.* Vol.II. *p.69.*
註八　長崎古今集覽。卷之三、長崎御奉行之事、丞　村山東安、
註九　Pagès, Tom. I. *pp.415-416.*
註一〇　Crasset. Tom.II. *pp 323—325.* Pagès, Tom I. *pp.422—425.*
註一一　Pagès, Tom.I. *p.519.* Crasset. Tom II. *379—9.*
註一二　長崎古今集覽。卷之三、長崎御奉行之事、丞　村山東安、

附記　本稿所收皇明實錄中の一節は、本學史學科學生原徹郎氏の示教に依ることを追記して謝意を表す。

（昭和九年一月十三日稿了）

米國人の臺灣領有計畫

庄司萬太郎

目次

米國人の臺灣領有計畫

庄司萬太郎

一　ペリー司令官及びハリス總領事の臺灣に對する企圖

我國に對して强硬な態度を執つて開國を促したペリーは、彼の東洋遠征の際には、部下に鷄籠(今日の基隆)附近の炭坑調査を命じ、彼自身は親しく臺灣の地を踏まなかつたが、歸國後彼は政府に對して大に鷄籠の占領を主張して居る。

先づ一八五四年(安政元年)六月廿九日、アボット大佐(Captain Abbot)の艦長たる軍艦マセドニアン(The Macedonian)及びシンクレア少佐(Lieutenant Commander Sinclair)の艦長たる特務艦サップライ(The Supply)の兩艦は、ペリーの命令に基き下田より臺灣に向つて出帆した。斯く彼が兩艦に臺灣巡航を命じたのは、米國海軍省からペリーに對して、次に記すやうな訓令があつたからである。それに據ると、「臺灣附近航海の船舶が難破して、米國人が此の島に漂着し、目下捕虜の狀態にあるか、或は此等の遭難者は本島より脫出不可能で、困つて居るらしいと云ふ報告を本政府は受取つたから、右の事實の有無を直に搜索尋問せよ」。又「次に臺灣には石炭の埋藏量が多からうと思考される理由があるから、將來米國丈けでない、恐らくは間もなく此の方面に輻輳する各國汽船の用途に供せられようから、石炭の豐富なる供給地を探檢せよ」(1)、と云ふのであつた。

特務艦サップライは、下田出港二日後に、軍艦マセドニアンより離れて其艦影を失ひ、同艦が鷄籠入港迄は其の消息を絕つた、而して軍艦マセドニアンは下田から十二日を費して鷄籠港に着いたのに、更に其の上十日を經過して、漸く六月廿一日特務艦サップライは同港に入つて僚艦と合した。之は全航海を通じて逆流、逆風、荒天のためであつた。

米國に於て想像されたやうな難破船や、捕虜の米國人に關しては、アボット大佐が支那人賄を使用して、最も忠實に之を調査し、鷄籠及び其附近の官吏を初め、各階級の人々に就て、詳細に聞き合せたが、何等の手掛りもなかつた。卽ち彼等は本島の何れの部分に於ても、歐米の難破船のあつたことを知らなければ、又本島の何れの地にも此等の乘組員が生存して居ることを聞かないと云ふのであつた。アボット大佐も此點に於ては、彼等が信實を語るものと確信して、「臺灣島には失踪同胞の何人も生存して居るとは信じない」と、司令官ペリーに報告した。(3)

「ペリーの遠征記」には、東洋流外交の特質として、臺灣人が權謀術數に富んで居ることが記されて居る。それはアボット大佐が、將に鷄籠を出帆しようとしたときに、鷄籠の首席官吏が、同大佐を訪問して、「余は更に特別に難破船の有無を搜索した所、約六七年前に、鷄籠から四、五十哩沖の本島の西側に於て、黑人と白人とが乘組んだ一難破船があつて、白人は端艇に乘つて附近の陸地に遁れたが、黑人は救助されないで悉く船中で死亡した。余は今其場所を貴官に示すのであるから、余の軍船と一緒に軍艦マセドニアンを回航されたい」と願つた。此話は虛僞の計略であることは直に看破せられたが、結局、彼は軍艦マセドニアンを數日間引留め、本島の西側へ彼の軍船と共に同艦を伴ひ、四五日間此邊を往復して示威運動を試み、此處に集合して居る匪賊を驅逐しようとするのが、彼の眞意であると白狀した。彼の軍隊は最近此匪賊に敗られて三十名の死傷者を出したとのことである。實際彼は絶えず厦門からの侵入者のために苦しんで居た。此時彼は、アボット大佐に、「若し之が援助を致されるならば、其報酬として、直に石炭を大船一艘に滿載して差上げよう」と云つた。大佐は勿論此提議には應じなかつたが、彼は頻りに軍艦マセドニアンの鷄籠碇泊期間を延さうと希望して居るやうに思はれた。何となれば彼の想像通り、同艦が鷄籠に碇泊して居る間は、彼は匪賊からの攻擊より免れて、安全であつたからである。(3)

前記アボット大佐よりの報告に基いて、ペリーは歸米後、「有力なる米人」と題した一論文を發表して、臺灣占領に就て强硬に彼の意見を主張した。

美麗な此小島は名義上支那の一州であるが、其實獨立して居るのと同然である。支那帝國の官吏は一二の分離した地方に於て、微々たる而も疑はしい政權を施行して居るに過ぎないで、本島の大部分は獨立した種族の占有する所である。(中略)

鷄籠に亞米利加の城砦を築く事は、彼等支那人が喜んで之を諾するのは明瞭のことである。何となれば戰爭に慣れた亞米利加人が、一揆や海賊の難に對して、彼等支那人を保護するに適當するからである。陸の割讓と石炭採掘の許可とを含んだ必要な特權は、名のみの報酬として容易に達し得られるであらう。且つ臺灣島の地理上の位置は、亞米利加貿易の倉庫を設けるのに絶大の關係を有つて居る。斯くして以て、支那、日本、琉球、柬埔寨、暹羅其他フキリッピン群島との交通を連絡するに充分である。(4)

ペリーの臺灣占領意見に對し、獨逸のリース博士(Dr. L. Riess)は、「ペリーの眞意は臺灣島に亞米利加の領地を擴げ、茲に華盛頓政府監督の下に、植民地を設けようと云ふのであつた」と、斷案を下して居る(5)のは、全くその通りである。

當時我國はペリーの「好意を武裝した武力外交」に、よく抗することが出來なくて、我當局の穩便主義が勝を制して開國したのであるが、元來我國民は志操堅實で、進取の氣象に富んで居たから、開國以來、國運年と共に隆昌となり、今日に至つたものである。若し當時我國が一歩其措置を誤つたならば、或は我國の何れかの地は、彼のために武力占領を敢てせられ、引續き大紛擾を來たしたかも知れない。然るに彼を唯我國開國の恩人とのみするのは、何れも結果から觀ての論者である。

曩にペリーが日本に向つて出發した後僅かに四ケ月、一八五三年三月には、ホイッグ黨(6)(Whig Party)出身の第十三代大統領フキルモア(Millard Fillmore)政府が更迭して、デモクラット黨(Democrat)の政府となり、新大統領ピアースと(Franklin Pierce)新海相ドッビン(James Dobbin)とが、議會の同意がなければ遠隔の地に領土を得ることは出來ないと云ふ、合衆國憲法を楯に、ペリーの建策を採用しなかつたのは、遺憾であつたとて、今日米國の識者中にも、當時の當局者を罵つて居るものがある。(7)これも亦結果論者である。卽ち米國としては、其後布哇、比律賓等を領有するやうになつたから、一入、當時我小笠原、琉球乃至臺灣を占領しなかつたことを、惜しいと思惟するのであらう。然し之は單に當時ペリーのみが、斯樣な建策をしたのではない。ペリーと親しく、又彼の後繼者として彼が推擧した(8)我國最初の總領事で、然かも我國に於て好評のある、タウンセンド、ハリス(Townsend Harris)もペリーに劣らない帝國主義者で、彼も大に臺灣領有を主張した一人である。

ハリスは久しく支那に居て、東洋の事情に通じ、ペリー遠征の際には頻りに之に加はりたいと熱望し、彼の親友ドリンカー(S. Drinker)も大に彼のために運動した。(9)斯くてハリスは一八五三年五月、上海に於て彼自身親しくペリーに面會して同行を求めた。然し此時彼はペリーより之を拒絶せられて不平であつたか、後彼が暹羅及び日本に於て希望通りの條約を締結したので、彼の友人ロバートソン(S. Robertson)は一八五九年五月十八日附で、澳門から彼に祝賀の書狀を送つて喜んだ。(10)

ハリスは總領事として日本に赴任する以前、一八五四年六月十七日附で、支那寧波領事に任命せられたが、彼は領事としての任務を寧波に於ては一日も執らないで、(11)當時彼は極力臺灣に關する過去及び現在の種々な材料を集め、長文の建議書を作製し、之を本國外相に送附して、大に臺灣島の買收を慫慂した。(12)然しデモクラット黨政府が、例によつて之を默殺したのは勿論であるが、却て之に刺戟せられて、佛國及び獨逸が、此東洋の美麗島に注意し、遠征隊を送るやうになつた。(13)ペリーの臺灣島武力占領の建策に反して、ハリスは之が買收を政府に勸告して居るのは、如何にも外交官らしい遣り方である。當時支那は財政難で困窮して居た際であつたから、若し米國より臺灣島買收を提議されたならば、或は直に之に應じたかも計られなかつたのである。

次で一八五六年(安政三年)七月、ハリスは我下田に總領事として赴任したのであるが、之より先、一八五五年十二月十八日附で、彼の親友ドリンカーは書をハリスに送つて、「世人は外相マーシー(William Marcy)が、老パーカー(Dr. Peter Parker)よりも寧ろ貴下を、支那公使に任命した方が善かつたらうに、と考へて居る。實際パーカーの任命には人々が失望した」(14)と述べて居るのは、ハリスが支那通で、米國の東洋發展に最適任者であつたことを裏書きするものである。然しパーカー博士も亦、ハリスに勝るとも、劣らない支那通で、彼が如何に當時臺灣占領を當局に具伸し、且つ最善の努力を盡したかは次節に於て之を述べよう。

次にペリー遠征隊の臺灣巡航の今一つの目的は、同島の炭坑調査の件であつた。之は軍艦ミシシッピイ乘組の艦內牧師ジョンス(George Jones)が、此件を委任せられて、軍艦マセドニアンに移乘し、彼の助手としては、航海士ウイリアムス(Williams)及び海軍少尉候補生ブリーズ(Breese)及びジョンス(Jones)が特派せられた。ジョンス牧師は、一八五四年七月廿八日附を以て、七月十日より同廿三日迄十四日間に亘る炭坑調査の實際を、詳細に日記として、ペリーに提出して居る。(15)要するに彼は良質の石炭を多量に發見し、然かも之は少額の費用で、坑口から海岸迄運搬するに適すること、及び本島の可なりの部分、少くとも鷄籠附近には、猶多量に石炭の埋藏せられて居ると云ふ、信ずべき理由のあること等を述べて居る。

アボット艦長は幾噸かの石炭を購買したが、牧師ジョンスは臺灣上下の人々が、僞多く狡猾なことを怒つて、大に彼等を罵倒した。(16) 斯くて七月廿三日、軍艦マセドニアンは鷄籠を拔錨して、比律賓のマニラに去り、特務艦サップライは石炭積込みのため殘留したが、同艦も出來る丈け速に香港に向つて出帆するやうに命ぜられた。

又軍艦マセドニアンの鷄籠碇泊中、アボット大佐は、ペリーの命を奉じてプレブル大尉(Lieutenant Preble)をして港內の測量をなさしめて居る。此時候補生ジョンスは進んで其助手となり、信賴するに足る海圖を作製した(17)等、彼等は全く拔目のない任務を果して居る。

玆に重大使命を完了したペリーは、曩に心身疲勞の故を以て、司令官の職を次席士官に讓り、賜暇歸國方を海相に願出でて居たが、之に對する海軍省からの許可は香港に屆いて、彼は之を受領した。(18)

是に於て、彼はマセドニアン、ポーハッタン(The Powhatan)及びヴァンダリア

(The Vandalia)の三艦を以て編成された米國東洋艦隊の司令官の職をアボット大佐に讓り、彼は英國郵船ヒンドスタン號(The Hindostan)に、幕僚と共に搭乘して、在外二年二箇月で、一八五五年一月十二日、無事紐育に歸着し、多大の歡迎を受けた。(19)

何れの時代を問はず、時局の展開は順逆二潮流のあるがために、帝國主義を採用するものが朝に居れば、自然に帝國主義運動旺盛となり、之に反すれば、其運動の停頓するのは當然である。當時デモクラット黨出身の大統領ピアースは、所謂「主權在民」主義者で、彼は曾つて米墨戰役にも出征した將軍であつたから、軍事に關する智識を備へて居たが、時恰も國內に於ては、奴隸問題が盛んに論議せられ、カンサス・ネブラスカ條例(Kansas-Nebraska Bill)が實施せられて、カンサス州に於ては奴隸存廢問題の紛擾絕えなかつたから、彼の在任中は全く斯かる內政問題に多く沒頭するを餘儀なくせられた。(20)實際後年の南北戰役の端は實に此頃に發して居る。斯樣なわけでペリーは米國政府の更迭のために、大に其行動の自由を阻害せられようとしたが。所謂、乘り出した船で、彼は豫定の航路を進めて、幸運にも日本の開國に成功し、臺灣の探檢をも完了したから最後に海相ドッピンすら、一八五四年九月十九日附を以て、彼に左の讃辭を呈した。

小官は貴官の興味ある使命の幸福なる成功に對して、滿腔の祝意を表する。貴官はこゝに個人としても一層の名聲を得られたると同時に、貴官所屬の名譽ある海軍に、更に新たなる名譽を加へられた。吾人は祖國のため、貴官のため、通商のため、果た又文明のため、貴官が得られた勝利の福音が未だ生れない後世の永く採用する所となるのを希望する。(21)

然し彼は米國に於けるよりも、寧ろ日本に於て、より以上に、開國の恩人として賞讃せられたのは、或は彼の意外とする所であつたかも知れない。

註

1 F. L. Hawks: Narrative of the Expedition of an American Squadron to the China Seas and Japan. P. 498.

2 Ibid. pp. 498—499.
幣原坦著臺灣の硫黃石炭探檢に關する文獻內容（愛書第一號　八六頁—八七頁　昭和八年六月發行）

3 F. L. Hawks: Narrative of the Expedition of an American Squadron to the China Seas and Japan. p. 499.

4 吉國藤吉譯ドクトル、リース著臺灣島史　一四七頁—一四八頁

5 同書　一四八頁

6　ホイッグ黨員であるフキルモアを、世にはレパブリカンとするものが多い。然しレパブリカン黨の成立は、一八五四年二月、ウイスコンシン州(Wisconsin)のリポン(Ripon)の會合以後である。(Beard : Thr Rise of American Civilization. Vol. II. pp. 22—25)故にペリーの遠征以前には、レパブリカン黨は成立して居らぬ。然るに高橋作衞著「日米の新關係」にはフキルモアをレパブリカンとしてあるから、之を引用した大隈重信著開國大勢史にも亦同樣になつて居る。

7　Charles A. Beard and Mary R. Beard : The Rise of American Civilization. Vol. I. p. 723.

8　M. E. Cosenza : The Complete Journal of Townsend Harris. pp. 5—6,

9　Ibid. p. 4.

10　Ibid. pp. 2—4.

11　Ibid. 4.

12　J. W. Davidson : The Island of Formosa, Past and Present. p. 172.

13　Ibid. p. 172.

Albr. Wirth : Geschichte Formosa's bis Anfang 1898. SS. 124—125.

14　M. E. Cosenza : The Complete Journal of Townsend Harris. p. 165.

15　Com. M. C. Perry : Narrative of the Expedition of an American Squadron to the China Seas and Japan. Vol II. pp. 153—163.

幣原坦著臺灣の硫黃石炭探檢に關する文獻內容（愛書第一號　八九頁—九三頁　昭和八年六月發行）

16　F. L. Hawks : Narrative of the Expedition of an American Squadron to the China Seas and Japan. p. 500.

17　Ibid. p. 501.

18　Ibid. p. 508.

19　Ibid. p. 508.

20 T. G. Marquis: Presidents of the United States from Pierce to Mckinley. pp. 9–42.
21 Mr. Dobbin to Com. Perry, Sept. 19, 1854(33d Cong. 2nd Sess. S. Ex. Doc. No. 34. p. 180.)

二 パーカー公使の臺灣占領の建策

阿片戰爭の結果、一八四二年香港が英國の手に歸してより、同港は一躍東洋貿易の中樞地となり、諸國の商船は此島に輻輳するやうになつたが、米國の對支貿易も亦急に發展して、其商船の往來頻繁となるにつれ、臺灣附近に於て難破する船舶も増加した。然るに臺灣島の生蕃の慓悍なる、難破船員が辛うじて上陸すれば、忽ち彼等のために、掠奪、拘留、虐殺等の悲慘事に遭逢した。そこで此慘害より免れんには、何とかして此島を支配せねばならぬと思考するものが、米國人中にあらはれた。即ち米國としては、此等の蕃害を除き、東洋に於ける薪水の供給地、貨物の仲繼所若くは適當な海軍要港を臺灣に於て獲得すれば、之を英國の香港に對抗せしめ得るのであらうと云ふので、臺灣占領論が識者の間に擡頭するやうになつた。而して此事を最初に唱道したものは、支那貿易商として有名な米人ギデアン・ナイ(Gideon Nye)である。

彼は一八四八年十月、香港より上海に出帆した英國船ケルピー號(The Kelpie)が、臺灣近海に於て其踪跡を失つたのは、多分臺灣海峽附近で沈沒したためであらうと思つた。而して此際其船客であつた。彼の兄トーマス・ナイ(ThomasNye)や、英人トーマス・スミス(Thomas Smith)等が、臺灣島の何れかの地に漂着して、今猶土蕃の間に奴隸的狀態で、生存して居るらしいと云ふ噂さのあるのを信じ、米國政府に之が捜索方を願ひ出でた。之は一方に於ては、彼の兄弟等を救助すると共に、他方に於ては、臺灣島の事情を詳かにして、他日再び斯樣な災厄を無からしめる方法を執りたいと思つたからである。斯くて彼は臺灣島に關する種々の材料を蒐集して、之を當時支那駐在米國代理公使パーカー博士(Dr. Peter Parker)に送り、同公使援助の下に、蕃人の占據して居る臺灣島の一部を占領するやうに米國政府に慫慂した。(1)曩にペリーに對して發せられた米國海軍省の臺灣探檢に關する訓令は、全く之に基いたものと思はれる。卽ち米國海軍省の訓令に、「遭難した米國人が今猶監禁せられて居るらしいと云ふ報告があつた」(2)云々とあるのは、蓋しナイからの報告を指すのであらう。更にナイは一八五三年、左記の書狀をパーカー博士に送つた。

臺灣の東岸南端に接した紅頭嶼(Botel Tobago Xima)は、支那とカリフォルニヤ及び日本との間、並に上海と廣東との間の直接の商業航路に當るから、米國政府によりて保護せられねばならぬ。余は此擧を承認し、保護すると云ふ米國政府の保證が得られるならば、喜んで此島への植民を援助するであらう。

又余は同一保證の下に、此事業を援助する幾人かの有志者が居ることを熟知して居る。而して此計畫は、何れの國家からも妨害せられないで、實行されることは全く明瞭である。(3)

之によりて熱心なナイは、紅頭嶼を以て米國商船の碇泊所たらしめようとする意志であつたことは明かであるが、同島が香港のやうな良港となることは、到底想像し得られないのに、彼は眞面目に斯く考へ、又極力同島への植民を計畫して居るのは、此島を實地に探檢してからの議論ではなく、唯當時地圖によりて其位置を考察し、斯く述べた、所謂、机上の空論ではなからうかと思はれる。何となれば、彼が實地踏査の報告もなければ、又此島が如何に季節風の影響の多い所であるかと云ふことも、或は物資の乏しい地であることも、乃至船着きの悪い島であることをも考慮して居らぬ。唯彼はポーランドのベニヨフスキー(Benyowsky はんべんごらう)の臺灣植民計畫に關する記事を臺灣關係の編纂書に載せて居るが、[4] 元來ベニヨフスキーの計畫なるものは、實行不可能な興味本位のものであつた。[5]

黄叔璥著「臺海使槎錄」中の「番俗六考」には、南路鳳山瑯璚十八社に紅頭嶼のことを附載して「紅頭嶼番は南路山後に在り、沙馬磯より放洋して東に行くこと三更鷄心嶼(火燒嶼)に至り、又二更紅頭嶼に至る。小山海中に孤立し、山內四圍平曠岸に傍ひて皆礁なり、大船は舶する能はず、毎に小艇を用ひて渡る。山に草木なく、番は石を以て屋と爲す、卑隘にして起立するに堪へず」。とあるやうに海岸は暗礁で、大船は舶することが出來ない、石を以て屋となすは暴風あるがためで、現に蕃人は頑丈な石垣を廻らして防風設備をなし、卑隘な石屋に住居し水芋を彼等の常食として居り、臺灣本島との交通は極めて不便で、此地駐在の警察官は同情すべきである。斯樣な次第で紅頭嶼植民計畫なるものは、全く無價値のものであるが、當時米國の發展論者に對しては、一大福音と考へられたに相違ない。然し之が政府によりて保證の與へられる以前に、既に米國の内閣は更迭して、デモクラット黨の溫和政策に變つたから、彼の計畫は永へに葬られた。

ギデアン・ナイに次で臺灣の買收を米國政府に建策したのは、前述のタウンセンド・ハリスである。(6) 彼の主張は軍事的行動を避けて、外交的手段による發展政策であつたが、議會の承認なしで、遠隔の地に領土を有することを喜ばない新政府は、彼の建策を採用しないで、彼を我國初代の總領事に任じて、ペリーの事業の後始末をなさしめた。

ギデアン、ナイが信頼せるパーカー博士は、米國より東洋に派遣せられた醫療傳道宣教師である。彼は一八〇四年六月十八日、マサチユーセッツ州フラミンガムに生れ、エール大學に於て醫學と神學とを學んで、一八三一年同大學を卒業した。次で一八三四年(道光十四年)、醫療傳道宣教師として廣東に渡り、翌年其地に於て眼科病院を開き、支那に於ける博愛醫療協會の基礎を作つた。一八三七年七月(天保八年六月)、英船モリソン號(The Morrison)は、嚢に遭難した我海員七名を載せて、澳門より我國に來航したが、同船は先づ江戸灣に入りて擊退せられ、次で鹿兒島灣に道入つて後、砲撃せられたので、遂に空しく澳門に歸航した。此時パーカー博士は醫療傳道宣教師として、此船に乘込んで居たので、彼は我國の鎖國主義が如何に徹底して居るかを親しく知悉した。(7) 同船來航の目的が、當時我遭難船員の送還以外に、我國に對して通商貿易を請ふのにあつたことは、當時種々の贈呈品及び多量の商品を積載して居たことによりても明かである。

其後一八四四年(弘化元年)パーカー博士は、廣東に於ける米國公使館書記官に擢用せられ、更に一八四六年(弘化三年)四月、代理公使に昇任した。次で彼は一八四八年(嘉永元年)、書を米國外務省に送つて、米國捕鯨船ローレンス號(The Lawrence)が、先年(一八四六年)千島附近に於て難破し、其生存者七名(其内一名長崎にて病死)が我官憲によりて虐遇せられたことを報告したが、(8) 虐遇は事實でなく彼は誤報を信じたのである。更に同年、同じく捕鯨船ラゴダ號(The Lagoda)が、我蝦夷地沿海に於て難破し、其乘組水夫十五名(其後長崎にて一名病死、一名自殺)も、長崎に轉送されたので、翌一八四九年、米國海軍中佐グリン(Commander James Glynn)は、軍艦プレブル(The Preble)で長崎に來り、遭難船員を受取つた。(9)

此際に、パーカーが、先年我國に渡航した經驗よりして、何かと同艦の渡航に關して奔走活躍したことは、之を想像するに難くない。

此時に當り、一八五〇年（嘉永三年、清の道光三十年）、廣西省、潯州府の西北金田村の山地より、洪秀全を首領とする所謂、長髮賊（太平軍）の亂が起り、一八五三年（嘉永六年、清の咸豐三年）一月には、武昌を占領し、更に賊軍は江を下つて東に向ひ、同年三月、南京を奪取してからは、南京が長髮賊の根據地となつた。是に於て、之がために外國貿易に多大の影響を生ずるやうになつたが、殊に一八五三年九月、長髮賊が上海縣城を陷れた時には、清國官吏が悉く逃走したので、各國領事が代つて上海關稅を取扱はねばならなくなつた。[10]

斯くて翌一八五四年六月、上海の清國官憲と、英、米、佛三國領事間の交涉成立して、關稅事務は、英人を主任とする三國協同の監督に委任されることゝなつた。此間、米國側の責任者として、種々折衝したのは代理公使パーカーであつた。彼は一八五五年（安政二年）五月既に在支二十年に亘り、其健康も害せられたので、之が恢復のために、一度歸國して、こゝに辭職の意を洩したが、米國の當局者は、多事多端な現在の支那より、多大の手腕と、多年の經驗とを有する彼を、此際解任することの極めて米國に不利であることを知つて、特に推して彼を支那公使に任じた。仍て彼は再び渡支することゝなつたが、赴任の途次彼は倫敦及び巴里に於て、兩國外相と會見し、將來支那に於ける協同動作を約した。(一一)一八五六年(安政三年、清の咸豐六年)一月、彼の廣東着任後は、頻りに米國の利益のために奔走したが、偶々同年十月、英國々旗を飜したアロー號(The Arrow)が、澳門から廣東に入港したのを、清國官吏は突然此船に臨檢して、同船乘組の船員たる清國人十二名を逮捕し、又英國々旗を檣頭より下して之を甲板に遺棄した。是に於て、香港總督サー・ジョン・バァウリング(Sir John Bowring)及び英國外交官は斯く不法に逮捕された清人の釋放と、謝罪並に將來英國々旗を尊重することゝを要求した。然るに兩廣總督葉名琛の答辯に、「逮捕された清人中の三名は、調査の結果、海賊行爲のあつたものであることが判明したが、特別の寛大を以て全部を釋放する。然し要求の謝罪には應ぜられない。何となれば、アロー號は清國人の手によりて造られ、清國人の所有に屬する船であるのを、唯、英領香港で船籍登錄をしたものである。然るに既に十一日前、其期間も滿了となつて居るのに、未だ更めて登錄をして居らぬから、疑ひもなく、同船は清國の船舶で、英國旗を下ろすのも當然である」と云ふのである。之に對して香港總督は、「船籍の登錄滿期は事實であるが。未だ同船は英國人が操縱して其乘組員の保護に任じて居る。然かも之が逮捕に向つた清國官憲は、其登錄期間の滿了したことを承知して居らなかつたから、結局、英國々旗に對する侮辱である」、との再詰問を發したが、兩廣總督は言を左右に託し、頑として應じなかつた。是に於て英國は武力に訴へて清國の責任を問ふことゝなり、廣東附近の要塞を陷れ、支那の兵船を焚き、又市街の一部をも燒き拂つた。(12) 然し英國は此頃印度に土兵の騷亂が起つたので、一時其攻擊を中止しなければならなくなつた。

曩に英佛兩國と協同動作を約した米國公使バーカー博士の態度は此際最も注目に値する。彼は勿論清國の不當を鳴らして最初より英國に味方しようとした(13)が、米國外務省は此機會に漁夫の利を占めるのには、寧ろ英國と協同動作をしない方が得策であると考へた。故に當時實際米船は英清紛擾の傍杖を喰つて、珠江の下流では、砲臺より砲擊されて、多少の損害を蒙つたのに、米國は遂に何等積極的に清國の責任を問はなかつた。(14) 此時老巧なバーカー公使は、夙に米國外相マーシー(William Marcy)の平和主義を了解して居たから、已むを得ず、此場合之を米國に有利に轉嫁しようと企てたのである。然し英佛の決意は固く、且つ英國は米國の加はつて協同動作をするのを欲したから、彼は米本國外相に對して、一方には英佛と同盟するやうにすゝめ、他方には本國政府の意向を汲んで、積極的に戰鬪を開始しない代りに、三年前にペリーが我日本に對して開國を迫るに當り、琉球に其根據地を設定しようとしたのと同一方針の下に、「支那が列國の要求を承認する迄、其擔保として佛國は朝鮮を、英國は舟山列島を米國は臺灣を占領せよ」と、米國外務省に建策した[15]。今彼の語句を借りて曰ふならば、「臺灣に關して人道、文化、航海及び商業上の利益が米國政府の出樣如何にかゝつて居るのに、米國政府は果して之を回避し得るか[16]」と、然し斯かる計畫は米國政府の平和政策と相容れないことは明かである。果して外相マーシーは「貴官の建策の如き苛酷な手段の正當であるか否かは、大統領ピアースの疑問とする所である」と答へ、續いて彼の意見を述べて曰く、

英國政府は、明かに米國の考へるよりも以上の、別箇の目的を有つて居る
吾人は如何に英國より協同動作を熱望されても、之に引き込まれるやうな

ことがあつてはならぬ。大統領は貴官並に米國東洋艦隊司令官が、英支兩國の紛爭渦中に卷き込まれるやうなことなく、又米支の親交關係を阻害されないで、米國市民の生命財産を保護するために、最善の努力を拂はれたいと切望して居られる。(17)

斯樣な微温的の對支政策を標榜する訓令は、パーカーの意見に反することは勿論であるが故に、到底彼は、其意見の貫徹を圖ることの困難であるのを信じ玆に彼は、辭任を欲したとき偶々一八五七年三月四日、デモクラット黨のゼームス・ブキァナン(James Buhchanan)が、新に大統領となつて、同年六月、駐支米國公使の更迭を行つた。ブキァナンは曩にピアース前大統領の下に、英國駐在米國公使として、內外の信望の厚かつた人である。彼は大統領就任の前年、卽ち一八五六年(安政三年、淸の咸豐六年)の春、英國公使の職を辭して、本國に歸つて居た。(18)

此時新外相リウキス・カス(Lewis Cass)は、パーカーの辭任の申出に對して、直に之を許可したが、彼が新駐支米國公使ウイリアム・リード(William Reed)に與へた訓令中に、大にパーカー　　事に當つたことを賞揚し、決して彼を强制

して辭任せしめたのではないとの意味を述べて居るのは、パーカーの多年の努力に對する、せめてもの報酬であつた。(19)

實際パーカーは、ペリーと等しく、誠意米國のために圖つたことは事實で、危く臺灣も、此時米國への擔保として、占領せられようとしたのである。彼は歸國後、華盛頓に住み、長期の外交官生活より退いて、專ら學術界及び醫學界に於て活動し、殊に一八七九年(明治十二年)以來、支那博愛醫院協會の亞米利加に於ける總裁に推され、一八八八年(明治廿一年)、彼が永眠する迄、支那及び支那人を最もよく理解し、米支兩國のために盡した恩人として仰がれたのは、蓋しペリーの我國に於ける行動と、彼の支那に於ける努力の、誠に類似するものあるがためである。

パーカーの後任者たる駐支米國公使ウイリアム・リードは、ペンシルヴェニア州出身で、ブキァナン大統領の選擧の際には、大に彼のために奔走したと云ふ廉で、ブキァナンより拔擢せられたのであるが、彼は著名な法律家であるから、當時紛糾した米國の對支外交には適任者であると稱せられた。(20)

斯くて米國の對支政策はこゝに新味を加へ、又英國の特派使節エルギン卿

(Lord Elgin)の渡支となつて、英國首相パーマーストン(Palmerston)の抱懐して居る英、佛、米、露の提携交渉となつた。

之より先、一八五六年(安政三年、清の咸豐六年)、佛國の宣教師シャプドレーヌ(Père Auguste Chapdelaine)が、廣西に於て清國官吏のために殺されたこと等の事件から、佛國特派使節グロー男(Baron Gros)も亦渡支し、英國のエルギン卿と協力合議して、英佛聯合軍は兵を香港に集中することゝなり、翌一八五七年十二月には、廣東を攻めて僅に二日間で、之を陥れ、兩廣總督葉名琛を擒にして、カルカッタに幽閉した。次で、同聯合軍は更に北上して、渤海灣に入り、白河々口の太沽砲臺を陥れ、進んで天津に迫つた。清廷大に驚き、談判委員を天津に派遣して、一八五八年(安政五年、清の咸豐八年)六月廿六日、所謂天津條約を締結した。(21)

斯く清國が英佛兩國と葛藤を生じて討伐の遑のないのに乘じ、一方長髮賊は、再び其勢を回復して、當時の清國は全く文字通りの內憂外患に苦んだ。次で翌一八五九年六月、英佛兩國使節が、天津條約の批准書交換のため、兩國艦隊に護られて白河々口に現はれたのを、太沽砲臺から不意に砲擊せられたので、ここに復、兩國は遠征の遣り直しをして、遂に天津及び北京を陷れて、一八六〇年(萬延元年、淸の咸豐十年)十月、北京協約を結び、淸國は償金を出し、九龍の一部を英國に割讓し、基督敎の布敎を許し、新に七港を開いた。(22)此時米、露兩國公使の斡旋もあつて、臺灣(臺灣府及び淡水港)も亦開港場となつたのである。此際に全く漁夫の利を占めたものは、露國使節イグナチエフ(Ignatiev)である。彼は一兵半錢を費さないで、居中調停の報酬として、沿海州を淸國より讓り受けた。(23)パーカーの感慨果して如何であつたか、之を知るの材料はないか、之を想像するに難くはない。

淸國は此外患去つてより、漸く力を專らにして、長髮賊に當ることを得、又米人ワルド(Ward)英人ゴルドン(Gordon)等の援助を受けて、前後十五年に亙る大内亂も、漸く一八六四年(元治元年、淸の同治三年)に平定した。(24)

玆に注意すべきことは、我國初代の米國總領事で、臺灣島買收を米國政府に建策したタウンセンド・ハリスが、我國と安政五年六月十九日(一八五八年七月廿九日)、日米通商條約の調印を完了したことである。之れ全く英佛兩國聯合軍が、淸國に迫つた影響である。卽ち同年六月十三日、米艦ミシシッピイ(The Mississippi)次で同十五日にポーハッタン(The Powhatan)が、我下田に入港し、極東の近況を齎らしたのを利用して、彼は「支那に於ける英佛聯合軍の進撃事件も、略々一段落ついたので、間もなく、兩國艦隊は戰勝の餘威を以て、日本に條約締結を迫らうとして、其使節を遣るのであらう。故に須らく、速に調印を我に許せよ、然らば、假令兩國が來航しても、余は居中調停の勞を執らう」と、親切らしく見せかけた威嚇的言辭を以て、我國に臨んだので、我國は同年七月廿七日迄、調印延期の約束があつたにも拘らず、六月十九日(陽曆七月廿九日)午後三時、神奈川海岸小柴沖、ポーハッタン艦上に於て、下田奉行井上信濃守清直、目付岩瀨肥後守忠震の兩全權が、ハリスとの間に、豫め大老井伊直弼の了解を得て、勅許を待たないで、日米通商條約に調印したのである。(25) 而して同條約第十四條に

右條約の趣は、來る未年六月五日(即千八百五十九年七月四日)より執行ふべし。此日限或は其以前にても、都合次第に、日本政府より使節を以て、亞墨利加華盛頓政府において、本書を取替すべし。もし無餘義子細ありて、此期限中本書取替し濟すとも、條約之趣は此期限より執行ふべし。(26)

と定めて、批准書の有無は、其效力に關係せぬことを明かにして居る。斯く

鮮かに米國のために其目的を貫徹した點に於ては、ハリスもペリーに劣らない果報者であるが、獨りパーカーのみは、在支二十餘年、其苦心も建策も、時に利あらずで、遂に容れられなかつたのである。然し臺灣島に關する限り、同島が當時米領とならなかつたからこそ、他日我國との間に問題が起らなくて濟んだのは、結果より觀て慶ぶべきことであつた。

註

1. J. W. Davidson : The Island of Formosa, Past and Present. pp. 171—172.
2. F. L. Hawks : Narrative of the Expedition of an American Squadron to the china Seas and Japan. p. 498.
3. J. W. Davidson : The Island of Formosa, Past and Present. p. 172.
4. Ibid. p. 83.
5. 拙稿ベニヨフスキーの探檢紀行について（臺灣時報第百三十七號昭和六年四月發行及び同第百三十八號昭和六年五月發行）
Pasfield Oliver : The Memoirs and Travels of Mauritius Augustus Count de Benyowsky. p. 375.
6. M. E. Cosenza : The Complete Journal of Townsend Harris. p. 4 ; J. W. Davidson : The Island of Formosa. p. 172.
7. J. W. Foster : American Diplomacy in the Orient. p. 138.
田保橋潔著近代日本外國關係史　三四五頁—三五八頁
8. J. W. Foster : American Diplomacy in the Orient. p. 144.
9. Ibid. pp. 144 145
通航一覽續輯卷一一七、一一九、一二一

田保橋潔著近代日本外國關係史四六〇頁——四六九頁

10 J. W. Foster : American Liplomacy in the Orient. p. 208.

11. Ibid p. 221.

12. Ibid. pp. 223–224.

The Cambridge History of British Foreign Policy Vol. II. pp. 423–425.

R. K. Douglas : Europe and the Far East. pp. 97–100.

矢野仁一著近世支那外交史四一四頁——四四七頁

齋藤良衛著近世東洋外交史序說五五頁——五八頁

13. 33rd Cong. 1st Sess. S. Ex. Doc. No. 22. p. 1042.

14. 35th Cong. 2nd Sess. S. Ex. Doc. No. 22. pp. 1020, 1042

J. W. Foster : Ame. Diplomacy in the Orient. pp. 225–227.

矢野仁一著近世支那外交史四三五頁

15. J. W. Foster : Ame. Dip. in the Orient. p. 229.

16. C. A. Beard and M. R. Beard : The Rise of Amsrican Civilization. Vol. 1. p. 724.

17. 35th Cong. 1st Sess. S. Ex. Doc. No. 30. p. 3.

36th Corg. 1st Sess. S. Ex. Doc. No. 22. pp. 1083–1278.

18. T. G. Marquis : President of the U. S. From Pierce to Mckinley. p. 60

19. J. W. Foster : American Diplomacy in the Orient. p. 230.

20. Ibid. p. 231.

21. Ibid. pp. 236–238.

R. K. Douglas : Europe and the Far East. pp. 101—108.

The Cambridge History of British Foreign Policy Vol. II, pp. 425—429.

東華續錄咸豐卷五一

矢野仁一著近世支那外交史四四八頁——五〇七頁

齋藤良衛著近世東洋外交史序說六二頁——九四頁

R. K. Douglas : Europe and the Far East. pp. 109—122.

22. J. W. Foster : American Diplomacy in the Orient. p. 254

東華續錄咸豐卷六五

矢野仁一著近世支那外交史六二八頁——六三三頁

齋藤良衛著近世東洋外交史序說九四頁——一〇七頁

23. R. K. Douglas : Europe and the Far East pp. 121—122.

Alexis Krausse : The Far East. Its History and Its Question p. 40

24. Ibid. pp. 41—42.

R. K. Douglas : Europe and the Far East. pp. 123—132.

J. W. Foster: American Diplomacy in the Orient. pp. 209—213.

25. 大日本古文書幕末關係文書之二十　四七四頁——四九三頁

根岸橘三郎著幕末開國新觀四二八頁——四四一頁

J. W. Foster : American Diplomacy in the Orient. p. 182.

26. 大日本古文書幕末關係文書之二十　四八四頁

三　ペルリ提督の南蕃討伐

ペリーの東洋遠征の際には、命に依つてアボット大佐が、臺灣北部の探檢を行つたが、同島の中、南部には觸れなかつた。然るに同島の南部には、獰猛な生蕃が割據して、難破船員の被害は、外國船の航行の增加するにつれて益々多きを加へた。

ペリーの來朝當時卽ち一八五四年(咸豐四年)臺灣南部沿岸に於て米國紐育の帆走船ハイ、フライアー號(The High Flyer)及びコケット號(The Coquette)等の客船は何れも沈沒して其踪跡を失つた。(1)

次で一八六〇年(咸豐十年)十一月十日、極東に派遣せられた普魯西遠征隊の運送船エルベ號(Die Elbe)も、臺灣南西部蕃地に於て、水兵の一部隊を上陸せしめたとき、突然蕃人から發砲せられたので、指揮官は蕃社の攻擊を命じ、遂に之を破壞して其頭目を斃した。爾來獨逸の臺灣に對する注意は喚起せられた。其後一八六四年同治三年)、シユレスウイヒ、ホルスタイン問題よりして、普國と丁抹との開戰となつたから、丁抹の戰艦捕獲のため、普魯西は軍艦ガチェレ

(Die Gazelle)を東亞に派遣することゝなつたので、獨逸の輿論は頻りに臺灣島の占領を論じ、エルンスト、フリーデルの如き極力之を主張したけれども、普墺間の風雲急な時であつたので、普國は遂に臺灣に對して、何等積極的に出ることがなかつた。(2)

然るにこゝに端なくも、米國商船ローヴァー號(The Rover)の遭難事件よりして、米國と臺灣との爭端を惹起するやうになつた。

ローヴァー號は一八六七年(同治六年)三月九日、福建省汕頭を發して牛莊へ北航の途に就いたが、暴風のために臺灣南方近海に流され、遂にヴェル、レートロックス(Vele Rete Rocks 即ち七星岩)と思はれる岩礁に觸れて沈沒した。此時船長ハント(Hunt)は、其妻及び乘組員と共に、端艇に乘つて纔に死を免れ、多大の困難を冒して、漸く本島の南端、南灣沿岸に上陸したが、其處はコアルツ蕃地(Koaluts)であつた。(今日の大板埒の西南方潭仔灣である)。九死に一生を得た遭難者が、疲勞困憊して上陸すると、憩ふ間もなく兇暴な蕃人より、不意に襲撃せられて二名の支那人の賄方を除くの外は、悉く虐殺せられたが、幸運にも此支那人は、當時叢間に其身を隱したから、此慘虐より免れることが出來た。斯くて彼等は漸くにして西海岸に脱出して、打狗(或は打鼓今日の高雄)に着き、英國領事館に赴いて其遭難の顚末を語つた。

此時恰も英國軍艦コルモラント(The Cormorant)は打狗碇泊中であつたので、三月廿六日艦長ブロード(Broad)は、英國領事を同伴して、直に米船の遭難地點に回航し、具さに其狀況の視察をした。而して同艦よりの使者が上陸するや、蕃人の射擊を受けて、端艇中の水兵二名は負傷し、又端艇の櫂を折られる等のことがあつたので、同艦は引還して打狗に歸航した。(4)

これより厦門駐在米國領事ルヽジャンドル將軍(General Le Gendre李仙得)の活躍となつた。

同將軍は佛蘭西系の亞米利加軍人で、且つ公法學者である。一八六一年、米國に於て南北戰爭が起るや、彼は北軍に從つて奮戰し、其功によりて少將に任ぜられたが、一八六二年、負傷のために退役し、醫師の勸告に從つて、支那に渡り、一八六六年(同治五年)十二月、厦門駐在米國領事に任せられて淡水、基隆安平、打狗等を管轄して居た。前記のローヴァー號遭難の通報は、打狗駐在英國領事より北京の英國公使に通せられ、英國公使より更に米國公使バーリングーム(Anson Burlingame)に移牒せられたので、ル將軍は米國公使の命を奉じて米國汽船アシューロット號(The Ashuelot)で、一八六七年四月、コアルッ蕃社の海岸に急行した。然るに當時閩浙總督を始め、臺灣道臺等は、蕃地に對しては之を化外の地とし、「該處既未收入版圖、且爲兵力所不及」、と答へて、明かに臺灣蕃地の版圖外なることを言明し、唯責任の回避をのみ圖つた。[5] 一方臺灣に着いたル將軍は、蕃地に於て蕃人の反抗を受けて、上陸をさへ拒まれたので、事の顚末を米國公使に復命するため、引き還して北京に急行した。

斯くて同年六月、米本國政府に於ては、種々と協議の後、當時恰かも日本に來航中であつた提督ベル(Admiral Bell)の統率せる米國巡洋艦ハートフォード(The Hartford)及び同コーアヴェット型のワイオミングの(The Wyoming)兩艦に命じて、臺灣に急航せしめ、蕃人を海岸より驅逐して此地を占領せしめることゝなつた。[6]「臺灣に於ける開拓」の著者ピッカリングは、此時のことを叙して曰く、「余は偶々此等の軍艦が打狗に入港したときに、此處に居合せたので、軍艦ハートフォードのマッケンジー大尉[7](Lieutenant Mackenzie)は、余を通譯官として其遠征隊に加へるため、特に上陸して余に其同意を求めた。余は之が同行を厭はないばか

りか、幾分か戰鬪が見たかつた。而して打狗駐在の英國領事も亦、此行に加はつた。(8)」と

以下、ピッカリングの從軍記である。

米國艦隊は六月六日午後、打狗を拔錨したが、ベル提督は余の忠告に從つて南岬(South Cape即ち鵞鑾鼻)の西側、南灣(Liong-kiao Bay即ち瑯璠灣)に夜中投錨することゝなつた。此處にはハッカス(Hakkas)と云ふ支那人部落があつて此部落民が蕃人に武器を供給し、又蕃人と雜婚して居たから、此部落よりして蕃人の根據地を知らうとするのであつた。

尙余の計略は、强勢なる威壓と、金錢上の賄賂とにより、腐敗した支那人を買收して、之が案內者たらしめ、陸戰隊の半數はコアルッ蕃の背後より、又他の半數は海濱より、進ましめようとするのであつた。然し提督は多分支那人は我等の意圖を此蕃人に通告するのではなからうかと疑つた。

艦隊は豫定の如く、翌未明に、南岬沖に着き、曩に同胞の虐殺された地點の沖合に投錨した。

ベル提督はベルクナップ大佐(Captain Belknap)及びマッケンジー大尉(Lieutenant Mackenzie)を指揮官として、約百八十名の陸戰隊を上陸せしめた。

余はマッケンジー隊に加はつたが、此隊は敵狀偵察任務のために先發した。然し住民の影は更になく、行路は甚だ困難であつた。即ち此地方一帶到る處、雜草や岩石の荒地で、概ね厚い藪を以て蔽はれて居た。

余等が海濱から一哩も這入り込んだか這入り込まない內に、隱れて居た敵は、余等に對して一齊射擊をしたが、何等の損害をも與へなかつた。時の進むにつれて炎熱の度を加へ、且つ行路は崎嶇たる峻坂にさしかゝつて隊員漸く疲弊した。此時、會々叢間に隱れて居た敵は、四方から發砲し始めたが、地形上彼等を擊退することは出來ず、蕃人も暫時射擊を中止した。

余等は未だ村落も土人の足跡をも發見することが出來なかつた。遂にベルクナップ大佐は全部隊が炎熱と行路の困難とのために、困憊して居るのを見て、少時間の休養を命じ、或る岩石の蔭に隊列を止めた。

此隊列が日蔭に腰を下ろすや否や、附近の竹藪から復、一齊射擊を蒙つた。然し幸に此度も余等には何等の損害を與へなかつた。

此時マッケンジーは厚い藪の中の敵の巢窟に突入して、敵を驅逐するため、其志願兵を募つた。斯くて此義勇兵は、小山に駈け登つて、畑の起つた方向に對して、猛射を浴せたが、唯敵蕃の喊聲を聞いた丈けで、其地點に突貫した時には、一人の敵も發見することが出來なかつた。

高い岩山の上に登つた際に、余等少數の義勇兵は、喫烟の快味を貪らうかと思ひ立つた。幸にも余は數本のマッチを持つて居たので、貴重な此火にあづからうとしてマッケンジーを初め、戰友が余の周圍に圓く集つた。然るに此瞬間、此苦勞忘れの烟の希望は當外れとなつて、一齊射撃の烟がこゝに集中せられ、マッケンジーは狙撃せられたのであつた。

是に於て、全隊は喊聲高く突撃したが、再び綠樹の蔭から齊射せられた。此時一方マッケンジーは、彼の胸を指して、軍醫を呼ばんことを苦しげに囁いたが、遂に間もなく落命した。彼は心臟を射られたのであつた。

斯樣に陸戰隊は苦心した甲斐もなく、遂にコアルツ蕃社を發見することが出來なかつたのでベルクナップ大佐は、歸艦することに決して、後退を命じた。仍て不逞の蕃人は更に勇氣を增して、余等が海濱に到る迄、盛んに追撃を加へたが、幸に余等は何等の損害も受けなかつた。

寄せては返す磯邊の碎浪は、非常に激しくなつて居たので、余等が端艇に乘る迄には、多大の困難を感じた。陸戰隊の歸艦後、ベル提督は、本日の進擊顛末の報告を受けたが、遂に彼は北東の季節風の吹く頃迄、卽ち臺灣南部が乾燥期に入つて、叢や藪が燒却せられ得る頃迄は、日本へ歸つて居らうと決心した。[9]

以上ピッカリングの從軍記は、遠征隊の蕃地進擊の狀況を詳細に述べてあるが、如何に彼等が、地形偵察が不充分で、又土蕃の戰法を知らなかつたかをも如實に物語つて居る。

「臺灣通史」に「是地爲南部僻遠之域、山峻谷險、荊棘叢生、而科亞爾族尤悍、四出屠殺、敗則竄入山、據險莫破」[10]とあるやうに、兇蕃は變幻出沒、自由自在に勝手を知つた峻坂、險路を上下往復し、地理に通じない緩慢な侵入軍に當つたから、到底、陸戰隊が蕃人の根據地を衝くなどゝは、企及し得る處でなかつた。

斯く一敗地に塗れた米國遠征艦隊は、打狗に於て英國領事及びピッカリングを上陸させ、又戰歿したマッケンジー大尉を葬つた。同大尉は曩に米國の所謂南北戰役にも從軍して、微傷だに負はなかつたのに、不幸にも、今回兇暴な臺灣蕃人の放つた偶然の彈丸に中つて、斃れたのは氣の毒であると、人々は大に彼に同情をした。其後、打狗に來航した米國軍艦で、彼の遺骸は本國に運び去られた。(11)

ピツカリングが打狗に歸着した時に、ローヴァー號船長夫人の親類と稱するゼームス、ホーン(12)(James Horn)が、彼の歸るのを待つて居た。其要件は、亞米利加本國に居る彼の友人に、ハント夫人の遺品を得て、之を送らうと欲したからである。

ホーンは先にコアルツ蕃社方面に赴き、時間と金錢とを浪費した後、空しく歸着して、こゝにピ氏に援助を求めたのである。時恰かも南西の季節風時期であつたから、彼の業務も閑暇で、ホーンを援ける餘裕があつた。仍てピ氏はホーンと共に、再びコアルツ蕃社に赴いた。此時の苦心談は、當時ホーンが日記として之を「チャイナ、メール」新聞に發表して居る。今之を抄譯して其大意を紹介する。日記は七月卅日より始まり九月廿六日に終つて居る。

八月三日余等は打狗を出發して、先づコアルツ社の熟蕃區域に赴き、其處で支那人通譯を傭ひ、爾來搜索を續けたが、通譯は從來多數の支那人漂流者が、兇蕃の手に仆れたこと、及び約十年以前にも三人の歐米人の遭難者があつたのを、此部落民がコアルッ蕃人の兇刃より救つたこと等を話つた。次で通譯は余等二人をコアルッ蕃社の西方リン、ヌアン部落(Ling Nuan village)へ案内した。同社蕃人は只三人留守居して居て、ローヴァー號遭難者の葬られたと云ふ濱邊の一本の樹木の許へ、余等を案内したから、其處を發掘して、頭骸骨、肋骨等を發見したが、脚、腕等の大骨はなかつた。此時蕃人共は、ハントは官吏であつたと、さきに支那人通譯が話したのを信じて、屹度其夫人は貴婦人であらう。左もなければ、斯樣に米國軍艦の來航、攻擊等の事はないのであらうと云つて、彼女の遺品に對しては、多額の賠償金をよこすやうに要求した。ピ氏は通譯の言は事實でないことを說明し、更に白人と貿易をすることの利益であること、及び外國人は決して何等の危害を彼等に加へぬこと等を述べ、又さきに米船が來航した際に、彼等が便宜を與へたこと、及び曾つて難破遭難者を救助したこと等の行爲に對して、彼等は必ず報いられるであらうと諧めた。斯くて彼等は最善の努力を拂つて、明朝ト、ス、ポン(To-su-pong)附近の小屋に、ハント夫人の遺品を持參することを約した。

果して翌日此等の蕃人は、余等の來るのを待つて居たが、此時余等が賠償金を所持しなかつたので、彼等はハント夫人の遺骨を渡すことを肯じなかつた。然し漸く瑯嶠(Liong Kiao)に於て之を支拂ふことを約して、手附金を與へ、彼等の承認を得て、夫人の遺骨を受取り、之を澤山の金紙と共に草籠に納めて持ち歸つた。金紙は靈魂の昇天料であると支那人が云つたからである。其後余は此地に留まり、ピ氏のみは打狗に歸つて金策を遂げ、約束の賠償金を支拂つてローヴァー號の遺品たるトランク等も買收した。

尙ピ氏はバーシー島土人九名の乘船が、此蕃地附近で難破し、上陸せんとしたのを、一名は牡丹社蕃人(Boorans)に殺され、今一名も上陸後殺害されて、現に拘禁中のものが七名居たのを救ひ、又頭目とも會談して、平和條約締結の有利であることを說得した。此際蕃人は支那の官憲との折衝を嫌つて居た。(13)

ホーンの日誌中、此外に、兩人は特にコアルッ蕃の十八種族の大頭目トケートク(Tok-e-tok卓其篤)と會見しようとして努力したことを擧げて居る。之はル、ジヤンドル將軍には多大の參考となつたものである。而して兩人は九月十二日陸行で打狗に歸ることゝなつたが、其途中で、約四五百人の支那軍に遭遇した。此軍中にはル將軍と今一人の佛國紳士の居るのを見出して面會した。ル將軍はローヴァー號事件のために瑯璃に赴く途中であることを告げ、ピ氏に彼の通譯として復、同行せんことを求めた。ピ氏は此間の蕃地滯在中の顚末を語り、頭目と平和條約を締結せられよと慫慂した。

九月十六日ピ氏はホーンと共に一旦打狗に歸り、彼が救助したバーシー島士人を英國領事カルロル(Charles Carrol)に委ねて、其歸國方の配慮を依賴し、次で同廿六日再びシアリアオ(Sialiao)に到つて、ル將軍及び支那軍に追ひついたが、同軍隊は此地で待機中であつた。

これより愈々ピ氏の活動、ル將軍の畫策となつた。ピ氏は先づハッカス族の幾人かを伴つてテラクソク族(Telasoks)の許に赴き、其頭目と面談した。

ホーンは彼の日記の末尾に於て述べて曰く、「ル將軍の蕃人との平和的折衝もピ氏なしでは何事をもなし得ない。余も亦ピ氏の援助なかりせば、ハント夫人の遺骨を受取ることが出來なかつたであらう。ピ氏は支那人及び蕃人兩者より

愛せられて居るが、就中、北部及び南部の蕃人中に於て最も人望がある」と。(14)

ピ氏は初め打狗に於ける稅關監吏であつたが、後英國エルス商會員となり、蕃通を以て有名であつたので、曩には米國艦隊の瑯璚遠征の際に其通譯として伴はれ、マッケンジー大尉戰死の時には其傍に居たのである。ピ氏の記す所に據れば、ル將軍は北京に赴き、米國公使と共に清國政府に迫るに。若し臺灣に於て今回の事件に清國が責任を負はぬやうなことがあれば、英人が同島を占領するであらうと脅迫して、遂に清國をして彼の要求に同意せしめ、前回の米國の遠征より半年の後、彼は厦門を經て臺灣に渡つた。斯くて彼は清軍の援護を受けて再び瑯璚遠征の途に上り、ピ氏を通譯として傭入れの許可を豫めエルス商會に求め、此遠征に彼を加へたものである。(15)と

米國ベル提督の蕃地進擊に關する臺灣側の史料は極めて少い。假令有つても誇大に失して、臺灣側に不利のことを記さない。試に臺南府知府唐贊袞撰「臺陽見聞錄」によれば、「同治六年五月十二日、有花旗國輪船、前進傀儡山之龜仔荳社有二等帶兵洋官一員、洋兵一百七八十名、登岸被生蕃詐誘上山、從後兜拏、因路徑狹窄、帶兵官受傷斃命、洋兵被傷者數十人。(16)」とあるが、帶兵官マッケンジ

ー大尉の戰死は事實なれども、負傷者數十人は支那流の筆法である。要するにピ氏の記述を以て事實を判定するの外はない。

註

1. J. W. Davidson. The Island of Formosa, Past and Present. p. 114.
2. Albr. Wirth; Geschihte Formosa's bis Anfang 1898. S S. 124—126.
3. 當時打狗に滯在中の英國人ピッカリングは、其著「臺灣に於ける開拓」に於て、此時の狀況を詳しく記して居るが、それに據れば二人の支那人はローヴアー號の賄方で、英國軍艦コルモラントは打狗碇泊中であつたと記して居る。(W. A. Pickering: Pioneering in Formosa. p. 179.)

   然るにデヴイッドスン著「臺灣島の過去及現在」、ハウス著征臺記事及伊能嘉矩著臺灣文化志等は何れも避難することを得た支那人は一人で、軍艦コルモラントは當時安平港碇泊中となつて居る。(J. W. Davidson; The Island of Formosa, Past and Present. p. 115; E. H. House: The Japanese Expedition. p. 3. 及び伊能嘉矩著臺灣文化志下卷一三七頁)
4. W. A. Pickering: Pioneering in Formosa. p. 179.

   J. W. Davidson: The Island of Formosa. p. 115.

   E. H. House: The Japanese Expediton. p. 3.

   軍艦コルモラントの水兵の負傷者をピッカリングは二人と記して居るが、ハウスの記述には一人の負傷者となつて居る。
5. 同治朝籌辦夷務始末卷四九、同五〇。

   W. A. Pickering; Pioneering in Formosa. p. 180.

   J. W. Davidson: The Island of Formosa, Past and Present. P. 116.

   連雅堂著臺灣通史卷十四、外交志四五九頁

6. W. A. Pickering Pioneering in Formosa. 180.

7. J. W. Davidson: The Island of Formosa p. 116 には "Lieutenant-Commander A. S. Mckenzie" とあり、Pickering: Pioneering in Formosa p. 180 には "Commander Mckenzie" とあり、又ル、ジャンドル領事の米國公使への報告文には "Lieutenant Mckenzie" とあつて、三者何れも相違するが、領事から公使への報告を以て最も確實のものと信ずべき理由があるから、本文には海軍大尉として記述した。

8. W. A. Pickering: Pioneermg in Formosa. p. 180.

9. Ibid. pp. 181—182.

10 連雅堂撰臺灣通史卷十四、外交志、四五九頁

11 W. A. Pickering: Pioneeping in Formosa. pp. 182—183.

12 ゼームス、ホーンは同志と共に北臺灣の東岸、大南澳に侵墾を企てゝ當局者に叱責せられ、一八六八年、一行蘇澳に廻航の途次、難破溺死した英人である。

13 Extract from Mr. James Horn's Journal (W. A. Iickering: Pioneering in Formosa pp.183—193)

14 W. A. Pikcering: Pioneering in Formosa. p. 193.

15 Ibid. p. 196.

16 唐贊衮撰臺陽見聞錄 洋務 五枚

四 ル、ジャンドル領事の努力

斯様にベル提督の率ゐた米國艦隊が脆く敗退したにも拘らず、此際駐支米國

公使の憤激もなく、又米本國政府に於ても格別のセンセーションを惹起さなかつたのは何故であるかと云へば、當時の駐支米國公使バーリンゲームが、平和主義者であつたのと、一方米本國に於ても、南北戰役(一八六一年――一八六五年)があつて其後米國は對內問題に沒頭して、對外硬の政策も一時閑却せられたからである。加之、此內亂中、南軍の巡洋艦アラバマが支那海にあらはれて、米國北軍の船舶を撃沈する等猛威を振つたのを、バーリンゲーム公使の要求に基いて、清國政府は南軍々艦の清國領土の諸港灣へ入るを禁止し、大に北軍に好意を表したのを米國が感謝したのと、清國は當時米國の文物崇拜に傾いて居た(1)際であつたから、米本國に於ては發展論者シウォードが外相時代であつたけれども、敢て强硬に出なかつたのである。然し其代り厦門領事ル、ジャンドル將軍の外交的折衝は目覺ましいものがあつた。(2)

一八六七年(同治六年)九月四日、閩浙總督所屬の汽船ヴォランテア號(The Volunteer)はル將軍の手に委せられ、彼は佛國人ジョセフ、ベルナール(Joseph Bernaré)を通譯として同伴し、臺灣に向つて出發した。彼が臺灣府に着くと、官憲は直に阿諛的の歡迎をなして多くの文武官が集まつたが、彼は今回の來航の目的を述べ、閩浙總督が約束した此度の遠征に彼は親しく從軍し、果して其使命が果されるか否かを證明する任務を有つて居ること宣言した。此宣言の效果は覿面で、最初は文武官の顏面筋肉により、次には其言語によりて彼等の意志は判明したとル將軍は述べて居る。(3)

全く突然に動員を申渡された蕃地遠征隊は今や之が實行如何を監察する人を伴はねばならぬことを知つたので、彼等は幾多の障碍を口實として之を避けようとするのであつた。其上、彼等はル將軍の身上に危險があつても、其責任を負ふことが出來ないと述べた。然し彼は支那人の「二枚舌外交」の經驗なしではなかつたから、容易に之に陷れられはしなかつた。彼は卽刻約束の履行を主張し、彼の安全のために、彼等は毫も其責任を負ふの要はないと告げた。斯くて諸將は彼が單に彼等の意見を聞くために態々此處に來たのではなく、閩浙總督の命令が果して實行されるか否かを監察するためであることを納得した。

全く臺灣在住の官憲はその財布と重大關係のある本國上長官の命令を巧に、回避し、遠方に於て演せられた喜劇的手段によつて其困難を除去し、面倒臭い證人なしに、二三の蕃人の頭顱を勿體振つて福州に送ることは、誠に容易なことであり、且つ之が金のかゝらぬ大團圓であると思つて居たとは、デビッドスンは其著「臺灣島の過去及び現在」に述べて居る。(4) 當時の實情さもあつたであらうと察せられる。

斯くして臺灣總兵劉明燈以下の將士は、ル將軍を同伴して瑯璚進軍の途中で前述のピッカリングと會ひ、ル將軍はピ氏を通譯として傭ひ入れたのである。

今、領事ル將軍が、一八六七年十一月七日附で、駐支米國公使バーリンゲーに送つた報告書中の重要點を譯出する。

(前略)瑯璚に於ける蕃地には十八種族が居住し、九百五十五名の壯丁と、一千三百名の婦人、及び小兒を含んでテラソク族(Telassok tribe)のトケートク(Tooke-tok)を首班とする同盟がある。就中、最も著名な種族はボータン(Boo-tan)、オワン(Hwan)、カッチェーリ(Ca-chc-li)、クスクート(Cu-su-coot)、ペーポー(Pe-po)、コアルツ(Koa-luts)等の十餘種族である。(中略)

然るに一方劉將軍は、言を左右にして蕃人と交戰するを喜ばない、又蕃地附近の住民も不安の念に驅られて居ると云ふ有樣であつたから、征討軍首腦部と幾回かの折衝の後、余は左記の諸條項の履行、承認を劉將軍に要求した。

一、蕃人の悔恨と將來に對する保證とを得るために、トケートク以下十八種族の頭目と余との會見を承認すること。

二、瑯璚よりト、ス、ポン(To-su-pong)に到る間の支那人、及び熟蕃の恭順を保證すること。

三、ハント夫人の遺骨受領のためピッカリングの蒙つた損害賠償に就て蕃人への要求、及び猶、蕃人の手中に殘存するハント船長の遺品奪回のために努力すること。

四、支那帝國の保護地たる保證として、本島南灣に堡壘附の氣象臺を新設すること。

余は以上の各條項に對して劉將軍の承認を得た。又蕃人の代表者と余とは三日以内にポリアク(Poliac)に於て愼重な會見をすることゝなつたが、愈々頭目と余との會見の前日に於て、余は他日の間違を防止するために、前記の各條項に就て口頭で同意したのを、更に文書にして欲しいと劉將軍の副官に申込み、且つ速に之が返書を希望した書面を送つた。余は通譯が其意味を諸將に説明して其書面を手交したことを疑はないが、其日が過ぎても何等の返書もない。然し十八種族の頭目トケートク及び多數の護衞蕃人は其晩ボリアクに到着した。而して彼は余に明日は會見したいと申込んだ。

然るに一方劉將軍よりの返書が來ないのは、彼が何か惡計を策しつゝあるのではなからうかと余をして疑はしめた。そこで蕃人との會見前に大に警戒する必要のあるのを感じて、回答書を入手しなければ余はトケートクと會見しない、且つ斯樣に返書の遲延するのは、折角の計畫を破壞するものであると告げた。然し彼は唯曖昧な申譯をする丈けで、未だに回答の文書をよこさなかつた。

翌朝余はピッカリングを遣はしてトケートクに會はしめ、余の赴かない理由を説明させた。此時頭目は六百人の護衞蕃人と倶にポリアクに居たのであるが、依然として劉將軍よりの返書が余の許に屆かなかつた。一方トケートクはポリアクに於て適當な宿舍が發見出來なかつたためか、或は支那側の謀叛を疑つたためか、若しくは待ちきれなくなつたためか、何れかの理由で、彼は此地を去らうと決心した。此時漸く余の文書に回答するやうに決した劉將軍は、トケートクの歸山を大に憂慮し、更めて余と頭目との會見を設定するやうに願つた。余も之を諒として此旨を彼に通じた結果本島東海岸より約四哩の舊火山、卽ち蕃界の中央に於て、本日より三日後に、彼と會見することゝなつたので、此旨を劉將軍に通知した。

十月十日の朝、余等は宿營地を出發したが、余の一行は唯ピッカリングの外に三人の通譯、一人の案內者丈けで、其外には何等の護衞者もなく、晝頃余等は豫定地に到着した。其處にはトケートクが多數の頭目及び約二百名の男女の蕃人に取圍まれて居るのを見出した。先づ余等は何の儀式もなく、多數蕃人の中央の地上に座した。余等は全く無武裝であつたが、彼等は膝の間に銃を挾んで居た。蕃人共は何が余をして以前彼等に面會させなかつたかを知つて居たので、余は何等の前口上もなく、直に何故彼等が余の國人を殺したかを尋ねて談判を開始した。

トケートクの速答する所によれば、「曾て白人がコアルッ族を唯三人丈け殘して全部を殺害したから、其子孫は復讐の念慮を繼承して今日に至つたが、如何にせん報復すべき外國船がなかつた。然るに今回の事があつて、漸く其宿望を達したわけである」と云ふのであつた。余は斯かる理由で、多くの罪の無い人々が殺害されたことを知つた。

彼は又「斯様なことを實行したのは余が悪かつたから、ポリアクに於て余は遺憾の意を表はし、貴下と同盟しようと欲した」と、是に於て、余は「然らば將來は如何にしようと欲するかと反問したのに對して、彼は、「若し貴下が戰はうと欲するならば、我等は勿論、貴下に抵抗するであらう、而して余は其結果に就ては答へることが出來ない。又若し之と反對に、貴下が平和を望まれるならば、余は永遠に平和を守るであらう」と答へた。余は彼に唯友人として來たことを告げると、彼は直に彼の銃を脇に置いた。

仍て余は「我等が過去を忘れようと欲すること、及び將來殺害等の悪事をしないで、遭難者を保護して之を瑯璚に住む支那人に渡すやうに約束せよ」と要求した。之に對して彼は直に之を約したので、更に余は乘組員が薪水を欲して海岸に着いたときには、之を苦しめないやうにと附言した。此點も亦彼は同意したから、其場合には赤旗を揭げること(之は頭目の要求であつた)によつて、其船が頭目及び彼の部族に好意的の目的で、其一隊を上陸させると云ふ合圖とすることを約束した。

次で余は砲壘築造問題に言及した。余は此灣の中央に於て不運なるマッケンジー大尉が戰死した處へ之を建造したいと希望したが、トケートクは之を拒んで曰く、「斯くすることは彼の種族に不幸を齎らすであらう、何人でも彼自身の場所に——若し貴下が我等の中に、支那人を置くならば、彼等の惡信仰は我種族を怒らしめるであらう、故に砲臺は之を熟蕃中に建設せよ、然らば之には反對しない」と云つた。余は此要求に同意して起立したとき、彼は余に對して我等は十分語り合つたから我等をして敵意を持たしめるやうな言辭を弄ばないで、卽ち斯かる友誼的會見を破壞しないで別れたい」と、云ふのであつたから、これ以上余の主張を通すわけには行かなかつた。

此會見は四十五分間繼續した。

次でル將軍は此報告文に頭目トケートクの風貌、態度等に就て之を敍し、彼に對して大に讃辭を呈して居る。曰く

トケートクは五十歲位で、彼の言語は簡易で、好調である。彼の人相は旺

盛な精神力、不撓の元氣を示して、同情深く見える。又彼は多血質で、大きくはないが、四角張つた肩附と、頑丈な體格の持主である。彼の頭髮は灰色で、支那人風に前頭部を剃り、十二吋乃至十五吋の長さの辮髮を垂れて居るが、彼の服裝は蕃人特有のもので、凡ての點に於て、支那人とは異なつて居た。

同日(十日)瑯𤩝に歸る代りに、余は步を砲壘築造に決したト、ス、ポン(To-su-pong)と呼ぶ本島南西部の部落に向ひ、蕃界を過ぎて左方に赴いた。此地點はト、ス、ポンの小熟蕃部落より一哩離れた岬の上にあたつて居る。其處よりして此灣の各方面を見ることが出來た。余等は明かにベル提督の遠征の際に執つた道路も、マッケンジーの戰死した附近にある火山岩の陰鬱な塊石も、之を認め得た。此悲痛な場所に就て、無量の感慨に滿されながら、余等は急速に砲壘を建設し、又支那人及び熟蕃人よりの保證書を得ようと思つて、瑯𤩝へと歸路に就いた。

砲壘築造の件に就ては、屢々劉將軍と余との激論となつたが、彼は正々堂々と之に反對しようとはしなかつた。寧ろ彼は之が支那人に利益であるとは承知して居たが、閩浙總督よりの指示中に曖昧な點があつたからである。卽ち彼は福州或は北京の當局者に協議する前に、果して之を建設する權能が有るか否かについて疑問を抱いて居た。然し余は斯樣な疑議のために余の出發を後らすわけには行かなかつた。余は更に此件を强く要求した。全く砲壘建設の件は其約束の履行如何によりて、コアルツ蕃の尊敬を支配し、且つ特に斯かる荒海の多數の犧牲者には、安穩な避難所となると云ふことを考へたからである。結局、余が飽くまでも之を主張したので、彼は遂に余の選んだ地點に、一時的の堡壘を建造することゝなつた。而して其中には二門の大砲と、少數の正規兵と、一百人の國民軍とを置くことゝした。此暫定的の協約は、確實な命令が臺灣府に到達するや否や、永久的のものに改定せられることゝなつた。余は之に對して滿足の意を表した。何となれば、余は總督が余に對して破約しようとは想像し得なかつたからである。又假りに違約のことがあつても、余は閣下(公使)の訓令に信賴して爭ふことが可能である。

余は劉將軍の忠誠に對しては十分なる敬意を拂はねばならぬ。

二日間で椰子の幹と砂袋とで造られた圓い垣塀が築造せられたのを、余は將軍等と視察した。其堡壘には正確に一百名は居らなかつたが、余は此不足を看過しようと決心した。其代りに疑ひもなく、其處には約束の砲二門の代りに、三門が備へてあつた。而して此堡壘には支那の國旗が飜つて居た。

以上で略々余等は其使命を果した。劉將軍は余にローヴァー號に屬する望遠鏡及び海員の遺品を手交した。又余がトクートクに示す赤旗をピッカリングが彼に與へたので、余はハント夫人の遺體を受取つた、余は此遠征の結果を支那の當局者と共に、正規の文書にしなければならぬ。此等の文書は蕃人と瑯璚灣よりト、ス、ボン砲壘迄の支那人との間の人情味ある義務に就ての連帶責任を立證するもので、之は全遠征の眞精神である。(5)

玆に注意すべきことは、ル將軍はハント夫人の遺體を受取つたと云ふことを公使に報告して居るが、同夫人の遺骨は既に八月十日ホーンがピ氏同伴で、ト、ス、ボンで受取り、打狗に持ち歸つたことが、ホーンの「チャイナ、メール」に投書した彼の日記にあるから、此日記を眞實としなければならぬ。さすれば、ル將軍の報告は此點は誤つて居る。但しホーンは遺骨(6)(bones)の文字を用ひ、ル將軍は遺體(7)(body)と記載して居るが、結局、同一意味である。ル將軍は些か其功を誇るの餘り、ピ氏の努力範圍を侵したのではなからうか。

又先に劉將軍がル將軍の要求したことを文書回答にするのを拒んだのは、支那流の外交からであらう。然るにル將軍が、飽く迄も文書回答を要求したのは誠に賢明の策であつた。後年即ち明治六年、臺灣事件の責任を問ふために、我副島種臣が、特命全權大使として清廷に使した際に、清國政府は口頭で、「生蕃ノ暴横ヲ制セサルハ、我政教ノ逮及セサル處ナリ。」(8)と答へたのに大使が滿足して歸朝した後で、清國政府の態度が變り、又各國公使は日本の行動を清國に對する敵對行爲として批難した。此點ル將軍の外交は巧妙周到である。

ル將軍は支那軍の撤退後、尚四日間ト、ス、ポンに滯留したが、十月廿日、英國砲艦ボンテレル(The Bonterer)が、バーシー諸島から厦門へ歸航の途次、此地に寄港したので、同艦の指揮官及び打狗駐在英國領事とに、海濱に於て會見し、ル將軍は其使命と其結果とに就て、經過の大要を述べた。ボンテレルの指揮官及び英國領事は、彼に同艦に便乘して打狗へ歸るやうに慫慂したが、彼は之を斷つて、再び瑯璚に還つた。此時恰もピッカリングが頭目トケートクから、衷心よりの歡待を受けて歸着した所であつた。ピ氏の言によれば、「支那側よりも使者を送つて、白人に約したと同様の保護を、支那人にも與へよと要求したが頭目は支那側を相手に何事も處したことなく、又何事も處するを欲しない、と答へたとのことである。」加之、頭目は大に白人の勇氣を賞して、彼の二人の娘をして、瑯璚迄ピ氏に同行せしめたとの事であつた。(9) 之に據れば、蕃人はル將軍の勇氣を愛して、彼とは快よく應接し、且つ條約を締結したが、支那人に對しては、好意を有つて居らない。故に此條約は只白人に對してのみのもので、支那人に對するものでないことは明かである。さりとて、支那側も討伐は欲しない、又威信の失墜も喜ばない、と云ふ苦境にあつたものと想像される。

斯くてル將軍は打狗に歸り、次でヴォランテーア號で、廿六日朝、打狗を發し澎湖島を經て、三十日午後五時、厦門に歸着した。

ル將軍が駐支公使に宛てた報告の末節に、ベルナール及びピッカリング兩氏の功勳を賞揚して居るが、殊にピ氏は去六月七日、マッケンジー大尉が蕃人の毒手に斃れた時に、其傍に居た人である、(10)と特記して、其報文を結んで居る。

ル將軍の折衝後數年間、蕃人はよく其約を守つて、遭難者を援け、或は遭難者があれば、附近の支那人に此事を報じたが、其後トケートク大頭目の統轄せる十八種族も動搖して、彼の直轄せる部族以外の蕃人は、之を制御すること屢々困難であつた。實際ボータンス(Bootans)の如きは、其同盟より脱して、彼等直屬の頭目以外には從はなかつた。況して支那人側が、外國の當局者によりて求められた遭難者の救濟に對して、無關心で冷淡である間は、蕃人が幾多の迫害を外國人の難破船員に加へるのも當然である、とデビッドスンは述べて居る。

史密の「籌辦蕃地議」に、「臺番散處、四山各自爲謀、絕不相屬、依林傍草不離巢穴」とあり。(11) 又「鳳山縣志」に、「又各社自其黨、不相統轄、力分則薄、較易羈束、又其俗尚殺人以爲武勇、所居人頭、控去皮肉、煮去脂膏、塗以金色、藏諸高閣、以多較勝、私爲豪傑」(12)とあるやうに、彼等は原始的の村國家の形式を持續して、爭つて居たから、利害關係や、頭目の死去等によつて、彼等の離合集散は不定であつた。現に之より、八年後の我征臺之役には、トケートクは既に其前年五月に死去して、其養嗣子が頭目となつて居て、最早や全十八種族を引纏めることは困難であつた。當時清國は到底蕃人に對しては、何等の威信を示すことが出來なかつたので、唯彼等のなすに任せ、一向其禍害の平地に及ばないことをのみ希つて居たのは事實である。

ル將軍は其後一八七四年(明治七年)、上海に於て「臺灣蕃地は支那帝國の一部なりや」(Is Aboriginal Formosa a Part of the Chinese Empire ?)と云ふ一書を著し、我日本の立場を明確にしたが、其中に彼が前述のトケートクと折衝したことや、劉將軍と交渉の顚末等を敍し、更に次の一文を載せて居る。之は前記劉將軍が約を果さないで、蕃地を放任したことを述べたもので、ル將軍は一八六九年二月(同治八年、明治二年)に、前記平和條約締結後、約一ヶ年半を經て、再び渡臺し、トヽス、ポンに建設された假砲壘のことに就て、在支米國公使に宛てゝ報告したのである。

(前略)此報告の局を結ぶ以前、閣下に告知するに、頗る歎息の一事あり。右は從來臺灣生蕃人に於ては、其信義を守りしと雖、兼て我輩の希望したる支那人に於ては、自餘は姑く置き、其約諸の部分は、之を爲すべきと思ひ居たりしに、豈料らんや、却て其約の部分をも果さゞる事、因循今日に至れり。而して「ローウル」船一件に付、公使及び政府の委任を稟け、談判に及びし時は、文武の官吏を瑯璠に置き、以て政權を施さんことを北京に建白し、若し國帝に於て之が許可あらば、更に炮臺を「トス、ポン」に築造し、以て從來苦情ありし海軍少將ベル及び閣下先官の意見に應ぜんとの事、支那官吏と予と熟議相整ひ、既に去五月中、右意見の旨趣を以て、北京重官より地方官に指令を下たせしに因り、尙其施行の事を地方官に迫るべき旨、「ウイリヤム」氏より予に命令ありたり。依て命の如く迫りしに、最初「ワイスロイ」（總督）より、後又帝國（支那）理事官より、各此事に就ては、必ず余が滿足する處置をなすべき旨の保證を得たりしが、日ならずして、予其言の僞りなるを發見せり。其故は、予臺灣府に在て、未だ該地の實況を見ずと雖、風に聞く、「ツエンタエン」（人名）より、未だ其議を臺灣の長官にも傳へざりし由なり。而して當今に至りては、一八六七年、陸軍將「リー」（劉）の處分にて、「トス、ポン」に建築せし假炮臺も、既に廢棄に屬し、炮臺中にありし二門の大炮、及び守衛の兵も、車城（地名）へ轉移せしを見たり。因て之を官吏に問ふに、土地の第三回の測量を爲すために轉移せしものにて、若又炮臺建築等の事は、新に北京へ建言せざるを得ずと云へり。果して然らば、則ち方今、此事件は再び北京の處分に係れば、閣下に於て何分の處置あらんことを要す。予は只此後閣下の指令を俟つのみ。(13)（下略）

斯様に、ル將軍は渡臺して、臺灣當局が其約を果さないのを憤慨し、事情を駐支米國公使に報告したが、之がために、閩浙總督も放任して置くわけに行かなかつたのか、「福建通紀」卷十八に左記の記事がある。

同治八年六月、閩浙總督英桂、福建巡撫卞寶第、奏請撫有臺灣琅璚地方、並籌建礮臺、設立塔燈、報可。(14)（無暇齋文鈔）

故に其後英桂が砲壘及び燈臺設立の件を奏請したことは事實である。英桂が閩浙總督に任ぜられたのは同治七年七月（陰曆）で、同五年八月（陰曆）、閩浙總督左宗棠は陝西總督に轉じ、其代りに吳棠が閩浙總督に任ぜられて居るから、最初ル將軍が約束したと稱する總督は吳棠の總督時代である。(15)兎に角、支那側が初め誠意を缺いで放任したことは明かである。

ル將軍と同伴し、其通譯として活躍したピッカリングの記述は、多少自家宣傳の存するのは已むを得ないが、當時の史料としては貴重なものである。初めピ氏はル將軍の命によりて、蕃人討伐の臺灣軍諸將に、ル將軍の意中を傳へ、進擊の中止方を請ふと、彼等は威丈け高になつて、余等は皇帝の命によつて蕃人を剿滅しなければならぬ。今や余等は其進軍の途上であるから、無用の干涉は御免を蒙りたい、[16]等と述べて大に虛勢を張つたが、熟議の後、前言を飜して居るのは啻に蕃人に對して勢威を示す態度であるばかりでなく、外國人に對しても、彼等の常套手段である。然かも其口實が、氣候不順のために臺灣北部出身の部下の兵士は、之に耐へることが出來ない。現に熱氣のために死するものが多い、とて此度は部下愛護を口實として、犬死をさせたくないと云ふのである。此事もピ氏の記述は事實であらう。ピ氏は支那人が面目を重ずる(Save their face)ことを熟知して居た。尙ピ氏は、ル將軍の祕書兼通譯たるベルナールに就ては、毫も記述して居らないのは、自己の功勳にのみ歸せしめんがためか、不明である。

　ル將軍とトケートクとが締結した條約文に、ル將軍を初めピ氏等は署名したが、頭目トケートクは手判をした、[17]とピ氏は記して居るのに、ル將軍の報告には之が記載されて居らぬ。又此條約は其後、ピ氏の臺灣在住三ケ年間は、蕃人によりて忠實に守られた。[18]とピ氏は記して居るが、間もなく一八七一年(明治四年）、我琉球藩民が臺灣南部東海岸に漂着して、高士佛、牡丹兩社蕃人のために五十四名も殺されたので、日清の談判は開始せられ、次で備中小田縣民四名も同東部成廣澳に漂到し、蕃人の掠奪に遭つたことが判明して、遂に我征臺の役は起つたのである。[19] 此役にル、ジャンドル將軍は我外務省顧問として、種々我國の便益を圖り、蕃地の領有を大に副島大使に慫慂した。[20]

斯く彼は此役に我國を援けたと云ふ廉で、厦門に於て米國領事に捕へられて上海に送られたが、間もなく一八六〇年の米國條例によりて放免せられた。[21] 尚此役には彼の外に二名の米國士官が我軍に從つて、種々と畫策して居る、故に臺灣に着眼し之が領有を主張した米國人が、我國の開國を促し、或は我征臺の役にも貢獻して居るものゝあるのを知るときには、誰れか此史實を興味なしと斷ずるものがあらうか。

註

1. J. W. Foster: American Diplomacy in the Orient. p. 259
2. Ibid. 261.
3. J. W. Davidson: The Island of Formos', Past and Present p. 117
4. Ibid. p. 117

5. Mr. Le Gendre's Report to the United States Minister at Peking (Davidson: The Island of Formosa. pp. 117—122.)

6. W. A. Pickering: Pioneering in Formosa. p. 186.

7. Mr. Le Gendre's Report to the United States Minister at Peking (Davidson: The Island of Formosa. p. 121.)

8. 鄭永寧編纂副島大使適淸概略（明治文化全集第六卷外交篇七一頁）

9. Mr. Le Gendre's Reportto the United States Minister at Peking. (Davidson: The Island of Formosa. p. 121.)

10 Ibid. p. 122.

11 丁日健編輯治臺必告錄卷三、八八頁

12 鳳山縣志卷之三、一七四頁

13 立嘉度譯本多政辰編次蕃地所屬論下卷一二頁——一三頁

14 福建通紀卷十八　一六枚裏

15 同書　卷十八

16 W. A. Pickering: Pioneering in Formosa. p. 195.

17 Ibid. p. 197.

18 Ibid. p. 197.

19 蕃地事務局編處蕃趣旨書
鄭永寧編纂副島大使適淸概略

20 黑龍會編西南記傳上卷一、五五一頁——五七五頁
副島大使適淸概略

21 大久保利通文書第六卷二九
Foster: American Diplomacy in the Orient p. 220.

Davidson: The Island of Formosa p. 198.

村川堅固譯補トリート著日米外交史一八四頁――一八五頁

多田直綱輯日本支那談判始末上巻

金井之恭編使清辨理始末

○全文を通じて余が「米國外相」と譯述したのは米國の "Secretary of State and *Foreign Affairs*" である。其職務略々我國の外相に當るからである。然るに之を我國で國務長官又は國務卿と譯するのは、其職掌が之に當らない感がある。徳川時代の文書には外相と譯してある。故に余は寧ろ外相と譯する方が適當と思ふ。

『パッ』を繞る太平洋文化交渉問題と
臺灣發見の類似石器に就て

移 川 子 之 藏

『パッ』を繞る太平洋文化交渉問題と
臺灣發見の類似石器に就て

移川子之藏

文化民族間に於ける場合の如く、文化交渉の洽く行はれぬ自然民族間に於ける文化なるものが、假冐それが低度のものにしても、其の居住する地域に於て獨自に發達せるものであるか、若くは其間に或種の文化交渉を認むべきものであるかと云ふ問題は、遠く隔絶せる地域に居住する二つの異民族の間に、同一系統と見做すべき文化の存在する場合、或ひは文化構成の要素が分析的に見て、兩者相近似するもの丶存在する場合の如き、文化現象に逢着する毎に屢々擡頭する。素より類似性の程度にも依る事ではあるが、此問題の解釋には一方所謂民族の基本觀念 (Ethnische Elmentargedanken) を强調して、各々獨自の文化發達を說き、畢竟類似は單に一形相であつて併行的又は歸一的變化に基くもの、異なれる文化も同一のものより發して離行的變化の徑路を辿れる結果に外ならないと謂ふ見解が行はれて居り。他方また種々の徴證から文化交涉の豫想外に多端で且つ廣範圍に亘つて行はるゝものであり、特に或る强力なる文化中心地からの波及的傳播に起因するものだと謂ふ、所謂文化の分析的且つ歷史的見解を主とするものとが行はれてゐる。

此の二つの傾向には雙方に多分の眞理がある。さりとて一方に偏するの餘り他を顧みぬ如きは、問題の眞相を把握する所以でない事は、極めて明かと言はねばならぬ。

太平洋を周つて、此の文化交涉の問題が近來屢々論議さるゝに至つた、インドネシアと南米アマゾン流域の文化問題、インドネシアに於ける古代印度との關係並に巨石文化の問題、メラネシア文化及社會生成に關する問題、ポリネシア文化と發祥地の問題、大洋洲と米大陸との文化交涉、古代日本及支那に於ける南方文化の如きもそれで、數へ來れば幾多の問題がある。

『パツ』(Patu) は從來ポリネシアのニュゼーランド及其の東方離島チャヤサムに特有のものとされてゐたが、これが又た南北兩米其他にも發見さるゝに至つて、問題は文化交涉の問題となつた。然るに臺灣に於ても又た類似型體の石器を發

附圖第一

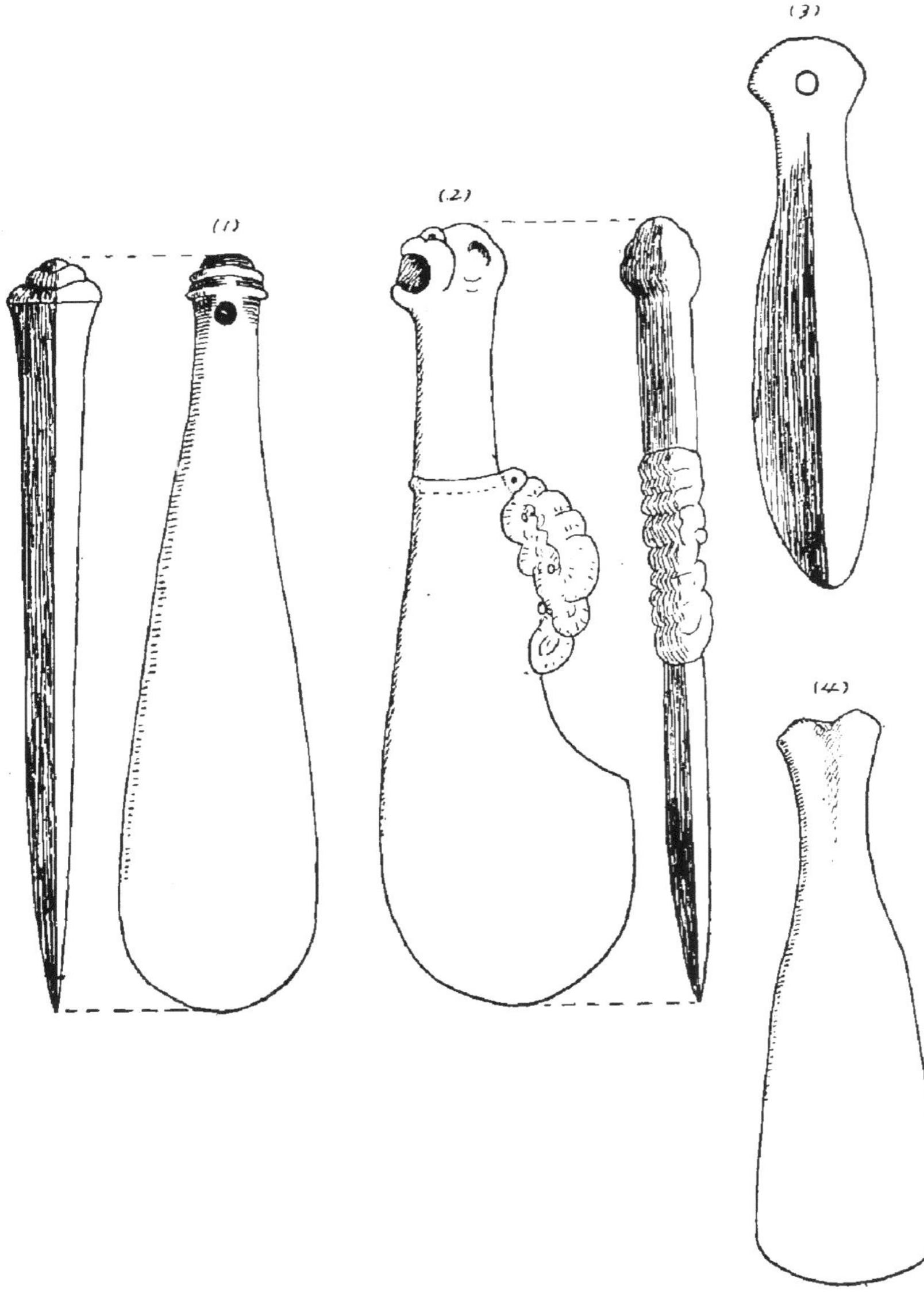

ニュゼーラントの『パツ』((1) Patu Onewa / (2) Patu Okewa) 及 其他チヤザム島(4) / 、北米發見のもの(3)

見するのである、型體的類似そのものが直ちに同一起源に歸すべきか如何か問題である。茲に卑見を述べんとする所以も、此の大きな問題に直接間接關聯を持つもの　あるからである。

太平洋方面に於ける『パツ』

『パツ』とは、ニュゼーランド土人マオリ族の所持する篦型で、長さ二二・八六乃至五〇糎、把手部は圓狀で細く、頭部に瘤其の下に概して孔があり、把手より下部に及ぶに從つて扁平となり、末端に於て弓狀の刄を成してゐる武器の一般總稱であるが、詳しく言へばパツ・オネワ(Patu Onewa)又はパツ・メレ(Patu Mere)と謂ふべきである(附第一(1)圖)。玄武岩安山岩綠石の如き石を以て製するを普通とするが、鯨骨又は木製のもある、型體に就ても下部扁平の部分がJ型に彎曲せるパツ・オケワ(Patu Okewa)(附第一(2)圖)や、左右に廓大して團扇の如き異樣の形狀を呈するパツ・コチアテ(Patu Kotiate)なぞ、多樣の變型が見られる。『パツ』なる語はマオリ族に在つては上記の武器を指すが、他のポリネシヤの島々に於ては、意味が必ずしも一樣ではない、サモア島ではPatuは「打つ」「擊つ」「短い棍棒」Batu「石」、トンガ島ではBatu「音」Batutu「打」「衝く」、マングレーヴ、ラロトンガ、マーケーサス諸島にて Patu「打撃」、パウモツ島で Patu「打下す殺す」、ハワイ島では Paku「自己防禦」の意(ハワイにてはt音Kに轉化)。然るにメラネシアに在つてはソロモン諸島で Patu「石」、モツ島にて Pataia「打つ」、ブルメル島では Patu-Patu「棍棒」、シカヤナ島で Patua「武人」の意に用ひられてゐる。

『パツ』は一種の權力表象の具でもあるが、元來は突刺す武器として用ひる。ニュゼーランドのタラナキ部族に在つては、孔の紐に右手頸を入れ柄を握り、左足左肩を敵へ向け、膝を屈めて迫り、眼を張り舌を出し、左手を震はせながら全身緊張、突如蟹の如く横行前進、間餘に迫つて急に左足を樞軸として一旋回、今度は右側を前に右手の『パツ』を握りしめ、敵の顳顬目懸けて衝き刺すのである(註一)。されば『パツ』は或る學者の說の如く棍棒の變形でない事が解る(註二)。然るにこれと全然類似の『パツ』が南北兩米にも存在する事實が、ゆくりなくもアルゼンチン共和國リトラル國立大學のインベロニ博士に依つて專ら唱へられ、一九二八年に墺國ヴヰン人類學會雜誌、リトラル國立大學教育學部年報(歷史地理)、シミット記念論文集、並に一九三〇年ポリネシア協會雜誌を通じて、汎く學界に紹介せられたのである。(註三)

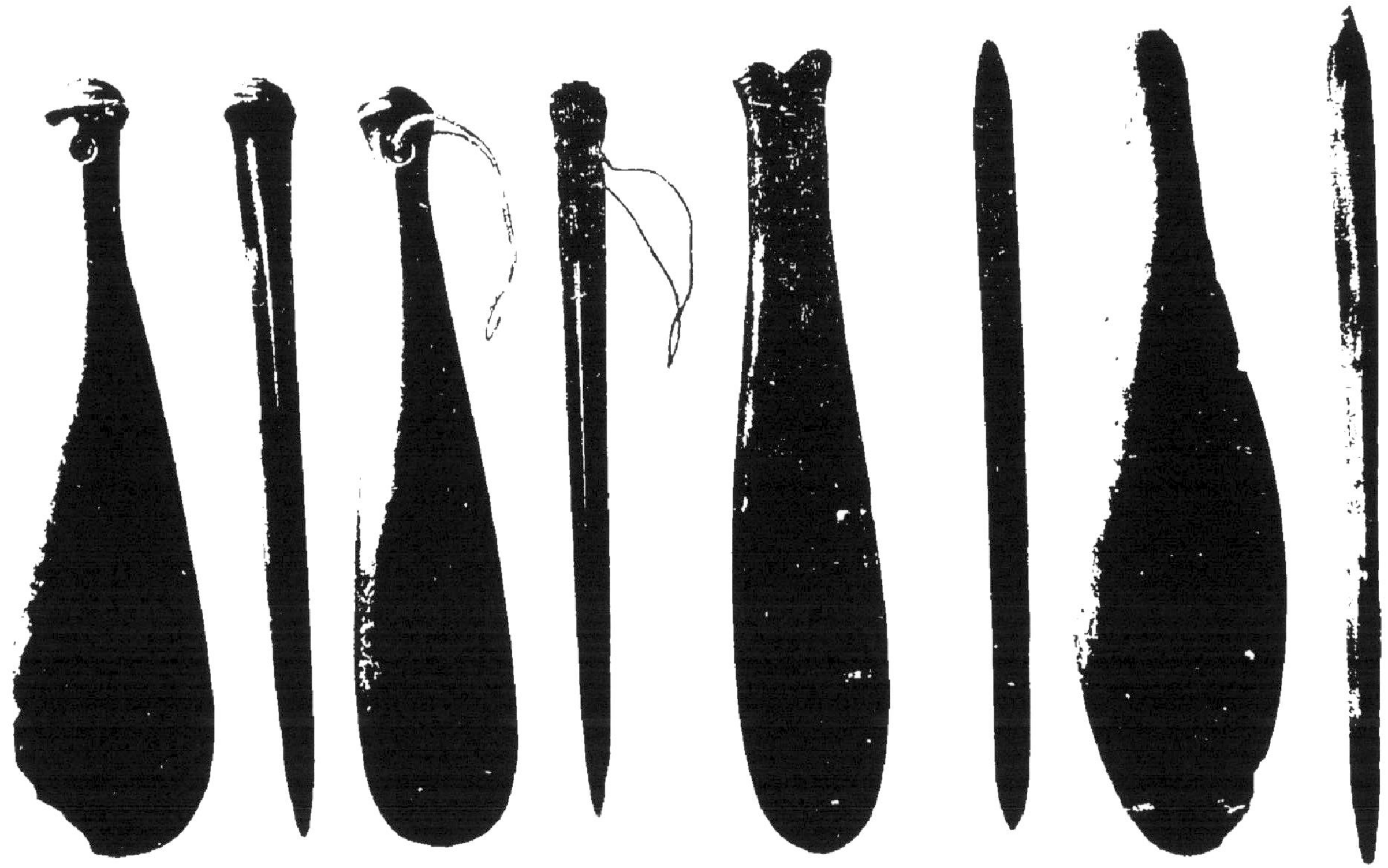
コロラド州
發見
カリホルニヤ州
發見
ワシントン州
發見
オレゴン州
發見

北米發見の『パッ』

彼の説に據ればニュゼーランドと全く同一の『パツ』が、北米に在つては、カリホルニヤ州インデアン・ウテ族の死骸と共に一個發見（石質粘板岩、長三六・五糎、幅八糎、厚二・四糎、合衆國々立博物館所藏圖版一）。コロラド州の東南ベント郡所在の一土塚より一個（綠石、長三七・五糎、幅四・五三糎、厚二・五糎合衆國々立博物館所藏圖版一）、ワシントン州オリンピヤの東方三哩の地點より出土せるもの一個（粘板岩、長三七糎、幅七糎、厚二・一糎、合衆國々立博物館所藏圖版一）オレゴン州グラント峠の下方三十哩ログ河畔地下七尺の土中より一個（綠輝岩、把手部破損、合衆國立博物館所藏圖版一）、同州コロンビヤ河畔の一墳墓より一個（眞鍮、長四三・五六糎、幅八・八九糎厚約一・二糎、合衆國立博物館所藏）ミシガン州より二個（出所不確實、滑石、長約四七・二八、幅約五・四〇、厚三・八一、他は片岩、長約三三・〇二、幅八・八九、厚不明、個人所有）、英領加奈陀コロンビヤ州フレーザー河の邊より二個（石質不明、長三三・五糎、幅七・五、厚三・五糎、紐育自然科學博物館所藏。他が同じく石質不明長三六・三、幅五・九、同所々藏。附圖第一(2)）同バンクーバー島發見もの二個、一個は彼の船長クックの持歸つたもの他はヌートカ海峽にて發見せるもの（眞甲鯨骨製、長四三糎、獨逸ミンヘン土俗博物館所藏。他は同じく鯨骨製、英國オックスフォード大學ピットリヴアース博物館所藏）、墨其西哥より二個（綠石、長約二五・五糎、幅一〇・二糎、厚五・一糎、伯林博物館所藏。他は長石、破損、長不明、幅八幅、厚三・七糎、同所藏）。南米に在りてはペルー國クヅコの一墳墓より一個（綠色角閃石、長三五・四糎、伯林博物館所藏）及び出所不詳のもの一個（碧玉、長三一・七五糎幅八・八九糎、所藏者不詳）、アルゼンチン共和國メンドザ州ヴラヴィサンシォ附近、即ちコーデリヤ山中の路側よりパツ・オネワ型のもの一個（黑色玄武岩、長三一・七糎、幅九・一糎、厚二・七糎、チリ國サンチャゴ土俗博物館所藏）、同國チウブトのリメー河畔よりパツ・オケワ型一個（黑色玄武岩、長三九・五糎、幅一〇・九糎、厚瘤部四・一糎、下部二・二五糎、ブイノス・アイリス市人私有）、智利國南部よりパツ・オネワ型一個(ブイノス・アイリス市一私人の所有)及び同國コーテン州ライマより同型のもの一個(玄武岩、長四七・七糎、中央部の幅一五・五糎厚不詳、個人所有)。輙ち北米より十三、南米より六、都合十九個の發見を見てゐる。而して北米バンクーバー島ヌトカ海峽並に南米アロカニヤ地方には、地方的變型が種々存在すると言ふ、此等兩米大陸發見の『パツ』はニュゼーランドの物に比して、穿孔法に幾分相違あるのみで、型體に於て全然同一系の物であり、又だ其の分布地域より察して、有史以前ニュゼーランドと兩米大陸との文化交涉を實質的に立證するものであると推論してゐる。

然るにニュゼーランド、オタゴー大學教授スキンナー氏は、カリホルニヤ發見の『パツ』は正しくニュゼーランドのもので、恐らく近世の移入物であり、英領バンクーバー島發見のもの及びコロンビヤ發見の眞鍮製『パツ』は船長クックの持行きたるもの、其の他は北米製の『パツ』と認めるけれども、文化交涉はニュゼーランドより直接太平洋を越えて行はれたものではなく、元來ポリネシアと同一の祖先が亞細亞の東海岸を傳へつゝ、北米の西部海岸に到つたものであらうとの見解を持してゐる。(註四)

北米に於ける『パツ』類の多くは、其の發見の地方に於て獨自發達せるもので、北米固有の文化にはマオリ族の影響を否定する學者に、ハーバード大學のデキソン博士がある。インベロニ博士の所謂フレーザー河北方オレゴン州のウィラメット流域及びバンクーバー島の東南部に於て發見せるものは、フレーザー河の邊エバンの貝塚より發見せらるゝものと同系で、製作年代が極めて古く、此の型體のものは、十三世紀頃ニュゼーランドからチャザム島へ移住せるものと推考されてゐる所の、モリオリ種族間に存在しない事實より推考して、マオリ族間に目擊する所のものは、恐らくそれ以後の發達に起因するもので在つて、北米のそれに比すれば時代の隔りが甚だしく新しく、到底ニュゼーランド方面よりの攝取に基くものとは見做し難い。『パツ』の扁平部が廓大して團扇形になり柄の末端が鳥又は稀に人頭の彫刻を施せるものをニュゼーランドに在つてはパツ・コテアテ(Patu Kotiate)と呼ぶ、此の型體のものも北米に於てコロンビヤ河の下流より、ヌトカ地方更にフレーザー河を遡りカムループス邊迄廣く發見せられる、然ながら其の彫刻せる鳥は鷲又は雷鳥であり、表現様式も此の地方特有のものであつて、中には把手より末端へ兩面共に稜線の通つてゐるものもある、此の地方の土俗調査を試みた前コロンビヤ大學のボアズ博士の如きも、これを地方的發達に歸してゐる(註五)。カリホルニヤ其他の地方にて發見せるもの丶多くは、西歐人南海發見以後の事に屬し、彼等が交易品として持來つたものであらうとの論斷を下してゐる。

さりながら南米發見のもの特にペルー國クッコ發見のもの丶如きは、一八四一年フォン・チュデ氏がペルー國の海岸リマ市を去る北方約六十哩ファチョと呼ぶ一部落の附近なる墳墓よりの發掘に係るもので、銅製武器、紅鶴の羽を編飾したる一種の合羽等をも伴出してゐる(註六)、墳墓の年代が明確を缺くが、インカ時代に屬し恐らくチムの末葉で十三四世紀頃のものであらう、萬一更に古くしてインカ時代以前のものとするならば、十世紀頃に遡る、マオリ族のニュゼーランド到來の時期は十三四世紀頃と見るべきであるから、それにしては早過ぎる、此の墳墓の年代の決定が困難であつて、今俄にニュゼーランドと南米との文化交渉に就て、その何れとも論定し難いものがあると言つてゐる(註七)。

米大陸に於て發見せる『パッ』は前述の通りであるが。太平洋諸島に於てはニュゼーランド、チャサム兩島以外又たエースター、サモハ、ソロモン、オントング・ジャバ、トロブリャンドの諸島(註一四、一五、一六)からも骨製、木製、石製の『パッ』

型式のものが發見される、(註十四、十五、十六)隨つて此の型式の武器がポリネシヤ東南部を中心にして、附近の諸島に分布し、ニュゼーランドに於て最も發達せるものと考へられるのである。そしてニュゼーランドよりチャザム離島へ來り、絶海の孤島生活を持續し來つたモリオリ族の傳承に依れば、此の移動は二十八代前に行はれしものゝ如く、若しこれを信憑し得べくば、ニュゼーランドに於て『パッ』の出現を見たのは、少なくも十二世紀以前の事となる。

臺灣の類似石器及び其の起源

臺灣の石器は從來等閑に附され、これが考證を試みた人は殆んどなく、況して國外の物との比較研究等に至つては絶無とも謂へる、隨つて茲に記述せんとする『パッ』型石器に關する文獻等は全く無く、以前採集せられたる遺物は在つても、出土狀態や伴出物等に關する記録が、遺憾ながら殆んど缺如してゐる。

唯だ臺北帝大研究室所藏『パッ』型石器三個のみは、昭和三年四月大學開設當時敷地埋立の爲め臺北州文山郡十五份の小阜より採土工事中發見せるもので、幸い現場を踏査するを得たのである。發見の場所は前に田を控へ、東南に面する阜の裾に近い草蔽へる地下約五六寸の所から出土せるもので、其附近に於て他に打製及び半磨製の俗に云ふ石斧類を多く發見し得たのである、三個（圖版二1 2 3 附圖第二IV 1 3 2）の中二個は『パツ』としては餘りに扁平に過ぎ、且つ反味を帶ぶる、然るに他の一個は背筋に稜線は在るが、如何にも『パツ』型で、これを手にして直ちに連想したのはニュゼーランドのパツ・オネワ（Patu Onewa）であつた。

爰に臺灣發見の『パツ』型石器と稱するのは、箆型磨製石器であつて、把手は概ね隨圓狀、稀に頭部の存ずるものもあるが是れを缺くもの多く、把手上部半面は粗面のまゝ磨かず、把手より下方に及ぶにつれて幅廣く薄く、末端に於て弓狀の刄を成してゐる、今日迄知り得たものに徵すると、全長二五乃至七二・二二糎、最大幅八・二乃至一五・一五、最大厚三乃至九・〇九糎。形狀は大體一定してゐるけれども、把手以下の廣がりに幅の廣狹があり、中には兩肩の發達せるもの把手から末端にかけて表面中央部背筋に稜線の在るもの、又無いもの併し稜に該當する部分が脹めるもの、幾分反味の在るもの等がある。

今、實施に就て調査せるもの又は報告せられたるものゝ發見地、尺度、石質所有者等を左に列擧する。

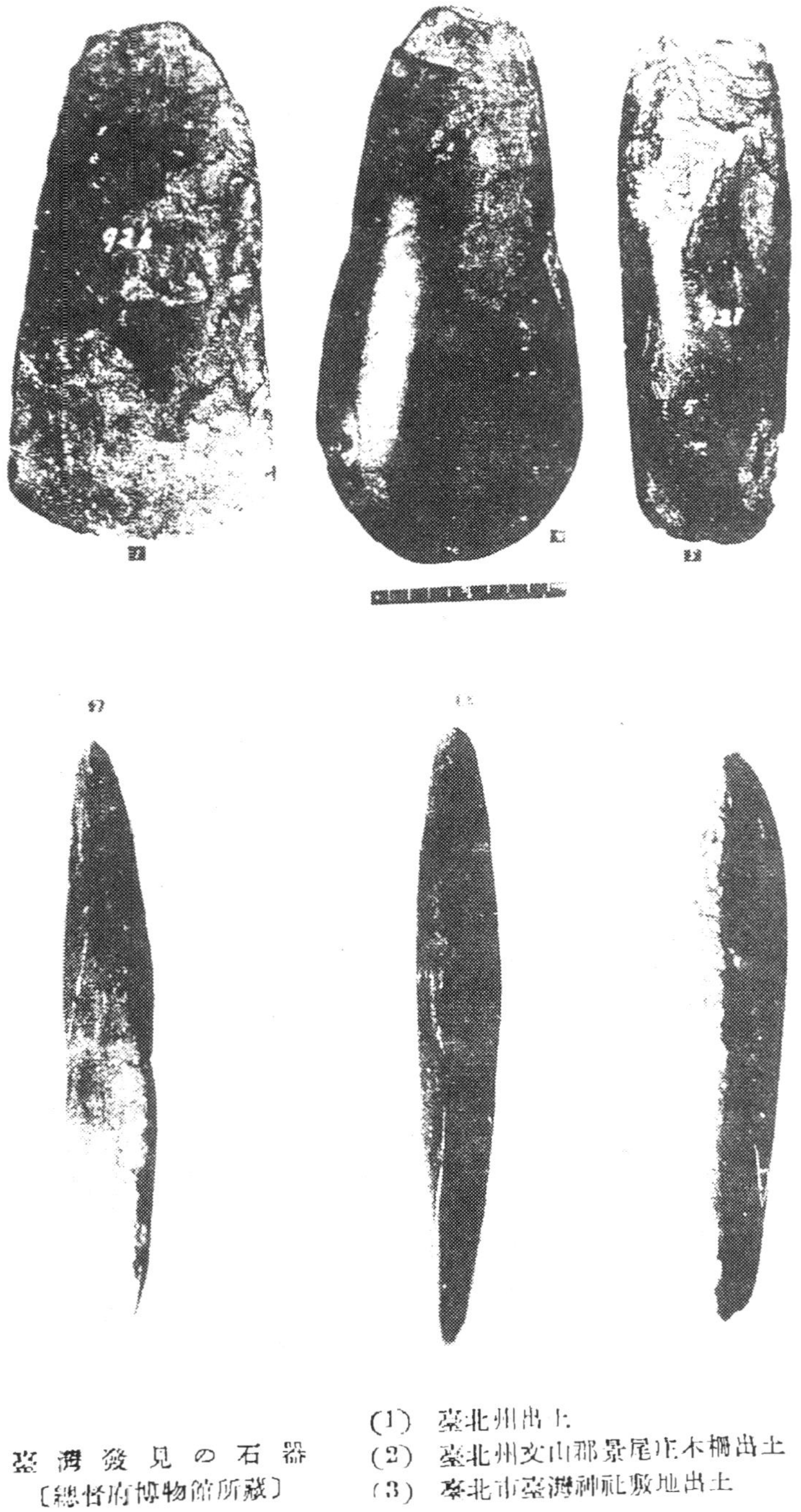

臺灣發見の石器
〔總督府博物館所藏〕

(1) 臺北州出土
(2) 臺北州文山郡景尾庄木柵出土
(3) 臺北市臺灣神社敷地出土

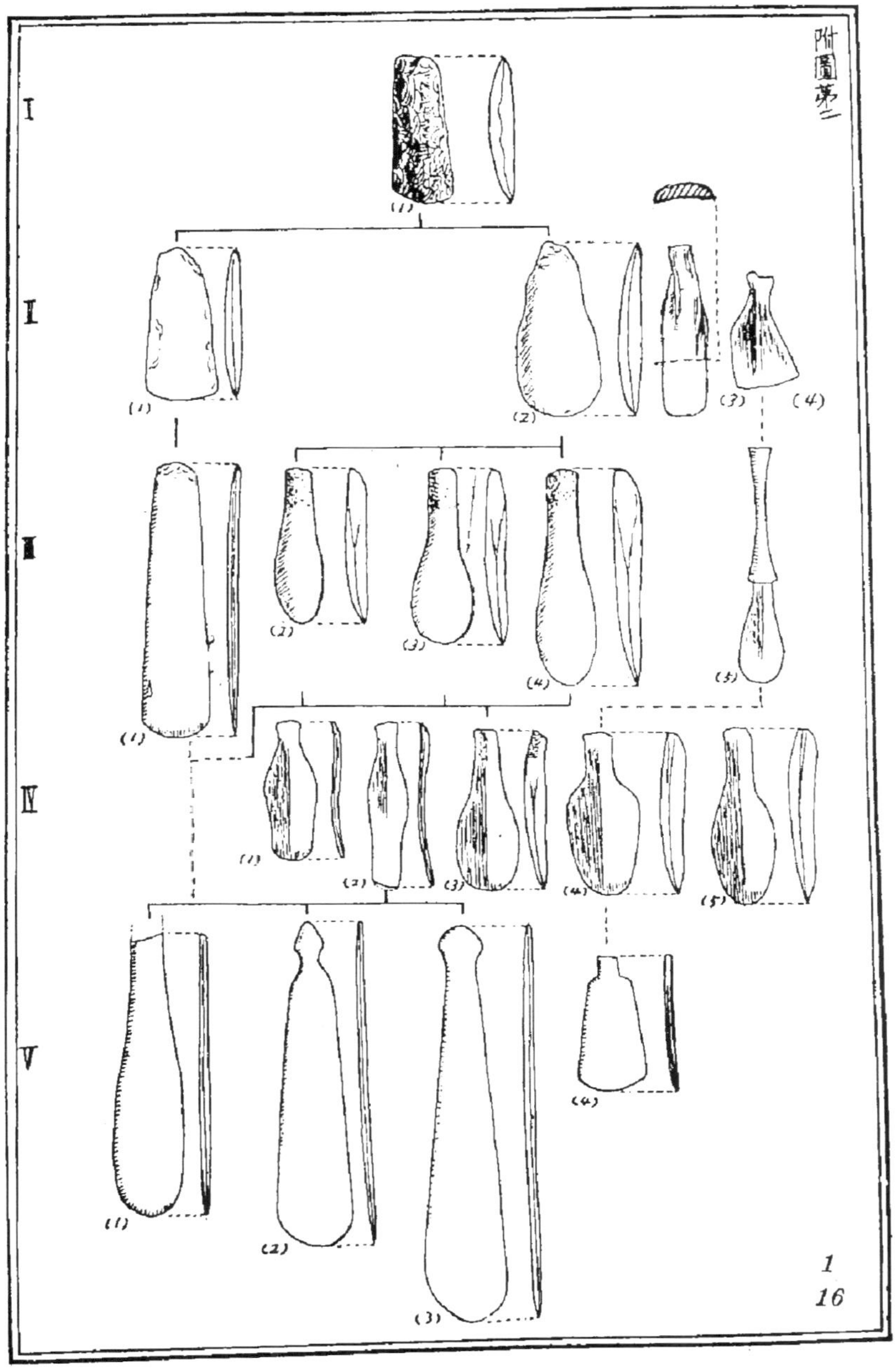
附圖第二
I
II
III
IV
V
(1)
(2)
(3)
(4)
(5)
1
16

	發見地	種度（全長、幅最大、最小、厚最大）	石質	圖版附圖對照	所有者
一、	臺北州文山郡十五分附近	二五・五〇（九・一〇、四・五〇）三・四五	石英質砂岩	圖版三(1)	臺北帝大土俗學研究室
二、	同　同　同	二四・四〇（六・三七、三・二五）一・三五	同	同　三ノ(2)	
三、	同　同　同	一六・〇〇（五・九〇、三・一五）一・二〇	同	同　三ノ3)	
四、	同　臺北市	（破損、把手部なし）	同	同　三ノ(5)	
五、	同　同　圓山貝塚	（破片二個）	同		
五、	同　同　西新庄仔	（破　片）	同		
六、	同　同　圓山明治橋附近	二七・五〇（九・五五、四・九五）四・〇〇	同	同　五ノ(1)	林根氏
七、	同　同　同	二五・八〇（一〇・一〇、四・七〇）三・六〇	同	同　五ノ(2)	
八、	同　管內	三二・〇〇（八・八〇、四・八〇）三・五〇	同	同　西ノ(1)	總督府博物館
九、	同	二八・三〇（九・一〇、五・一〇）三・六〇	同	同　四ノ(2)	
一〇、	同　臺北市圓山	（破損、把手部なし）	同	同　四ノ(1)	勝浦鞆氏
一一、	同　同　同	二五・六〇（八・二〇、四・九〇）三・四五	同	同　四ノ(2)	
一二、	同　同　城內	（破片）	同		總督府博物館
一三、	同　同　同	（破片）	同		
一四、	同　同　同	（破片）	同		
一五、	同　（不詳）	（破片）	同		
一六、	同　士林	（破片）	同		
一七、	同　臺北市圓山	（破片）	同		

一八、	臺南州曾文郡官田庄番仔田	七二・二三	一五・一五 六・〇六五	九・〇九	圖版七ノ(1) 附圖二Vノ3	安平史料 博文館
一九、	同　濁水溪以南	五五・七〇	一二・四〇	一・五〇	同七ノ(2) 附圖二Vノ2	尾崎秀眞氏
二〇、	嘉義郡火槺榔西堡庄	破損、把手部なし 四九・四〇	一六・八〇 一・八〇	一・九〇	同八ノ左 附圖二Vノ	總督府博物館
二一、	同　同　水上庄	六〇・六〇	一一・一二			臺南市 野田氏報告

（此外第一九に類似のもの數個發見せられたる由なるも所持者不明。二一は型體一八に類似、一八も二一も石質は恐らく砂岩であらう）

之をニュゼーランドの『パッ』に比較すれば、把手の上部はチャザム島の物に似て孔が無く、其末端に瘤狀頭部を形成せず、存在するにしても扁平である、然ながら其長さと言ひ、箆型形狀と言ひ、特に把手部が隨圓狀で在つて下部に及ぶに從つて扁平となり、刄は必ず末端に在つて側面になく、而も弓狀を成してゐる邊なぞ、兩者の類似點極めて多く、『パッ』系統と見做しても決して理由の無い速斷ではない。

臺灣の『パッ』型石器は相互に相類似しつゝ、尙ほ其の間に相當の差異が認められる、此の差異こそ『パッ』型石器の起源を解釋する上に於て重要な意義を持つてゐる。今日臺灣の蕃族間には最早石器を使用するものが無いから、說明を彼等に殆んど期待し得ないが、傳承や生活から幾分の暗示が得られる。ニュゼーラン

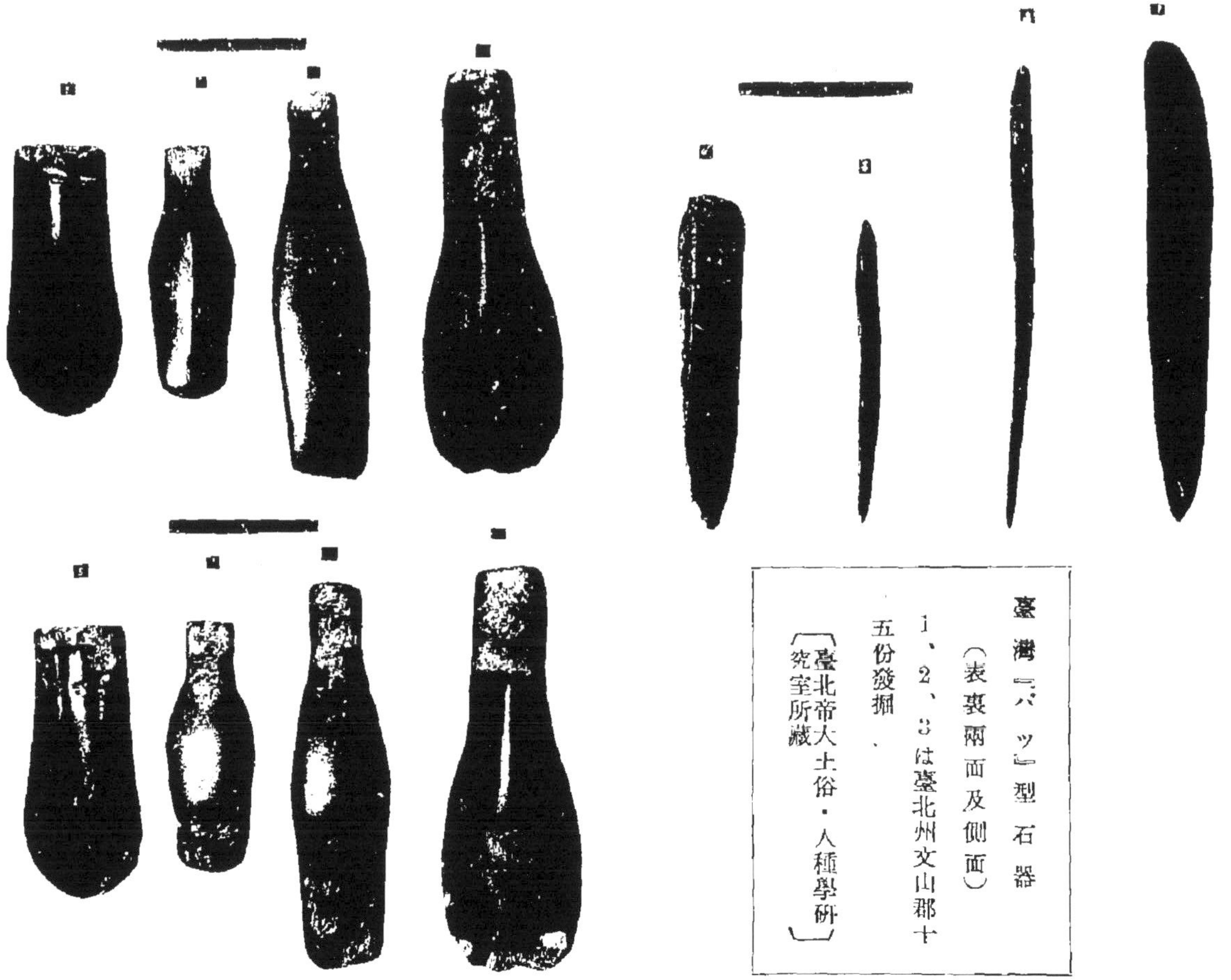

臺灣『パッ』型石器
（表裏兩面及側面）
1、2、3は臺北州文山郡十五份發掘、
〔臺北帝大土俗・人種學研究室所藏〕

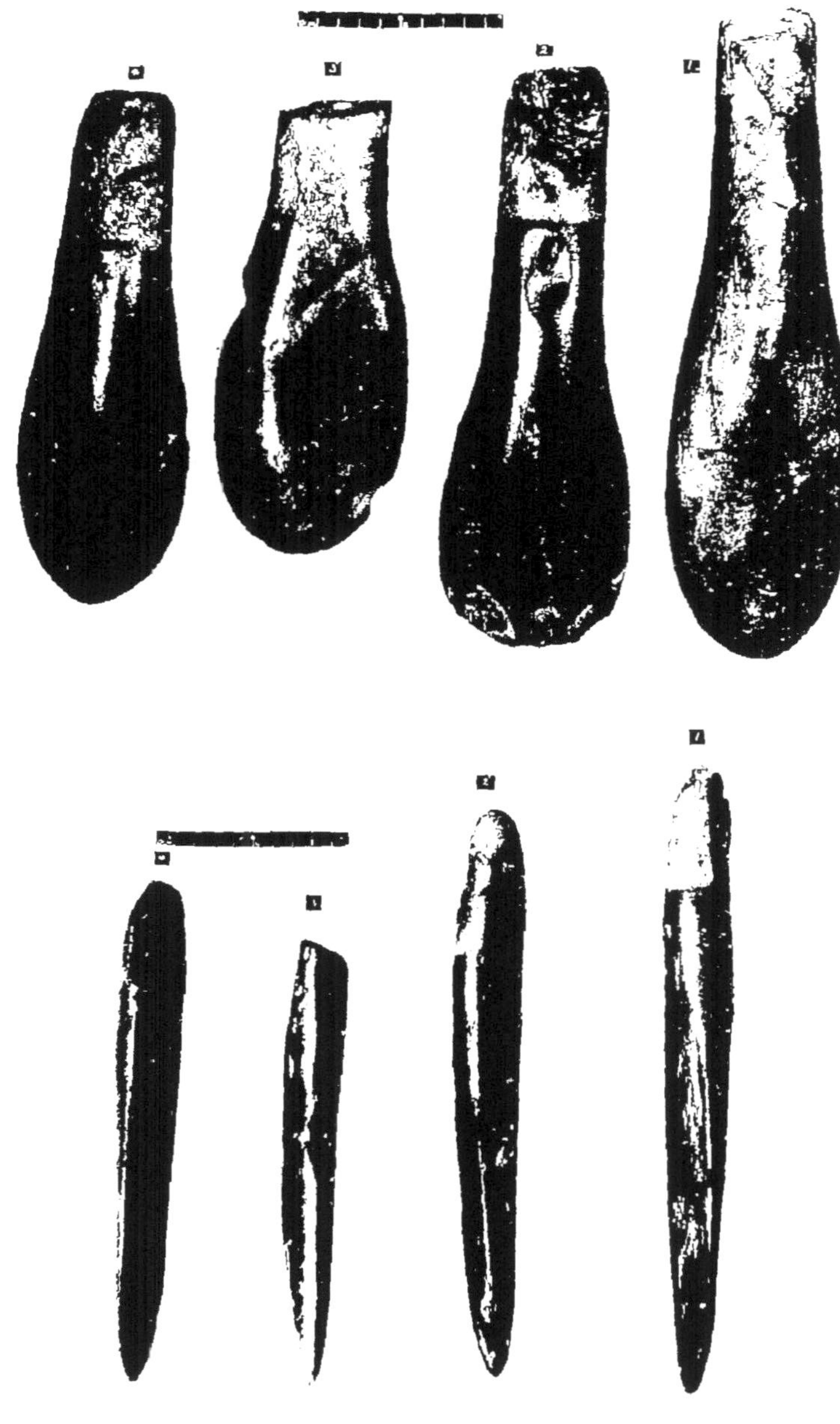

臺灣の『パツ』型石器

（表面及側面）

全部臺北州管內發見

(3)及び(4)は臺北市圓山出土

〔總督府博物館所藏〕

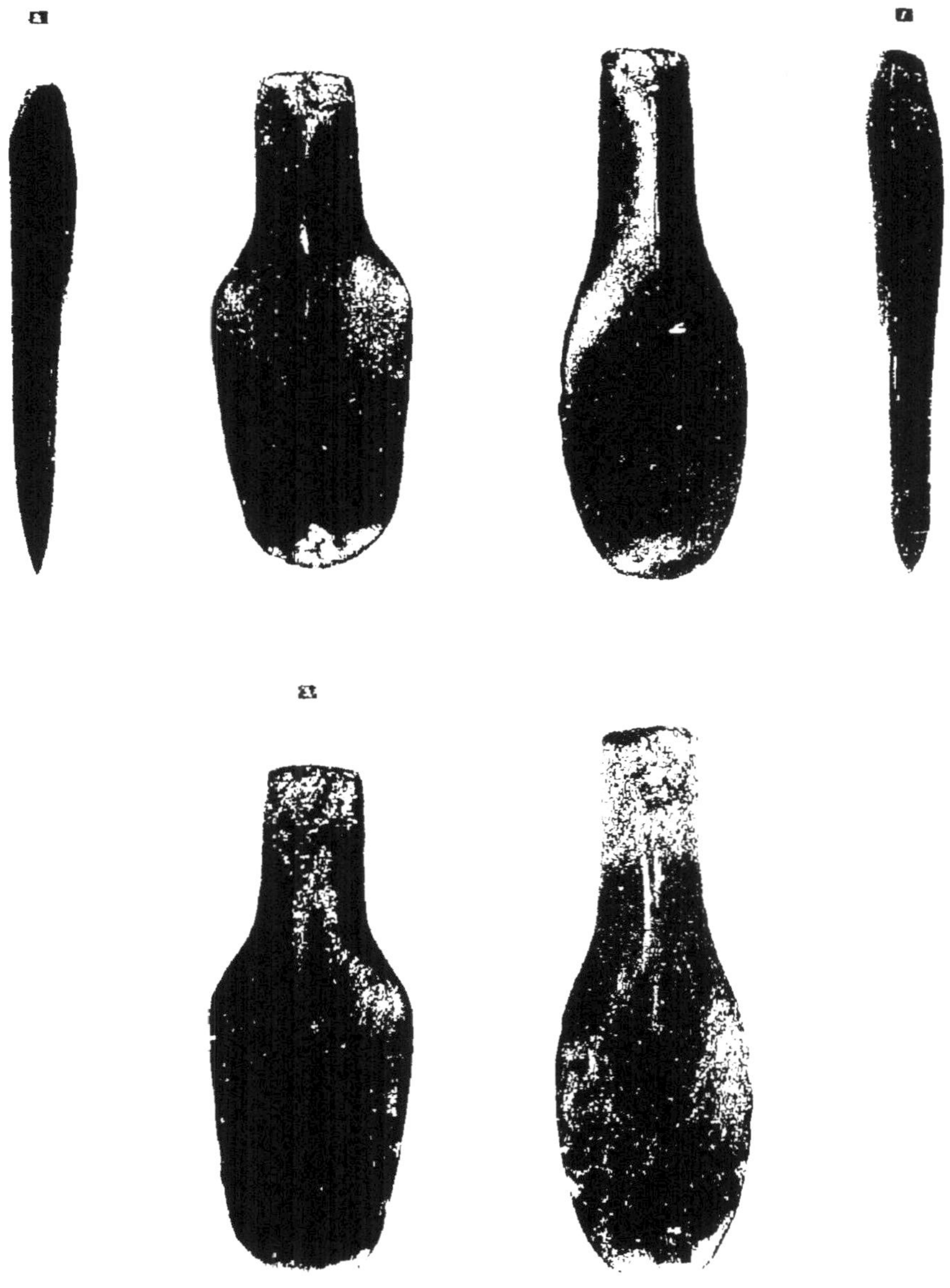

臺灣の『バツ』型石器

(表裏兩面及側面)

臺北市圓山明治橋附近發見

〔林根氏所藏〕

ドに在つては『パツ』は武器である事は既に述べた通りである、スキンナー教授は曾つて『パツ』の起源をトキ・パウ・タンガタ(toki-pau-tangata)と呼ぶ一種の殺人用石製手斧に歸した事がある(註一)、然るに近年『パツ』型武器の他島より發見せらるゝものあるを見て前説を取消した。(註四)

然し臺灣に於ける『パツ』型石器は、其の淵源を推致するに武器ではなく農具で恐らく鐇(ておのくは)即ち手鍬であらう。今日蕃人間に行はるゝ農耕は、實に柄の短い手鍬又は鐙鍬であつて、鋤や犂ではない。開墾には山や森を焼き遺れる茅根や草根を除く爲めに、打製石斧狀の鍬(附圖第二Ⅰ1・Ⅱ―2)が往昔專ら使用されたものと考へる。臺中州東勢郡久良栖社(Tinburan)の奥、蕃稱ハロンと呼ぶ臺地で昭和六年八月多數此の種の石器を採集して、久良栖社の頭目ルバク・パアランに之を示したところ、曾祖父の時代には此等の石鍬(Pazzieh)を以て開墾したと言ふのであつた紅頭嶼に在つても型體こそ多少違なり、中央部狹く下部廣く、丸石の儘の一面を殘した打製の石斧が往々屋內に見受けらるゝ事がある、蕃人は之をワサイ(Wasai)と呼んでゐる、併しWasaiは元來鋏の意であらう事はカロライン群島モートロック、ルク、ヤップの諸島に於て鋏をWasai又はWasiと謂ひ、ヌクロオ島ではWasei、馬來語で剛鋏をWadja又はEadjaと呼ぶ等から推察出來るけれども、本來の名稱はチ、ブチブ(Chichibchib)と謂つて手鍬の意味である、偶々開墾等の折に此の種の石器を發見すると、老蕃達は昔鋏の無かつた時代には、これで茅草を刈取り地を耕するのに使用したものだと言つてゐた、今に蕃人は磯の丸石で之を製作する方法を心意てゐる。

更に興味を覺えるのは、紅頭嶼の芋掘篦である、長さ約二尺五寸、幅一寸五分、木製にして扁平、末端薄く弓狀をなし、把手部に頭がある、これなぞも、『パッ』の發達を考ふる時に忘れもならぬものゝ一つであらう。

臺北州文山郡十五份發掘の『パッ』型石器は既に述べた樣に打製石鍬と共に附近から發見された事を思ふと同時に『パッ』型石器と打製石鍬との中間型體に屬する種類の石器(圖版六2 附圖第二Ⅱ1,2)の存在を知る時に、少なくも臺灣に在つては『パッ』型石器は元來手鍬に使用せられ、直接手に握るか又は短き柄を着けて開墾や農耕をしたたのであらう、把手部に粗面を遺し或ひは柄が緊縛せる餘に依つて、磨擦されたかと考へられる樣な光澤ある痕跡今に把手部の所に遺つてある。『パッ』型式のものが更に變化して薄きも厚きもあれば、又中央背筋に稜を生じ、或ひは兩肩

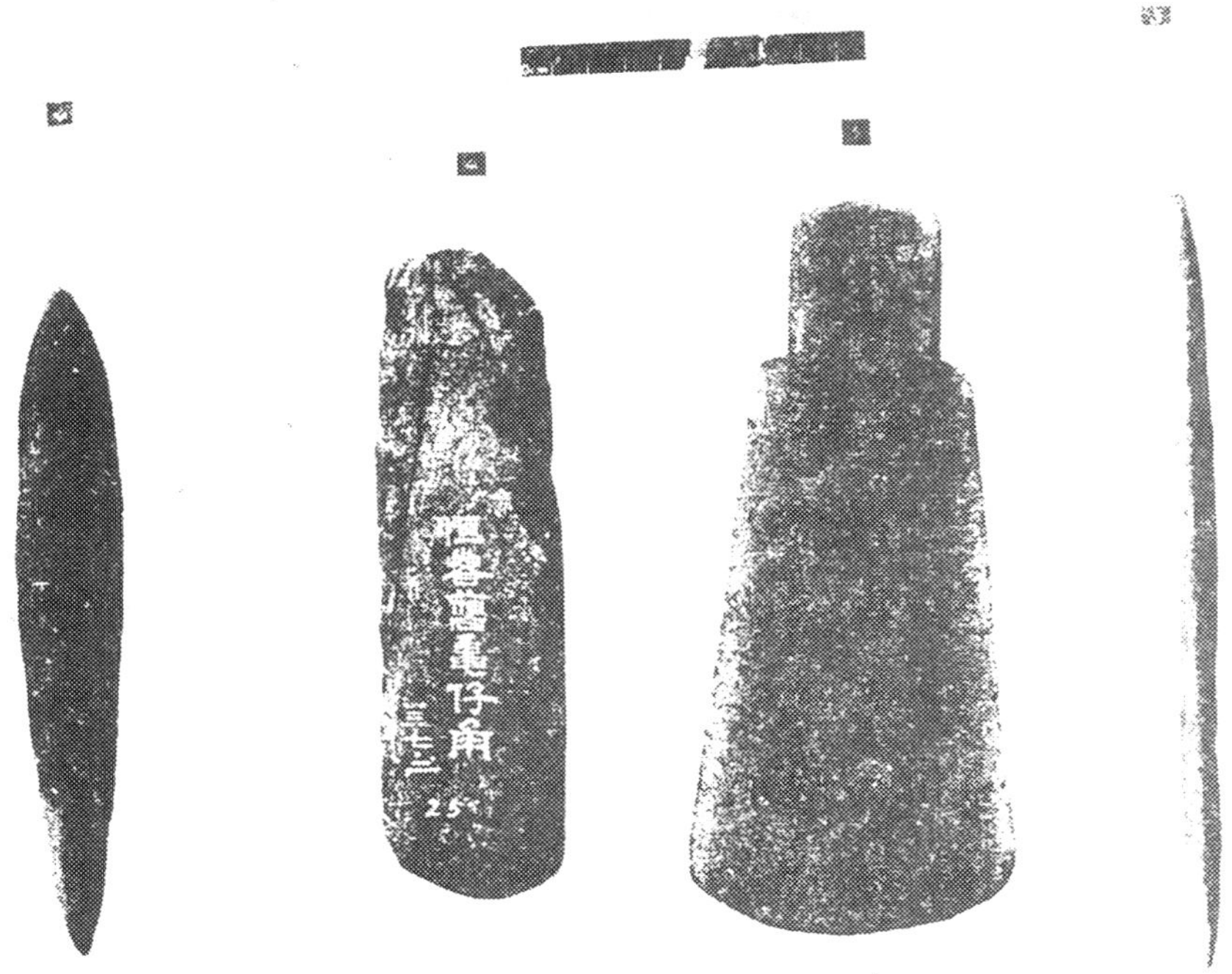

臺灣發見の石器

（表裏兩面）

右、臺北市圓山出土

左、高雄州恒春舊龜仔角出土

〔總督府博物館所藏〕

を生じ、遂に純然たる臺灣特有の鍬型と成る（圖版三 附圖第二）、肩部の發達せるチャザム島の原始的オケワは鍬ではなからうかと思はれるのである。

此の種の石器は砂岩又は安山岩の様な碎易い石質を以て造られてゐる事も、注意を要する點である。何んとなれば此等の石質を以てしては堅き樹木を伐る爲めには不適當であるから、其の點から觀察して、專ら土を掘る程度の用に供せられたであらう事を自ら立證するものゝ様に攷へられる。

肩部の顯著で長方形又は半楕圓形を呈し、安山岩又は粘板岩の鍬型石器は、日本內地に在つては常陸及び陸奥から發見され。長いのは二七糎、小さいのは四糎位のものも存在する（註八）、支那、東南亞細亞、印度等からも發見せられる支那では後に金屬時代に到つて石器使用は停止しても、貨布に其の俤を偲はしめてゐる事は周知の通りである。

中央稜線の在る箆型石器に極めて酷似する土掘農具が、スマトラ島バタ族間にも見られ（註十七）、又阿弗利加コンゴに於ても使用され、重要なる農具の一つと成つてゐる（附圖第二Ⅲ5）此の農具は現今鋳製であるが、元來は土掘棒の變じたものとも言はれる（註九）、同型のもので今日阿弗利加奥地マングバッツ及びルア族間に武具と成れるものも存在する(註十八)、これに據つて見ても、臺灣の『パッ』型石器が如何なる用途に用ひられたかゞ更に明瞭さを加へる。中央稜線は恐らく獸類の肩胛骨、若しくは貝類をも鍬として使用した結果、此の型體の發生を促したものではあるまいか(附圖第二II 2,4)、臺灣のアミ族太巴望社蕃人の使用する箆は豚、豹、の肩胛骨である。肩胛骨を鍬代用とする例は北米インディアンの間にある、西紀一八六七年頃迄ミゾリ河畔の Arikara, Hidatsa. Mandan の諸族は野牛や麋の肩胛骨を鍬として使用し、そしてそれが重要なる農具であつた(註一〇)。貝類の鍬や斧は我委任統治南洋モルトロック島、ルアニュア、ヌクマヌの諸島に見られる(註一一)。

臺灣に在つては此の種の鍬が、更に種々變形して或ものは大きく、扁平のものを生ずるに至つたものと攷へる(圖版八附圖III 1.V 1.2.3)、大型石鍬は或ひは農事關係儀式用又は何等かの表象として用ひられしやも測られず、農具が同時に戰鬪にも使用せられ得る事は、其の例甚だ多く之れを示し、武具の變遷に通曉せるものには、架說を俟つ迄もなく容易に領かれるであらう。臺灣の『パッ』型石器は變遷に變遷を重ねたが、其の本質に於て武器ではなく鍬であると攷へるのである。隋書の流求國が果して今の琉球か、それとも臺灣であるかに就ては、可なり說がある

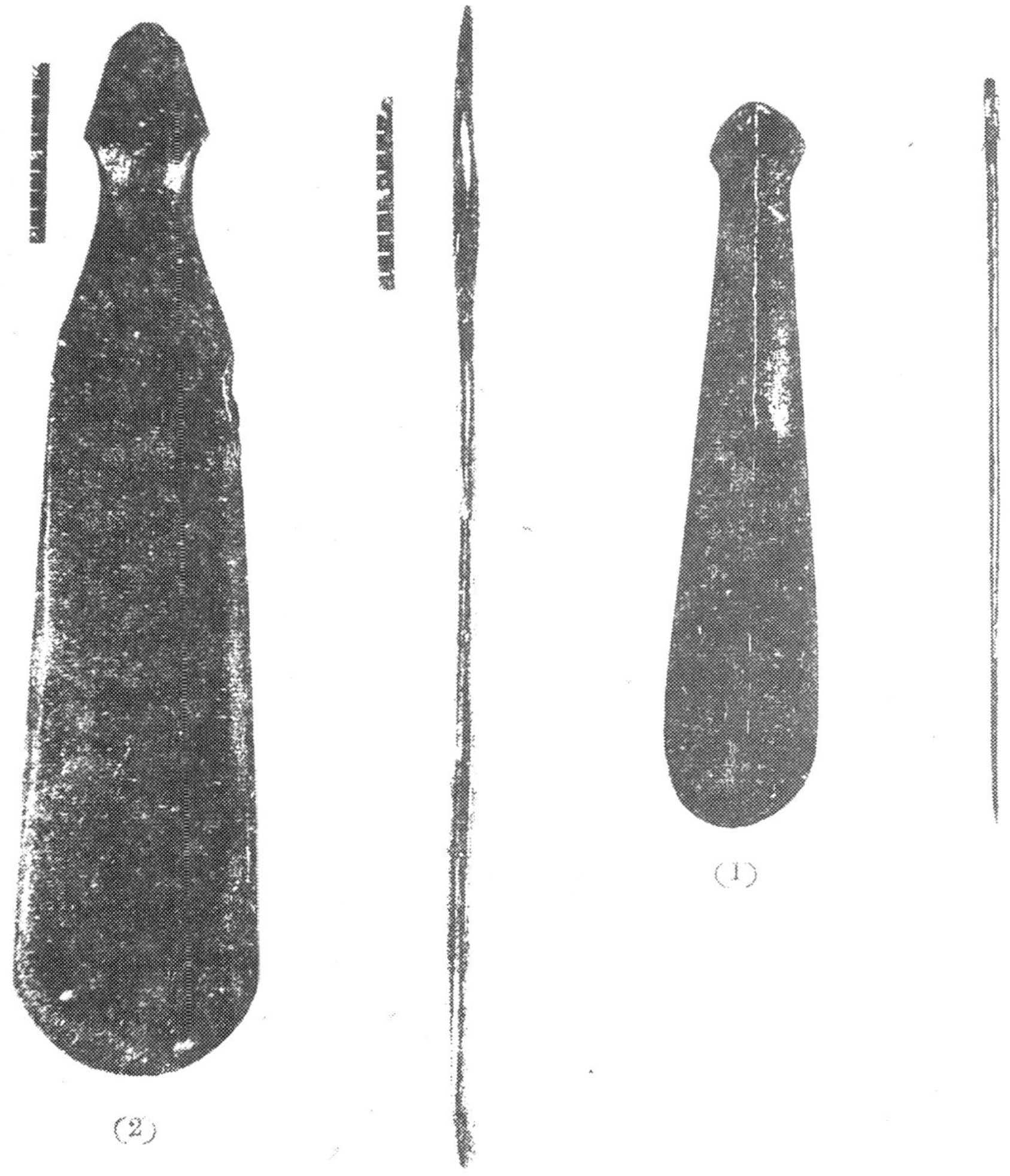

臺灣の『パッ』型石器

(1) 臺南州曾文郡官田庄蕃仔田出土
〔安平史料館保管〕

(2) 同州濁水溪以南より出土
〔尾崎秀眞氏所藏〕

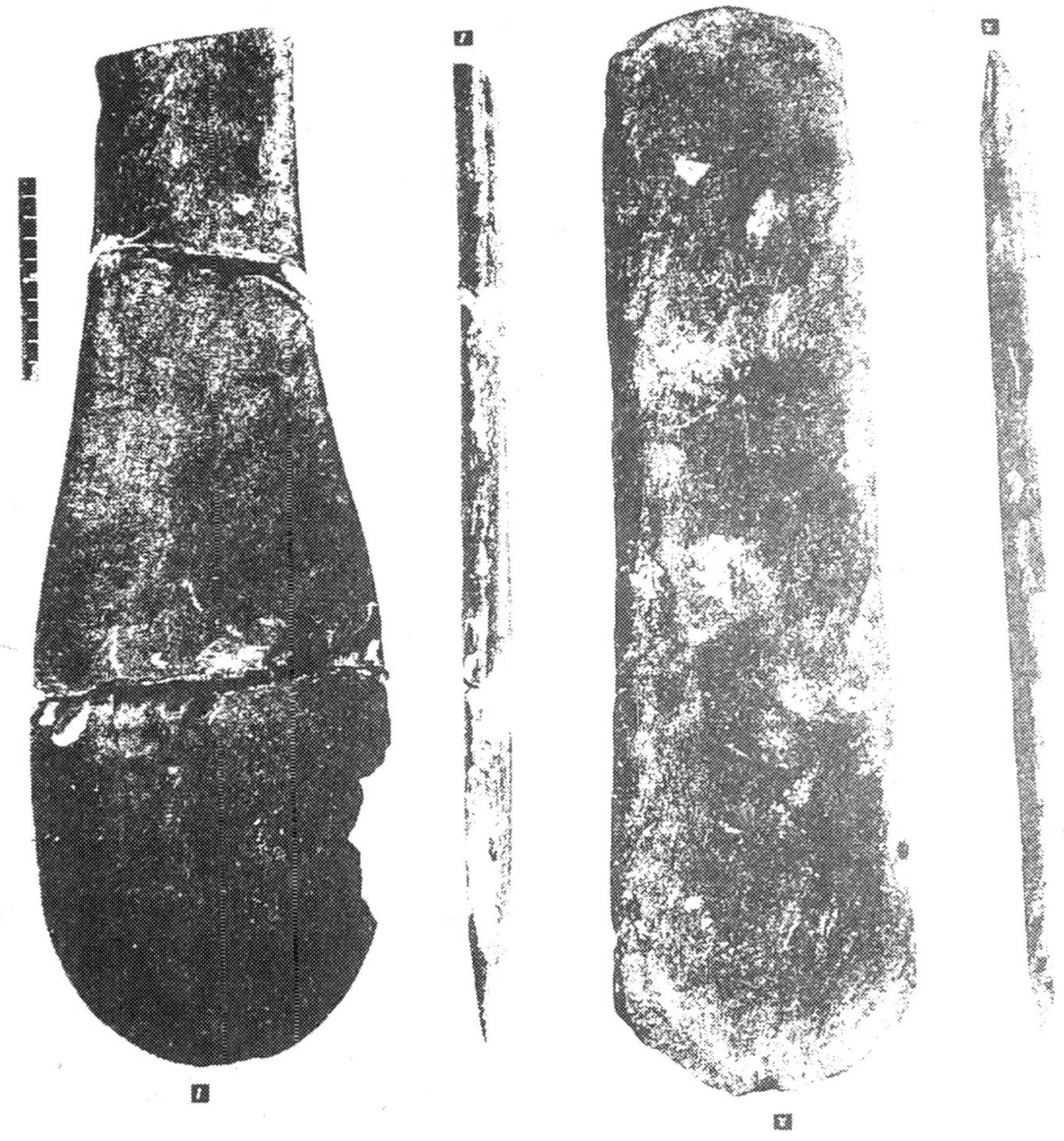

臺灣發見の『パッ』型石器

（右）　臺北市圓山貝塚發見
（左）　臺南州嘉義郡火𣗳鄉西堡太堡庄出土
〔總督府博物館所藏〕

けれども、隋書流求國を敍して

『以石爲刄長尺餘闊數寸而墾之』

と言へるは、當時臺灣に於て『パッ』型石鍬を用ひし樣を指せるものに外ならない樣に思はれるのである。

若し果して然らば、臺灣の『パッ』型石器と殆んど同系と見得べきニュゼーランドの『パッ』も、元來は農具より發足して今日の武具に發達せるものに非らざるやの疑問を生む、臺灣のそれが寧ろ南洋諸島及び北米西海岸に於ける同類系のものゝ原型に近いものがある。南北兩米發見の『パッ』とニュゼーランドのそれとは全然同一視すべきものが在り、更にマレー・ポリネシヤ系統語の米大陸、特にチムやインカ諸族の間に發見せられつゝある今日(註一二、註一三)單に兩者の地理的に隔絕せるの故を以て、其の間に行はれし文化交涉を無視する事は出來ない。然ながら此の種の遺物若くは土俗なりは、類似物の發見地に於て各々その發生の徑路を先づ究めて、然る後に傳播の可能性を攷ふべきものであると思ふ。

附記、昭和三年五月臺北帝大開設當時、文山郡十五份に於て「珍石器」發見のことを敎へて吳れられた松島事務官、同石器を研究室へ寄附せられた大學建築事務所の白倉技師及び請負師中村氏の好意を深謝すると同時に、其後間もなく逝いアルゼンチンなる知友インベロニ博士より逐々論文の惠贈を受け、更に巴里のリヴイ博士より米大陸に於けるマレー・ポリネミヤ語に關する論文、最近北米のデキソン博士より此問題に關聯する論文を、それぞれ寄與せられた好意に對し、玆に記して謝意を表したい。

終りに、尾崎、勝浦、林、の諸氏は貨物を貸與せられ、總督府博物館松倉氏及び安平史料館野田氏、研究室宮本西東兩氏、特に西東重義氏を煩したる事極めて多く、深く銘謝するものである。

註一　H. D. Skinner, Evolution of Maori Art. Journ. Roy. Anthrop. Inst. of Gr. Br. 2 Vol., XLVI 1916.

註二　Mc Millan Brown, Maori and Polvnesian.

Novelles et Correspondance XXXII Int. Archiv f. Ethnogr. Bd 11, 165.

註三　I. Imdelloni, Einige Konkrete Beweise für die ausser-Kontinentalen Beziehungen der Indianer Amerikas. Mitteil. d. Anthrop. Gesell. in wien Bd LVIII 1928

Clava-Insignia de Villavicencio un nuevo Ejomplar Ie los mere" de Oceania desbubierto en el Territo Americano. Universidad Nacional del Citoral, puclicaciones de la Tacultad de Ciencias de la Educaeion. Seccion de Historia y Leografia, No. 14, 1928.

La premiére chaine isoglossématigue Océano-américaine. P. W. Schmidt Festschrift.

On the Dilfusion in America of Patu Onewa, Okewa, Patu Paraoa, Miti aud Othr Relatiues of the Mere Family Journ. of Poly. Soc, Vol. 39 No. 4, 1930

註四　H. D. Skinner, On the Patu Family and its Occurrence beyond New Zealand. Journ. Poly. Soc., Vol. 40 No. 4, 1931

註五　H. I. Smith, Archaeology of the Gulf of Georgia and Puget Sound. Memoirs of the American Müseum of Natural History, Jesup Expedition, vol. 2, pt 6, 1907 中の F. Boas, Clubs made of Bones of whales,

註六　M. E. Riuero & yon. Tschudi, I. D., Antiguededes Peruanas. Vienna 1851. Roland B. Dixon 博士引用

註七 Roland B. Dixon, Contacts with. America across the Southern Pacific.

註八 東京人類學雜誌一五七號

註九 Leo Frobenius. Geographische Kulturkunde. Leipzig 1904

註一〇 David I. Buchnell. Jr. Villages of the Algonguian, Siouan, etc. Bureau of American Ethnology, Bulletin 77

註一一 B. Sarfert u. H. Damm, Luangiua u. Nukumanu. Ergebnisse der Südsee Expediton (1908－10) Ethnographie: E. Mikronesien Bd. 12, 1929

註一二 F. W. Christian, Polynesian and Oceanic Elements in the Chimu and Inca Languages. Journ. Poly. Soc. Vol. 41 No. 2, 1932

註一三 P. Rivet, Les Maelayo-Polynésiens en Amerique. Journ. d. la. Soc. d. Americanistes de Paris. Nouvelle serie, t, XVIII, 1926

註一四 Journ. of Poly. Soc. Vol. 41 No. 2, 1932 pp. 177

註一五 Bronislaw Malinowski, Man 5, 1920

註一六 Karl von Den Steinen, Die Marquesaner u. Ihre Kunst Bd. II. BM. 4,

註一七 Friedrich Ratzel, Völkerkunde I 393, (1894)

註一八 Friedrich Ratzel, Völkerkunde II 282, 293 (1894)

彙報

史學科講義題目

昭和三年度

東洋史概説(古代)(二)　藤田教授

東洋史概説(近世)(二)　桑田助教授

東西交通史(二)　藤田教授

同々講義(二)　桑田助教授

土俗人種學概論(二)　移川教授

土俗人種學實習及び演習(一)
(Frazer: The Golden Bough)　移川教授

昭和四年度

國史學概説(中世及び近古)(二)　中村助教授

古文書學及び講讀(二)　中村助教授

東洋史概説 唐、宋)(二)　藤田教授

東洋史概説(明、清)(二)　桑田助教授

東西交通史、東洋史講讀及び演習(二)
(史通)　藤田教授

同々講義　桑田助教授

南洋史概説(二)　村上教授

日本洋學史及び和蘭語(四)　村上教授

土俗學人種學概説(二)　移川教授

土俗學人種學實習及び演習(二)
(Frazer: The Golden Bough)　移川教授

附記　本年七月十五日藤田教授東大に講義の爲め出張中死去され、九月以降は桑田助教授及び神田喜一郎助教授補講す。

昭和五年度

史學概論(一)　村上教授

國史學概說(安土、桃山、及び德川時代)(二)　中村教授
古文書學各論(二)　中村教授
國史學講讀(史籍講讀)(一)　中村教授
中世流通經濟の發達(二)　小葉田講師
室町時代史戰國時代史　渡邊講師
唐宋時代史(二)　桑田教授
東西交通史(二)　桑田教授
兩宋時代思想史　市村講師
南洋史概說(二)　村上教授
西班牙語(隨意科目)(二)　村上教授
和蘭語(隨意科目)(一)　村上教授
西洋史概說(二)　庄司講師
地理學概論　小野講師
土俗學人種學概說(二)　移川教授
南洋及び東南亞細亞民族誌(二)　移川教授

附記　桑田教授海外留學に就き市村瓚次郎博士を聘して補講す、又特別講義の爲め渡邊世祐博士を招聘す。

昭和六年度

史學概論(二)　村上教授
國史概說(二)　中村教授
史籍解題並講讀(二)　中村教授
中世史の諸問題(二)　小葉田助教授
國史演習(二)　小葉田助教授
(中世產業問題並吾妻鑑講讀)
日鮮交涉史(中世)(二)　青山助教授
元代の文化(二)　青山助教授
支那上代史　市村講師
日本と南洋との歷史的關係(二)　村上教授
南洋史講讀(二)　村上教授

和蘭語（隨意科目）（一）　村上教授
和蘭語初步（隨意科目）（一）　村上教授
西洋史概説　新見講師
西洋史概説　村上教授
地理學概論　小野講師
土俗學人種學概論（二）　移川教授
太平洋民族誌（ミクロネシヤ、インドネシヤ）（二）　移川教授

附記　桑田教授海外留學中に就き市村博士を再聘し、又庄司講師海外留學に就き新見吉治博士を聘し補講す。

昭和七年度

史學概論（二）　村上教授
古文書學總論（二）　中村教授
平安文化の諸相（二）　中村教授
中世鑛業經濟發展の研究（二）　小葉田助教授
史籍解題（平安朝中期以後）（二）　小葉田助教授
東洋史概説（上代より宋迄）（二）　桑田教授
東洋史概説（元代以後）（二）　青山助教授
支那史料より見たる南洋（二）　桑田教授
滿洲史の諸問題、東洋史講讀及び演習（二）　青山助教授
（廿二史劄記）
南洋史概説（二）　村上教授
南洋史講讀及び演習（二）　村上教授
（Compendio de la Historia universal）
西班牙語初步（隨意科目）（一）　村上教授
十七世紀に於ける日本と安南との交渉（二）　岩生助教授
南洋史講讀及び演習（二）　岩生助教授
（Buch: De Oost-Indische Compagnie en Quinam）
地理學概論　小野講師

西洋史概說(二)　庄司講師

土俗學人種學概論(二)　移川教授

インドネシヤ民族誌(二)　移川教授

附記　本年桑田、岩生、庄司三氏前後して在外研究を終り歸朝す。

昭和八年度

史學概論(二)　村上教授

國史概說(中世史)(二)　小葉田助教授

古文書學各論(二)　中村教授

國史演習(二)　中村教授
(近世の社會及び文化)

史籍解題(二)　小葉田助教授
(平安朝中期以後)

東洋史概說(二)(一學期)　桑田教授

東洋史概說(二)(一學期)　青山助教授

支那史料より見たる南洋(二)　桑田教授

東洋史講讀及び演習(二)(一學期)　桑田教授
(輟耕錄)

極東諸國上代史(二)　青山助教授

東洋史講讀及び演習(二)(一學期)　青山助教授
(黒韃事略)

歐洲人の南洋發展(二)　村上教授

南洋史講讀及び演習(二)　村上教授
(Alvarez : Formosa Geographica e Historicamente Considerada)

日暹交涉史(二)　岩生助教授

和蘭語初步(隨意科目)(二)　岩生助教授

西洋史概說(二)　庄司講師

地理學概論　小野講師

土俗學人種學概論(二)　移川教授

土俗學人種學實習及び演習(二)　移川教授

(R. Moss: The Life after Death in Oceania and the Malay Archipelago)

土俗・人種學標本室

一般土俗學人種學研究と共に、臺灣に於ける原住民の土俗資料蒐集は急務であつて、これが蒐集に力めて、大正十五年三月伊能嘉矩氏所藏の臺灣關係書籍以外に、蕃族關係の土俗品一三七種類約三百點を購入した。其後研究室諸員の原地蒐集に係る所謂高山蕃族（生蕃）及び平埔族（熟蕃）の土俗品、遺蹟發掘による遺物、併せて一九〇五種、約二、五〇〇點を藏するに至つた。外に南洋ニユギニア、パプア族、比律賓イゴロ族、支那福建省畲族の土俗品、及び南部支那發見の古代銅鼓等あり、此等を一室に陳列し、土俗標本室を成してゐるが、目下建築中の北研究室完成の曉、其一部をこれに充當の筈である。

南方土俗學會記事

第一回　昭和四年十二月二日

阿眉族の稱呼パンツアーに關する二三の考察　移川子之藏

猿　祭　阿部明義

第二回　昭和五年一月二十七日

パイワン玉に就て　宮原敦

第三回　二月二十七日

かたま攷　幣原坦

第四回　三月三十一日

腕輪に就て　尾崎秀眞

第五回　四月三十日

花蓮港花岡山の遺跡　宮本延人

スマトラ及びブラジル　阿部文夫

第六回　五月二十六日

セレベス島を主としたる南洋の風俗　三吉朋十

第七回　七月一日

テイモール島旅行談　早坂一郎
第八回　十月二十三日
紅頭嶼ヤミ族と南に列するバタンの島々　移川子之藏
第九回　十一月二十九日
サイシヤツト族に就て　藤崎濟之助
第十回　十二月二十二日
本島人個有の宗教　增田福太郎
第十一回　昭和六年二月二日
第十二回　三月十六日
カバラン族の意義及び其の移動　幣原坦
第十三回　四月十三日
セレベス島及び臺灣蕃人　三吉朋十
第十四回　六月一日
苗族の文字に就て　前島信次
第十五回　九月五日
年齡階級の社會史的意義　岡田謙
第十六回　十一月五日
黃叔璥の臺灣蕃社圖に就て　山中樵
第十七回　十二月二十一日
蕃語に表はれたる土俗の數例　小川尙義
第十八回　昭和七年三月四日
左手利と左眼利とに就て　力丸慈圓
第十九回　六月一日
いも語源考序說　安藤正次
第二十回　十月九日
家畜の起源とその傳播　山根甚信
第二十一回　十二月二十四日
鄭和に就て　桑田六郎
第二十二回　昭和八年二月十六日
比律賓に於ける金銀に就て　小葉田淳
第二十三回　十月七日

臺灣の原始土器の信仰に就て　宮本延人

第二十四回　十一月二十九日

南支南洋方面旅行談　東恩納寛淳

第二十五回　昭和九年一月二十日

宗教民族學の一傾向　古野清人

史學會消息――史學科學生を中心として、歴史讀書會を組織し、隨時會合して、研究事項の發表討論をしてゐる。例會記事を左に列擧すれば

歴史讀書會記事

第一回　昭和五年五月十四日

淡水史話　柯設楷

印刷術發達の大要　佐渡理三郎

第二回　六月七日

臺灣蕃人の喪服の期間　馬淵東一

ルコック氏の西域研究　松本盛長

第三回　十月四日

支那古田制の問題　大山綱武

景教の中國に對して採つた態度　波田野文夫

第四回　十一月十八日

古代人の服飾　鈴木謹一

我國の中世に於ける社寺講　小葉田淳

第五回　十二月二十三日

儋羅斯の戰の原因に就いて　前島信次

後奈良天皇の御盛德　渡邊世祐

第六回　昭和六年一月九日

廣東公行に就て　古屋次雄

人格としての文化　松本盛長

第七回　三月二日

豐臣時代檢地沿革　中治赳夫

ベニヨウスキー探見旅行記　庄司萬太郎

第八回　五月九日

景教の名稱の變遷　波田野文夫

埔里社の話　宮本延人

第九回　六月廿六日

近世に於ける西班牙人の臺灣占據に就て　山村光敏

封建經濟の制約下に於ける資本經濟に就て　大山綱武

第十回　九月二十八日

ワリニャーニ師の第三回來朝に就て　若林修二

最近儒敎研究の傾向に就て　松本盛長

第十一回　十月二十六日

宋代に於ける財政狀態　鈴木謹一

景敎の別稱大秦敎に就て　波田野丈夫

第十二回　十一月三十日

ゴーレス攷　前島信次

常世國　青山公亮

第十三回　十二月廿二日

德川幕府の農政機關に就て　中治赳夫

史學管見　新見吉治

第十四回　昭和七年一月二十八日

十九世紀に於ける英支貿易　古屋次雄

上杉氏の財政と鑛山　小葉田淳

第十五回　二月二十八日

歷史研究法所感　鈴木讓

中世以前の印刷術に就て　中村喜代三

第十六回　五月二十八日

ゴーレスは五島か　桑田六郎

第十七回　六月二十五日

安南に於ける日本人遺蹟　岩生成一

第十八回　九月二十五日

村上敎授指導基隆社寮島の史蹟見學

第十九回　十月八日

西洋史上興味ある教材の二三に就て　　庄 司 萬 太 郎

第二十回　一月二十二日

西班牙植民史上に於ける比律賓諸島の價値　　淵 脇 英 雄

西班牙人の比島占據當初に於ける日比交渉　　鄕 原 正 雄

第二十一回　十一月十二日

澎湖島に於ける紅毛城址　　村 上 直 次 郎

第二十二回　十一月二十五日

發音上よりリマホンと林鳳の同一人なる事を說く　　服 椋 欄

第二十三回　十二月十七日

我國に於ける甘藷傳播のあとを探ねて　　奥 田 彧

第二十四回　昭和八年一月二十一日

一六一六年に於ける暹羅國日本遣使考

——在暹羅日本移民の一研究——　　岩 生 成 一

第二十五回　二月十八日

吳氏の銅山の所在地に就て　　波田野 文 夫

パイワン族アミ族その他に於ける屍體埋葬の方向　　馬 淵 東 一

此の外臺北市諸學校史學教員より成る歷史懇話會があつて每月其例會を開催してゐる。

史學關係出版物

Sur Yeh-t'iao 葉調、Szu-t'iao 斯調、et Szu-hê-t'iao 私訶條

Li-hsüan 黎軒、et Tai-ch'in 大秦（文政學部紀要

第一卷第一號）　　藤田豐八 教授

Shinkan Manuscripts 新港文書（文政學部紀要

第二卷第一號）　　村上直次郎教授

史學關係購入文庫

坂口文庫　一三四五冊　昭和三年十月二十九日購入。故文學博士坂口昂氏舊藏。西洋史關係の洋書と一般歴史關係の和書より成る。

ユアール文庫　二〇二四冊　昭和四年一月十九日購入。故 Clément Huart 氏舊藏。L'Ecole des Langues Orienta les Viviantes 教授、佛蘭西アカデミ會員たりし氏の舊藏にかゝり、アラビヤ、ペルシヤ、トルコ等の諸國を中心としたる言語學關係のものを主として居るが、歴史、地理、紀行、及び風俗習慣の研究文籍も蒐集してある。

烏石山房藏書　三四八〇三冊　昭和四年一月二十五日購入。龔氏烏石山房舊藏。福州の名家龔氏の舊藏にして、乾隆時代龔景翰蒐集し、其の後一時散亡したが同治時代龔易圖再び蒐集して、烏山麓に收藏したもので、經史子集に亘つて良く網羅されてゐる。

大島文庫　一七五〇冊　昭和四年三月二十一日購入。故男爵大島富士太郎氏舊藏。東西交通史關係の洋書多く、就中日歐交通史關係文籍其の大部にして、殊に日本の耶蘇會關係のものには、古版本珍本が少くない。

藤田文庫　五〇六冊　昭和四年三月二十一日購入。故文學博士藤田豊八氏舊藏。東洋史關係の洋書にして、支那南海交通に關する文獻に富んでゐる。因に博士舊藏の漢籍二一六〇〇冊餘は東洋文庫に保管の由。

史學科卒業論文題目

昭和五年度

臺灣の名稱の歴史的並に地理的考察及び古代漢民族の臺灣に關する知識の變遷　柯設偕

昭和六年度

支那古代に於ける片系と双系　馬淵東一

德川幕府の檢地　中治赳夫

日本都市經濟の研究　大山綱武
景教名稱變遷考　波田野丈夫
第十九世紀初葉に於ける英支貿易　古屋次雄
四書に見えたる人格思想　松本盛長
王安石ノ新法ニ付テ　鈴木謹一

昭和七年度

宋代ノ都市研究　佐渡理三郎
第十六七世紀に於ける南支と南洋との歴史的關係　張棣標
占領初期に於けるイスパニヤの比島統治　淵脇英雄
十七世紀に於ける臺灣經由の南洋貿易　山村光敏

史學科職員氏名

國史學	教授	中村喜代三
同	助教授	小葉田淳
東洋史學	教授	藤田豊八（昭和四年七月十五日卒去）
同	教授	桑田六郎
同	助教授	青山公亮
南洋史學	教授	村上直次郎
同	助教授	岩生成一
土俗・人種學	教授	移川子之藏
西洋史學	講師	庄司萬太郎
地理學	講師	小野鐵二
	助手	前島信次（昭和七年三月轉任）
	同	宮本延人
	副手	松本盛長
	同	中治赳夫
	同	馬淵東一

昭和九年五月二十五日印刷
昭和九年五月三十一日發行

編輯兼發行者　臺北帝國大學文政學部

東京市神田區錦町三丁目十七番地
印刷者　白井赫太郎

發賣所　東京市神田區神保町二丁目　巖松堂書店
電話九段四一三五・神田二四六七
振替口座東京六五五六